Les étoiles de Noss Head
1 – Vertige

S<small>OPHIE</small>

JOMAIN

Les étoiles
de Noss Head

1 – Vertige

À Sissi,
Tu es une merveilleuse amie.

© Rateau Édition 2010, 2012
© Fabrice Tarin 2014 pour la présente édition

« Je les distinguais à peine dans la nuit et sous la pluie battante, mais je savais que ce qui allait suivre serait d'une violence inouïe. Ils se tenaient debout, face à face, prêts à s'affronter. Pour moi.

Dans un dernier effort, je parvins à me redresser et à m'adosser contre le mur.

Je ne les quittais pas des yeux et retenais ma respiration. Quelque chose était en train de se passer.

La pression dans mes poumons. Le bourdonnement dans mes oreilles. Les picotements dans mes yeux. Tout mon corps était secoué de tremblements. Je ne voyais plus rien, n'entendais plus rien. Je m'enlisais dans des abîmes sombres et sans fin.

Avant de m'effondrer sur le sol froid et humide, dans un état de semi-conscience, j'eus le temps de comprendre ce qui m'arrivait, et pourquoi.

Il se métamorphosait.

Maintenant. »

Chapitre 1

Bon séjour à Inverness.

De : Moi
À : Sissi
On est coincés dans les bouchons, sur l'A1, et comme tu peux l'imaginer, je suis de très mauvais poil, ce matin. Je n'arrive pas à croire que mes parents m'aient fait un coup pareil. Non, mais sérieusement... Je vais passer mon anniversaire à Wick. Wick !

Pour être honnête, ce n'est pas que je ne sois pas heureuse de revoir ma grand-mère, tu sais que je l'adore, mais pour mes dix-huit ans, j'avais envisagé autre chose qu'une fiesta au milieu des vaches écossaises ! Et puis, ce n'est plus comme avant. Depuis qu'elle est aveugle, on ne sort plus beaucoup, et je ne peux quand même pas passer toutes mes vacances devant la cheminée ! L'Écosse, c'est peut-être le plus bel endroit du monde, mais pas pendant deux mois. C'est tout.

J'imagine que toi, tu pars sur la Côte d'Azur, comme d'habitude ? C'est écœurant, moi, je ne pourrai même pas mettre les fesses dans l'eau tellement ça caille.

Bref, ne t'affole pas, je survivrai... enfin je crois.

Je te laisse, on arrive à l'aéroport. Je t'écrirai lorsqu'on sera à Wick.

Ta vieille copine désespérée,

Hannah.

P.-S. : n'oublie pas de me passer un coup de fil pour me donner les résultats du bac.

— Tu n'es pas très bavarde, Hannah Jorion. Toujours en rogne ?

J'éteignis mon téléphone portable et levai les yeux vers le rétroviseur pour croiser le regard de mon père.

— J'aurais préféré rester à Paris. Tu le sais bien, on en a déjà parlé.

— Ne fais pas ta mauvaise tête, Hannah. Il ne s'agit que d'un anniversaire après tout, et ta grand-mère serait très déçue si tu ne venais pas avec nous. Toi aussi tu as des responsabilités, ma fille. C'est comme ça.

Et hop ! La conversation était bouclée.

— Paris me manque déjà, marmonnai-je, histoire d'avoir le dernier mot.

— Hum... Paris ou un éventuel petit ami parisien ? lança ma mère avec espoir.

Je haussai les épaules.

Elle avait beaucoup de mal à admettre que je ne fréquente personne et que je n'en aie aucune envie. Pour elle, ce comportement n'était pas très normal. Une adolescente devait forcément rêver du prince charmant. Raté. D'une part, ce n'était pas mon genre, et d'autre part, je faisais fuir les mecs. Je ne buvais pas d'alcool, ne fumais pas, ne faisais pas de sortie en discothèque et passais mon temps à bûcher mes cours. Et puis, dans bien des cas, tomber amoureux me semblait si irrationnel, si dénué de sens. Déjà au lycée, on voyait des couples se promettre l'éternité, se séparer, les filles se mettre dans tous leurs états, des pleurs, des portes claquer, des « Je ne pourrai jamais m'en remettre ! », elles chialaient un bon coup, et la semaine suivante, elles oubliaient tout en craquant pour les yeux d'un autre.

Ouais, je trouvais ça pathétique.

— Voilà ! s'exclama mon père en serrant le frein à main. On y est !

Je grimaçai et détachai ma ceinture. Le panneau « Parking longue durée », et ce qu'il signifiait, me donnait la nausée.

Comme nous avions deux heures d'avance et que je n'avais pas faim, je décidai de faire les boutiques pendant que mes parents prenaient enfin le temps de déjeuner. Je les laissai en amoureux et partis à la recherche d'un cadeau pour Elaine – depuis toute petite, j'appelais presque toujours ma grand-mère par son prénom. Sans compter que je serais définitivement privée de shopping pendant deux mois, alors autant en profiter maintenant.

Je fis du lèche-vitrines un long moment, puis optai pour une parfumerie. Elaine adorait les parfums français capiteux. Quand il était encore en vie, Jean, mon grand-père paternel, lui en offrait très souvent. Elle collectionnait d'ailleurs tout un tas de flacons vides. Ici, je trouverais forcément son bonheur.

Lorsque je m'arrêtai devant un présentoir pour sentir une eau de toilette, un miroir mural attira mon attention. Je m'immobilisai et examinai mon reflet en grimaçant.

Je n'avais pas l'allure de mes parents, on les remarquait partout où ils mettaient les pieds. Ils étaient vraiment très beaux, alors que j'estimais avoir un visage ordinaire, une peau pâle, des yeux vert clair entourés de grands cils châtains, un nez droit, des pommettes hautes et une bouche en cœur. Mes lèvres étaient plutôt pleines, mais cependant pas assez larges et sans doute un peu trop roses pour ma couleur de cheveux. J'y passai les doigts et grognai. Trop épais, trop bouclés, trop roux... Je ressemblais à un épouvantail. Ma mère les avait plus souples et plus foncés. Que n'aurais-je pas donné pour posséder les mêmes !

« On fait avec ce qu'on a ! » avait pour habitude de dire Elaine. Certes, ce qui ne m'empêchait pas de désirer tout autre chose. Je soupirai, haussai les épaules, et m'appliquai à choisir un parfum. Je le payai, attendis qu'on l'emballe, et me dirigeai vers le hall principal.

J'avais encore une bonne heure devant moi. Alors je fis un arrêt au kiosque à journaux et achetai une de ces revues people complètement inutiles. J'avais repéré une petite brasserie avec des banquettes en cuir qui paraissaient bien confortables. Je feuilletterais mon magazine là-bas. Je pris une table pour deux, commandai un Coca et y passai un long moment. Vers quinze heures trente, je décidai de rejoindre mes parents, nous allions embarquer.

— *Ah! Hannah, ready to go?*[1] me demanda ma mère.

Parler anglais était si commun entre nous... J'y étais habituée depuis toute petite. Maman était écossaise, et même lorsqu'elle s'adressait à moi en français, elle employait souvent des mots doux dans sa langue maternelle. *Sweetheart* avait la palme. Quant à mon père, il était franco-écossais, alors nous avions l'habitude de jongler entre Molière et Shakespeare.

Je hochai la tête et souris.

— *I have a present for Elaine. I'm sure she will adore it*[2].

Le ton de ma voix était presque trop enjoué. Mais personne ne m'en fit la remarque. Mes parents étaient absolument convaincus que, quoi que j'en dise, je passerais deux mois d'été incroyables.

---

1. Prête à partir ?
2. Oui. J'ai un cadeau pour Elaine. Je suis sûre qu'elle va adorer.

— Ah ! Tu as retrouvé le sourire, nota ma mère en me pinçant affectueusement la joue.

— Eh bien, tu vois, me félicita mon père, il suffit d'y mettre un peu de volonté. Je suis certain que tu vas adorer ces vacances.

— *Sure*[1], marmonnai-je.

Parce que, sur le coup, ce fut tout ce que mes lèvres réussirent à articuler pour cacher mon incrédulité.

Cinq heures plus tard, dont une escale à Birmingham, nous atterrîmes à Inverness et avançâmes jusque dans le hall de réception des valises. Comme d'habitude, nous devrions attendre un bon quart d'heure avant que celles-ci ne commencent à arriver sur le tapis roulant. J'en profitai pour faire un tour aux toilettes et soulager ma vessie. Je me tortillais comme une anguille depuis presque deux heures, mais je détestais déambuler dans un avion, et encore plus m'enfermer dans une minuscule cabine en plein vol, particulièrement lorsque cinquante personnes y étaient allées avant moi.

Lorsque j'en sortis, les passagers avaient déjà commencé à récupérer leurs affaires et se dirigeaient vers le terminal. Ma parka sous le coude, la besace sur l'épaule, mes emplettes dans une main et le magazine dans l'autre, j'accélérai le pas pour retrouver mes parents. Bêtement, mon pied se prit dans la manche de ma veste qui traînait par terre et, dans un cri de surprise, je trébuchai en lâchant tout ce que j'avais entre les doigts. Oh, bonheur ! Alors que je voyais déjà s'écraser le flacon de parfum sur le sol, un inconnu surgit de nulle part pour s'emparer du sac, en même temps qu'il me retenait par la taille d'une poigne de fer. Tout ça, en une fraction de seconde.

— Tout va bien ? demanda une voix masculine.

1. C'est sûr...

Je battis des paupières, désorientée.

— Euh... je... oui, je crois.

Le bon samaritain relâcha doucement son étreinte et m'aida à me redresser. Ce n'est que lorsque je fus libérée que je me rendis compte à quel point le bras qui me maintenait était chaud, presque fiévreux, à travers le tissu de mon tee-shirt. J'en fus tellement surprise que je fis un brusque écart en arrière, manquant m'étaler une nouvelle fois. Je me repris toute seule et levai le nez sur mon sauveur. Il s'agissait d'un jeune homme de mon âge, ou presque, mais largement plus grand que moi. Disons, d'une bonne tête et demie. Toutefois, ce n'est pas sa taille qui me marqua le plus ni même son exceptionnelle chaleur corporelle. Non. C'était ses yeux, rieurs et semblables à deux émeraudes étincelantes. J'étais formelle : je n'en avais jamais vu d'aussi magnifiques. Subjuguée, je ne parvenais pas à m'en détacher. Un instant, je demeurai interdite. D'où sortait-il pour avoir des mirettes pareilles ? Et ces dents ? Ces cheveux ? Cette bouche... OK. J'avais beau faire tous les efforts du monde, j'eus un mal de chien à ne pas avoir l'air tarte devant un tel spectacle. Ce type était tout simplement à tomber à la renverse !

— Il faut faire attention où tu marches, me railla-t-il gentiment, tu risquerais de te casser une jambe.

Il se baissa pour ramasser ma revue et me la tendit. Gênée, je m'en emparai et me raclai la gorge.

— Merci.

C'était moi ce couinement de souris ?

— Et ça aussi, ajouta-t-il en me remettant le sac contenant le flacon de parfum. C'était moins une.

— Merci, répétai-je en veillant à moduler ma voix.

Mais du coup, je donnai l'impression d'avoir mué subitement.

Je déglutis et glissai les doigts dans l'encoche.

— Eh bien, bon séjour à Inverness, conclut-il avec un sourire éclatant.

— Je... euh... merci.

Il me gratifia d'un clin d'œil, amusé.

— Jamais deux sans trois...

Je n'eus pas le temps de répliquer quoi que ce soit, il s'éloignait déjà avec la démarche souple et assurée d'un gars bien dans ses baskets. Je le suivis du regard jusqu'à ce qu'il rejoigne un homme plus âgé que lui – son portrait craché en fait –, et qu'il disparaisse derrière une porte automatique.

Impossible de réprimer le rire nerveux qui menaçait de me faire bêler comme une chèvre. Je me repris, soupirai profondément et retrouvai mes parents.

La voiture de location était confortable, et les quatre-vingt-dix minutes qui séparaient Wick d'Inverness passèrent très vite. Je dormis presque tout le long, et me réveillai un quart d'heure avant qu'on arrive. Il faisait nuit noire et la pluie battait gentiment l'habitacle. Lorsque nous nous arrêtâmes dans la cour du manoir des Redford – le nom de jeune fille de ma grand-mère –, la lanterne du perron était toujours allumée. Il était tard, mais elle nous attendait. Fatiguée, je me saisis de ma besace et de mon sac à dos, et suivis mes parents à l'intérieur.

Ça faisait tellement d'années que je venais dans cette maison..., rien n'avait changé. Le vieux chêne qui s'étirait jusque devant les fenêtres du premier étage, la façade blanche, les *bow-windows*, le toit en ardoise... Tout y était. J'étais grognon avant de partir, mais maintenant que je me trouvais ici, je me sentais chez moi.

Elaine patientait dans le salon. Nous nous embrassâmes chaleureusement et discutâmes un long moment, puis, vers vingt-trois heures trente, je pris congé et montai les marches deux à deux pour gagner ma chambre. Je contemplai avec tendresse la collection de poneys et chevaux miniatures que j'avais commencée lorsque j'avais six ans. Elle était toujours là, tout comme la vieille coiffeuse en pin dans le coin de la pièce, et le gros édredon en patchwork jeté sur le lit.

Je souris. J'étais bien.

Épuisée, j'optai pour ranger mes affaires le lendemain. Je pris le temps de passer sous la douche, enfilai mon pyjama, et me glissai sous les draps. Dix minutes plus tard, je dormais.

Chapitre 2

Salut, tête rouge !

Le soleil m'aveuglait à travers la fine épaisseur de mes paupières closes.

Je résistai.

Pas de bol. C'est toujours la lumière qui gagne.

Vaincue, j'ouvris lentement les yeux, et fis une moue grognon.

Je finis par repousser les draps pour sortir du lit, soupirai et fronçai les sourcils en consultant l'heure sur mon portable. Il était déjà plus de dix heures.

Je m'étirai, enfilai mes vêtements, une grosse paire de chaussettes et descendis dans la cuisine pour prendre mon petit déjeuner. La douche serait pour plus tard.

En bas, la radio hurlait une chanson de Leonard Cohen, *Dance me to the end of love*. Mathy – l'employée et amie d'Elaine – préparait le repas de midi tout en remuant du popotin. Je souris en la regardant faire et m'approchai pour m'asseoir à table.

— 'jour, Mathy.

— Oh, bonjour, chérie ! Tu m'as fait peur. Bien dormi ?

Des viennoiseries étaient posées dans une corbeille, j'en goûtai une.

— Comme un bébé. Mes parents ne sont pas là ?

— Non. Ils sont partis tôt pour emmener Elaine chez l'ophtalmologiste. Ils devraient revenir pour treize heures. Un petit tour à vélo ? me suggéra-t-elle avec un clin d'œil.

Elle me connaissait bien. Lorsque j'arrivais à Wick, c'était toujours la première chose que je faisais. Ce matin ne ferait pas exception à la règle. Le centre-ville était à vingt-cinq minutes à bicyclette. Sept kilomètres, ce n'était pas le bout du monde.

La bouche pleine, je hochai la tête, et avalai une belle gorgée de jus d'orange que Mathy venait de me servir. Je terminai mon petit déjeuner, débarrassai mes couverts et claquai une bise sur la joue de Mathy.

— Je serai de retour pour le déjeuner. Je fais juste l'aller et retour.

Je courus jusque dans l'entrée pour enfiler mes chaussures, m'attachai les cheveux en queue-de-cheval et, dix minutes plus tard, j'étais en selle.

Il faisait frais, à peine treize degrés pour une fin de matinée. J'avais heureusement pris mon sweater préféré – le vert –, la capuche avait l'avantage de couper le vent soufflant sur ma nuque. Machinalement, je remontai les épaules pour me réchauffer et empruntai les routes longeant les champs. Au bout de vingt minutes, j'arrivai à la hauteur du panneau m'informant que je pénétrai dans la ville.

Wick comprenait grosso modo sept mille habitants et un joli port de pêche sur lequel on aimait beaucoup marcher avec mon père lorsque j'étais petite. On pouvait y voir quelques bateaux colorés qui sentaient parfois très fort le poisson. C'est d'ailleurs là que je décidai de me promener.

Wick était tellement différente de Paris, et j'étais une vraie citadine. Si à Paris, je pouvais exercer des tas d'activités, faire de nombreuses visites et enchaîner les sorties originales avec mes amis, à Wick, je ne pouvais guère faire la difficile. Soit, il s'agissait certainement de l'endroit le plus animé à des kilomètres à la ronde, mais ce n'était pas non plus le

20

Pérou. Je ne connaissais pas grand monde, et encore moins les lieux populaires de la ville. Y en avait-il seulement ?

Sur le port, je descendis de mon vélo et l'attachai autour d'un lampadaire. Comme je n'avais aucune idée de l'heure qu'il était – je détestais les montres et je n'avais pas pris mon téléphone portable –, je m'arrêtai pour demander le renseignement au vieil homme qui lisait son journal, assis sur un banc.

— Onze heures vingt, répondit-il sans daigner me regarder.

Et il replongea aussitôt dans sa gazette.

Je le remerciai et jetai un œil alentour. C'est là que je vis un garçon qui s'approchait en me faisant de grands signes de la main.

— Hannah ? Eh ! Hannah !

— Davis ?

C'était bien lui. Davis Burns était le frère jumeau de mon amie Maisie, celle avec qui je passais habituellement tout mon temps pendant nos vacances à Wick. La famille Burns possédait une grosse exploitation agricole à quelques pas de chez Elaine.

— Ça alors, Davis, je croyais que tu étais aux États-Unis pour deux ans.

— Je repars en septembre. Et toi qu'est-ce que tu fais là ? Je me souviens t'avoir entendu affirmer que tu ne voulais plus rouiller ici. Tu as changé d'avis ou on t'a kidnappée ?

— On va dire que j'ai consenti à ce séjour pour le bien de la communauté. Qu'aurait fait le peuple écossais sans ma merveilleuse présence ? plaisantai-je.

— Sûr, tête rouge ! s'exclama-t-il en riant.

Je me composai un air menaçant.

— Ne m'appelle pas comme ça, aboyai-je en le gratifiant d'une petite tape sur le crâne.

Davis pouffa.

— Et Maisie ? m'enquis-je. Elle est en Irlande, non ? Tu as eu des nouvelles ?

— Ouais. Ma mère a discuté avec elle hier. Il n'arrête pas de pleuvoir, mais elle s'éclate. Je crois qu'elle s'est trouvé un mec !

Rien d'étonnant... Maisie était élancée, blonde, avec un regard bleu azur et des formes placées exactement là où il fallait. Mais dans son genre, Davis n'était pas mal non plus : sportif, grand et aussi blond que sa sœur, mais avec des yeux couleur noisette. Et j'avoue que même si ma préférence allait plutôt aux bruns, qu'il était casse-cou et provocateur, je reconnaissais que Davis ne m'avait jamais laissée indifférente. Toutefois, plus jeune, il avait le don de m'exaspérer, et je fuyais sa présence comme la peste.

— Et toi, alors ? demandai-je finalement. Qu'est-ce que tu fais dans le coin ?

— Je revenais d'une balade en bateau.

J'ouvris de grands yeux.

— Je ne savais pas que tu aimais naviguer. Tu as ton propre bateau ?

— Pour le moment, j'utilise celui de mon père. Il n'a plus trop le temps de sortir en mer et envisage sérieusement de me l'offrir à mon retour de Philadelphie. Mais en attendant, je peux m'en servir librement. Ça te dirait de m'accompagner, un de ces quatre ?

Mes pupilles durent s'élargir d'excitation.

— Ouais, carrément !

Le visage de Davis s'éclaira sur un sourire radieux.

— Que penses-tu de demain matin ? Le ciel devrait être complètement dégagé, il fera beau.

— Oh, génial !

Je fis un effort surhumain pour ne pas sauter partout. Les vacances commençaient bien !

— Je te téléphone ce soir pour te confirmer l'heure du rendez-vous, ça te va ?

— Parfait !

Nous marchâmes et discutâmes un moment, puis Davis me raccompagna à mon vélo. Alors que j'avais à peine donné deux tours de pédale pour repartir, il baissa la vitre de son pick-up et me héla.

— Hé, tu sais quoi, tête rouge ? Tu es encore plus jolie que la dernière fois que je t'ai vue !

Je piquai un fard et détalai à vitesse grand V.

Vers dix-neuf heures trente, j'attendais toujours le coup de fil de Davis. Aussi patiente qu'une gosse à la veillée de Noël, je tâchai de passer le temps en envoyant un mail à Sissi. Je m'emparai de mon smartphone et commençai à écrire.


```
De : Moi
À : Sissi
```

Hannah Jorion au rapport !
Ce matin, j'ai rencontré Davis Burns, tu sais, le frère jumeau de mon amie Maisie. Il m'a proposé une balade en mer avec lui demain. Une première ! Depuis le temps que je viens à Wick, je ne l'avais encore jamais fait... Pourvu que je ne sois pas malade. Ce serait vraiment moyen...

Sinon, rien n'a changé ici. C'est déprimant. Mais je suis contente de revoir Elaine.

Voilà, je crois que c'est tout pour aujourd'hui. Désolée, je n'ai pas encore grand-chose à raconter.

Ah mais si..., bien sûr ! J'allais oublier ça. J'ai fait une drôle de rencontre à l'aéroport d'Inverness. Je suis tombée au sens propre sur le garçon le plus beau de la Création. Je ne m'en suis toujours pas

remise. Je n'avais jamais vu des yeux aussi
verts de toute ma vie. Bien sûr, ce n'est pas
à Wick qu'on retrouve des spécimens pareils.
Bref, Davis n'est pas mal non plus ;-)

Bise,
Hannah.

Sissi devait être collée devant son écran, car elle
répondit dans les dix minutes qui suivirent.

De : Sissi
À : Moi

Attends ! Davis ? Le beau mec que j'ai vu
sur les photos l'année dernière ? Eh ben, ma
vieille, tu ne te mouches pas du coude ! T'as
intérêt à en profiter !

Je m'allongeai sur mon lit et m'installai contre mon
oreiller.

De : Moi
À : Sissi

OK, il est mignon. Mais ne t'emballe pas,
poulette. Je n'ai pas l'intention de finir
dans son lit, hein. Faut pas charrier.

J'attendais la réplique, elle ne tarda pas.

De : Sissi
À : Moi

Ben tu devrais pt'être !
C'est quoi cette histoire avec le mec aux yeux verts ?

J'allais lui répondre lorsque j'entendis une voiture arriver dans la cour. Je regardai par la fenêtre et restai immobile de stupéfaction. Davis sortait de son pick-up blanc.

Je descendis l'escalier en trombe pour le rejoindre et ouvris la porte d'entrée.

— Tu ne m'avais pas dit que tu devais téléphoner ?

— Si, se justifia-t-il en souriant, mais ton père a appelé avant que je ne le fasse.

— Mon père ?

— Oui, se manifesta le principal concerné derrière moi, je voulais que Davis m'explique exactement ce à quoi peut ressembler une balade en mer. Et à quel point il sait naviguer.

Je me retournai, mortifiée.

Si j'avais pu, je me serais cachée dans un trou de souris. Il aurait au moins pu m'en parler avant. J'avais l'air de quoi, moi ? J'étais rouge de honte.

— Entre, mon garçon, dit-il en l'invitant poliment à le suivre dans le salon.

Ma mère s'installa avec nous et ne perdit pas une miette des explications de Davis. Ce dernier nous montra son permis et nous raconta que son père avait acheté un ancien rafiot de pêche. Ensemble, ils l'avaient entièrement retapé, et quelquefois, Davis proposait même des traversées autour des îles ou le long de la côte. Un vrai marin !

— Tu sais naviguer depuis longtemps ? s'étonna mon père.

— Oui, monsieur. Lorsque j'étais petit, j'accompagnais déjà mon grand-père à la pêche. Il m'a appris tout ce que je sais.

Davis finit par nous conter quelques-uns de ses exploits. Il s'y prit si bien qu'il parvint à convaincre totalement mes parents. L'autorisation de me balader sembla définitivement acquise.

— Davis, veux-tu rester dîner avec nous ? proposa ma mère, un peu plus tard dans la soirée.

— Je vous remercie, madame Jorion, mais je suis attendu à la maison.

Je le raccompagnai jusqu'à sa voiture, les mains dans les poches.

— Je suis vraiment désolée pour mon père, m'excusai-je. Il ne m'avait rien dit.

— Il n'y a pas de mal. Après tout, tu n'es encore qu'une gamine, se moqua-t-il en me gratifiant d'un clin d'œil.

Je fis comme si je n'avais rien entendu, et lui demandai à quelle heure nous devions nous retrouver sur le port.

— Je viens te chercher à trois heures et demie. Demain matin.

Je manquai de m'étrangler.

— C'est une blague ?

Il secoua la tête.

— Tu ne voudrais tout de même pas rater le lever du soleil ? Tu vas adorer.

J'en restai bouche bée. Je n'étais pas franchement convaincue d'avoir les idées suffisamment claires à une heure si matinale pour apprécier quoi que ce soit, mais guilleret, Davis remonta dans son pick-up et baissa sa vitre.

— À demain, tête rouge. Pense à prendre des vêtements chauds. Il fait froid de bon matin. Pas plus de sept ou huit degrés.

Génial...

Je le saluai d'un signe de la main et m'engouffrai dans la maison.

Trois heures et demie... Le jeu avait intérêt d'en valoir la chandelle !

**

Davis n'avait pas une minute de retard et aucune marque de fatigue sur le visage, alors qu'on aurait dit que j'avais vieilli de dix ans d'un coup.

J'étais déjà rarement de bonne humeur en me réveillant, alors à trois heures du mat', je ressemblais à une bête féroce. Je ne desserrai pas les lèvres de tout le trajet et appréciai que Davis en fasse autant. Il gara le pick-up sur le parking du port, et fit le tour pour m'ouvrir la portière.

— Allez, Belle au bois dormant, prête pour la grande aventure ?

Je grognai un petit « mouais » peu convaincant et sortis dans le froid humide, la tête enfoncée dans ma capuche. Avant de rejoindre le bateau, Davis saisit un gros sac à dos sur le plateau, une glacière et une boîte rectangulaire en cuir marron.

— Qu'est-ce que c'est ? demandai-je.

— Surprise, mam'selle... J'espère que tu as le pied marin.

— Aucune idée. La mer sera agitée ?

Pour être honnête, je n'avais pas envie de me retrouver à vomir par-dessus bord.

— Je ne pense pas, me rassura-t-il. Mais ma grand-mère, par exemple, était malade même lorsque le bateau était ancré.

Merveilleux...

Nous avançâmes le long du quai éclairé par les lampadaires. Quelques rafiots étaient amarrés et des pêcheurs s'affairaient à charger des caisses vides. Par chance, je n'avais rien dans le ventre, parce que vu l'odeur de poisson qui s'en dégageait, il n'aurait

pas fallu attendre la balade en mer pour que je dégo-
bille.

— C'est toujours aussi animé à cette heure ?

Il sourit.

— Du temps de mon grand-père, le port était beaucoup plus fréquenté. Un millier de bateaux allaient et
venaient. Aujourd'hui, il reste moins de dix irréduc-
tibles pêcheurs. On y est, annonça-t-il soudain en
s'arrêtant. Attends-moi là, je dépose tout ça sur le
pont.

Pendant qu'il y jetait ses affaires, je détaillai notre
embarcation. La coque était un peu usée, et même
s'il faisait encore sombre, je distinguai sa peinture
bleue et le nom *Friendship* ajouté en blanc sur la
proue. La cabine avait gardé sa couleur naturelle et
les lames au sol étaient rouge vif.

J'étais maintenant tout excitée à l'idée de naviguer.
Car même si depuis ma naissance je venais en
vacances à Wick, je ne connaissais pas grand-chose
à la mer du Nord, mis à part qu'elle était froide et
peu accueillante pour les baignades.

Davis me tendit la main pour m'aider à grimper et
désigna un banc à l'avant.

— Assieds-toi ici pendant que je détache les cordes
et que je démarre le moteur.

Je m'installai et l'observai manœuvrer. Dix minutes
plus tard, nous étions partis, et à vingt de plus, nous
étions déjà très éloignés de la côte. Les lumières du
phare de Noss Head tournoyaient au loin et les
oiseaux n'étaient pas encore sortis. Davis fit stopper
le bateau.

— Pourquoi on s'arrête ? demandai-je, inquiète
malgré moi.

Il me rejoignit sur le pont et s'assit à côté de moi.

— Il est quatre heures et demie, le jour va bientôt
se lever.

— Quatre heures et demie ! Je dois vraiment être
dingue !

Il rit, me certifia que j'allais adorer, et me tendit une paire de lunettes de soleil.

Et ce fut le cas. L'astre lumineux sortit doucement de la ligne d'horizon. Ses couleurs rouges et orangées s'entremêlaient et jouaient de leurs reflets sur l'eau. J'étais sous le charme, le souffle coupé tant je trouvais la vue magnifique.

— Séduite ? se félicita Davis.

— Follement, murmurai-je, ébahie.

Nous restâmes là au moins deux heures à parler de tout, de rien, et lorsque le soleil fut assez haut dans le ciel, Davis redémarra le bateau.

— Tu as faim ? cria-t-il.

— Je mangerais un buffle !

— Alors nous allons prendre le petit déjeuner près de *Sinclair Castle*, si tu veux bien. On y sera dans un bon quart d'heure.

— Super ! m'enjouai-je. J'adore l'endroit.

Nous venions à peine de repartir lorsque Davis éteignit de nouveau le moteur. Je fronçai les sourcils.

— Il y a un problème ? criai-je.

— Non, pas du tout. Voilà la surprise dont je t'ai parlé tout à l'heure.

Il quitta la cabine avec la petite boîte en cuir qu'il y avait rangée un peu plus tôt. Il l'ouvrit devant moi et en sortit deux paires de jumelles.

— Tu sais t'en servir ? s'enquit-il alors qu'il m'en tendait une.

— Oui, je crois.

— Dans ce cas, regarde par là, m'enjoignit-il en pointant du doigt quelque chose qui bougeait un peu plus loin dans la mer.

Je portai les jumelles à mes yeux et restai bouche bée de stupéfaction.

— C'est une baleine ! m'écriai-je.

— Un rorqual, précisément. Nous n'arrivons à les voir que très tôt le matin de ce côté-là de la côte. Tu es privilégiée.

— Waouh...

Je demeurai immobile jusqu'à ce que le cétacé disparaisse complètement, puis Davis, amusé, passa son bras autour de mes épaules.

— On y va maintenant ou tu plonges pour le retrouver ?

Je lui souris. Je crois qu'il n'imaginait pas à quel point le fait d'être ici m'impressionnait.

L'embarcation se remit en branle, et nous arrivâmes quelque temps après sur la baie de Sinclair. Les ruines du château étaient là, immuables, fièrement érigées au bord de la falaise. Malgré la fréquentation touristique, ce coin de la baie était encore sauvage, seuls quelques moutons broutaient dans la pâture çà et là et aucune habitation ne venait entacher le paysage. Bien sûr, je connaissais déjà l'endroit par cœur pour y être allée très souvent avec mes parents, mais je n'avais jamais vu le monument sous cet angle, depuis la mer. D'ici, les rayons du soleil faisaient briller la roche comme si elle avait été huilée. Je soupirai de bien-être et m'installai confortablement avec Davis pour manger. L'eau était calme, l'ambiance merveilleusement paisible, je n'aurais pas aimé me retrouver ailleurs.

J'étais en train de croquer dans une pomme lorsque je remarquai un animal, immobile sur les marches en pierre à côté du château. J'identifiai un chien, quoiqu'un peu grand, et pris les jumelles pour vérifier. Avec sa longue queue touffue et son corps massif, il ne ressemblait à aucune race que je connaissais. Perplexe, je me fis la réflexion qu'il s'apparentait presque à un loup.

Tout de même... il était immense... et curieux. J'aurais juré qu'il me dévisageait.

— Davis, murmurai-je. Regarde le chien sur l'escalier.

Je le désignai du doigt, mais l'animal bougea au même moment pour disparaître derrière les murs de la tour.

— Je n'ai rien vu.

— Il vient juste d'entrer dans le château. Il est vraiment très beau, un pelage gris blanc, une énorme queue et sacrément haut.

Davis s'esclaffa.

— Tu es sûre que tu ne caches pas une bouteille de whisky sous ton sweat-shirt ?

— Non, puisque je te dis que je l'ai vu !

Il haussa les épaules.

— Allons vérifier sur place...

— On peut accoster ?

— Non, mais il y a un radeau pneumatique et des rames.

Sitôt gonflé, Davis le jeta à la mer et descendit à l'aide de l'échelle contre la coque. Il m'aida à grimper, et avança jusque vers une petite crique naturellement formée dans la roche. Une fois à terre il ne nous restait plus qu'à escalader. Soyons clairs, ce n'était pas vraiment mon fort. Davis dut me donner un coup de main, et lorsque nous atteignîmes le sommet, je cherchai désespérément le chien blanc. Évidemment, il ne nous avait pas attendus. Je regardai quand même autour des ruines, dans la pâture. Rien. Pour une raison insensée, j'étais déçue.

Puis je vis Davis lever la tête pour fixer un point devant lui. Je l'imitai et remarquai, à une dizaine de mètres, un grand brun qui sortait de derrière les tours du château. Je ne le distinguais pas très bien, toutefois, son allure me disait vaguement quelque chose. C'était même plus que vague, il me rappelait le type de l'aéroport. Estimant la probabilité de le trouver ici complètement nulle, je tins ma langue et l'observai s'éloigner. Davis, quant à lui, avait les yeux si froncés que j'eus la nette impression qu'il y avait un vrai problème.

— Quelque chose ne va pas ? m'inquiétai-je.

— Non, rien du tout, éluda-t-il. Viens, on y va.

Et il m'aida à descendre la pente.

De retour au manoir, j'étais épuisée. Couchée tard la veille, levée avant l'aurore, il fallait absolument que je dorme.

Davis me raccompagna jusqu'à la porte, un timide sourire aux lèvres.

— Tu as passé un bon moment ? Pas trop déçue de t'être réveillée si tôt ?

Je lui offris mon plus beau sourire.

— C'était extraordinaire. J'ai adoré cette sortie en bateau. Je ne crois pas avoir déjà fait un truc aussi excitant. Je te remercie sincèrement, Davis. Je n'oublierai jamais cette matinée.

Il caressa ma mâchoire du dos de la main. Je frissonnai malgré moi.

— On remet ça quand tu veux, tête rouge. Repose-toi bien. On se revoit plus tard.

— Avec plaisir, Davis. À bientôt.

Il s'inclina et déposa un petit baiser sur ma joue avant de partir.

À peine pénétrai-je dans la maison que ma mère me sauta dessus. Elle regarda par la fenêtre et aperçut la voiture de Davis qui s'éloignait.

— Mais, il est à peine neuf heures ! À quelle heure êtes-vous sortis ? Qu'est-ce que vous avez fait ? Il y a eu un problème ?

Je souris.

— Maman, je suis crevée. Je vais me coucher. Tout s'est très bien passé. Promis, je te raconterai tout un peu plus tard ! esquivai-je tandis que je montai déjà l'escalier.

— Je te réveille pour déjeuner ?

— Nan 'man, pas la peine, je veux juste dormir.

Dormir, dormir, dormir...

J'ôtai mes chaussures, me jetai sur le lit et, sans prendre la peine de me déshabiller, je m'enroulai dans les draps. Je recouvris ma tête avec l'oreiller, et, heureuse, je sombrai dans un sommeil profond.

Chapitre 3

Les Français sont des chochottes !

De : Moi
À : Sissi

Ben, ma vieille, c'est bien la première fois que ça m'arrive ! Je suis à Wick et les jours passent à toute vitesse. On s'est vus presque tous les jours, avec Davis, ces deux dernières semaines. Mais ne va pas t'imaginer n'importe quoi. C'est juste un ami.

Tout va bien donc, mais il y a quand même un truc qui me chiffonne. C'est Elaine. Je trouve que depuis l'été dernier, son état a empiré. Pas tant sa santé, mais son moral en général. Elle s'en sort de moins en moins bien toute seule. Elle est perpétuellement irritée lorsqu'on veut lui venir en aide, c'est compliqué et l'ambiance devient pesante. Il y a deux soirs, j'ai entendu mes parents se disputer à son sujet. Mon père disait qu'il serait peut-être judicieux de l'envoyer en maison de retraite. Non, mais tu imagines ? Et puis quoi encore ? Ma mère s'est carrément fâchée. En tout cas, si une conversation officielle s'ouvre, je donnerai mon avis : c'est non. Je crois même que je serai prête à rester ici avec elle s'il le fallait.

Sinon, ce soir, je sors avec Davis. Il m'emmène chez Finighan, un pub branché. D'ailleurs, c'est maintenant que je te laisse, il va arriver d'un moment à l'autre. Si tu veux me répondre, tu as exactement cinq minutes !

Hannah.

Trente secondes plus tard...

De : Sissi
À : Moi

Quoi ? Quoi ? Tu es tombée sur la tronche, ou quoi ? Tu veux rester à Wick ? Nan, mais t'es pas bien, tu sais ? Nom d'un chien ! Je te rappelle que tu dois suivre des études et surtout, que tu vas avoir dix-huit ans. Dix-huit ans ! Et puis c'est à tes parents de gérer la situation, pas à toi.

Tu as intérêt d'avoir changé d'avis d'ici ton prochain mail, sinon je viens te botter les fesses en personne ! Imbécile, tu m'as donné des vapeurs !

Évidemment... dit comme ça. C'était tout de suite moins drôle.

Il ne me restait plus beaucoup de temps avant que Davis n'arrive. Je fis un passage éclair dans la salle de bains et courus jusqu'à la penderie pour en sortir une paire de jeans, un top bleu et mon éternel sweater vert. Je me séchai rapidement les cheveux et les nouai grossièrement en chignon. Je me brossais les dents lorsque la sonnette retentit. J'enfilai mes Converse, me saisis de ma parka et dévalai l'escalier en sautant les quatre dernières marches.

— Hannah ! Pas plus de minuit, entendis-je avant de fermer la porte.

— Promis, papa, à plus tard !

Je sifflai en avisant l'Audi noire décapotable stationnée dans la cour.

— Je l'ai emprunté à ma mère pour la soirée, m'expliqua Davis. Allez, grimpe !

Je m'installai confortablement sur le siège en cuir et attachai ma ceinture. J'adorais cette bagnole !

Davis gara l'Audi tout près du pub. C'était blindé de monde. Une dizaine de personnes attendaient devant la porte d'avoir terminé leur cigarette, et à l'intérieur, le bruit était assourdissant.

— Hé ! cria un gars immense en nous faisant un signe de la main. On est là !

Davis et lui se firent une accolade qui m'aurait renversée par terre si j'avais été à leur place.

Cinq des amis de Davis étaient attablés, il fit les présentations.

— Hannah, voici Mike, Malcom, Douglas, John, Ian et Suzy.

Avalanche de « salut ! ».

Je hochai anxieusement le menton, tâchant d'être la plus avenante possible, tandis que Mike, celui qui avait accueilli Davis, attrapait deux chaises.

— Asseyez-vous ! Vous voulez boire quoi ?

— *Wee Heavy*, répondit Davis.

— Pour moi un Coca light, s'il te plaît, pépiai-je.

— Ha ! Tu ne vas pas t'envoler avec ça ! s'esclaffa Mike. Je te ramène plutôt une bonne bière de chez nous. Ça vide ce que t'as dans la tête et ça te décape le gosier !

Je voulus chercher de l'argent dans mon sac, mais Davis me retint la main en me faisant signe que non. Mike disparut avant que je puisse protester.

— Ça va aller, Hannah, m'assura Davis en passant son bras autour de mes épaules, me gratifiant d'un clin d'œil complice. Reste cool.

Soit. Mais je détestais la bière.

La fille, Suzy, se leva de la banquette pour prendre Davis par la taille et se coller contre lui. Il me lâcha et rit en se laissant faire. Stupéfaite, je les observai. Davis la dépassait d'au moins deux têtes, et elle était si fine, que je me demandai si le corps de mon ami n'était pas presque deux fois plus épais que le sien. Elle le dévisagea avec des yeux gloutons et l'attira avec elle sur la banquette.

— Tu t'assois à côté de moi ? roucoula-t-elle. On a plein de choses à se dire.

Déconcertée et droite comme un i, je m'installai à côté de celui qui s'appelait Ian.

Mike arriva avec les bières sur ces entrefaites. Il en déposa une devant moi avec un sourire entendu, et attendit que je goûte. Je lorgnai d'un sale œil la couleur brunâtre recouverte de mousse et, respirant un grand coup, je tentai une première gorgée. Ma grimace fit rire toute la table.

— Les Français sont des chochottes ! lança Suzy en portant son verre à ses lèvres.

Elle but sans s'arrêter jusqu'à la moitié, imitant Davis qui avait presque déjà entièrement liquidé sa première chope. Je fis comme si je n'avais rien entendu et grinçai des dents. Les verres ne furent pas aussitôt terminés que Douglas en apporta d'autres. Puis ce fut au tour de Ian, de Malcom, de John... Ulcérée, je regardai le ballet incessant de bocks vides et pleins. Au bout d'un temps qui me parut durer une éternité, tous riaient grassement, racontaient des blagues graveleuses et commençaient à avoir un vocabulaire épicé. Je ne reconnaissais plus Davis. Les cheveux en bataille, les yeux rougis, une belle tache de bière sur sa chemise. Il se laissa même aller à roter.

Et Suzy, scotchée à lui comme une sangsue, gloussait niaisement à chacun de ses mots.

Je n'avais pas l'habitude de ce genre d'ambiance et je n'avais rien à faire ici. Alors, pendant qu'ils picolaient, j'essayais de trouver le moyen de me soustraire à cette soirée au plus vite. J'avais décidé de dire à Davis que je ne me sentais pas très bien et que je préférais rentrer quand Ian apporta trois bières supplémentaires. Il perdit dangereusement l'équilibre, et avant que je n'aie eu le temps de reculer ma chaise, je fus inondée de liquide brun, malté et collant. Je bondis comme un ressort, j'étais trempée.

— Tu as l'air d'un rat mouillé ! brailla Suzy, faisant hurler de rire ses petits copains.

Le bruit, l'odeur insupportable de l'alcool... Cette fois, j'avais la nausée pour de vrai. Je courus m'enfermer dans les toilettes sous peine de vomir sur la table, sans prêter attention à Davis qui s'était levé pour me suivre. Je me penchai sur le lavabo et fis couler l'eau pour m'asperger le visage. Puis j'essayai de nettoyer grossièrement mes vêtements. Sans succès.

J'étais furieuse. Certes, la situation n'était pas si grave, mais je ne supportais pas les gens ivres, leurs conneries me rendaient malade de rage.

— Hannah ? m'appela Davis d'une voix de rogomme.

Je n'avais rien à répondre.

— Hannah, allez, sors de là. Tu nous as bien fait rire.

— Laisse-la tranquille, minauda Suzy. C'est pas une marrante ta copine. Allez, viens t'amuser avec nous.

— J'arrive, grommela-t-il.

— S'il te plaît..., supplia-t-elle avec insistance.

— Ouais, j'arrive, je te dis ! Hannah, tu sors ou je défonce la porte ?

J'ouvris à toute volée.

— Ben voyons, ne te gêne pas. Il paraît que le ridicule ne tue pas !

Je désignai ses amis du plat de la main. Davis se renfrogna.

— Hannah, t'es pas drôle. On est juste venus là pour s'amuser.

— Ah ouais ? Ben, tu sais quoi ? Amusez-vous tant que vous voulez, moi, je me tire.

— Tu ne peux pas partir comme ça, tu en as pour au moins une heure de marche et il fait nuit noire.

— Pour ce que j'en ai à faire !

Je revins vers la table, ramassai mon sac, attrapai un billet de vingt livres dans ma poche et le posai brutalement devant moi.

— C'est ma tournée !

Mike pivota pour me regarder.

— Hé ! Tu t'en vas déjà ? La soirée ne fait que commencer. Tiens, dit-il en me tendant une chope pleine, prends une bière, tu te sentiras mieux.

Mes yeux devaient lancer des éclairs, j'étais à deux doigts de la lui envoyer à la figure. Je me dirigeai à grands pas vers la sortie tandis que Davis informait ses amis qu'il revenait dans un moment.

— Dépêche-toi, la nuit n'est pas terminée ! miaula Suzy.

Je claquai la porte derrière moi et me retrouvai sur le trottoir. Comme j'avais oublié ma veste à l'intérieur, le vent glacial me frigorifia. Toutefois, je ne comptais pas y retourner pour la récupérer. Je remontai la capuche de mon sweat et, malgré le froid, je commençai à marcher, me maudissant d'avoir laissé mon portable à la maison.

Je n'attendis pas une minute avant que Davis ne me retienne par le bras.

— Lâche-moi, lui ordonnai-je sèchement.

— Hannah, où tu vas ?

— Je te l'ai déjà dit, je rentre chez moi.

— Ne raconte pas de bêtise, je vais te ramener.

— Sûrement pas, tu es complètement ivre.

— Tu exagères. Je suis juste un peu éméché.

Il s'approcha de mon visage, je reculai en grimaçant.

— Tu empestes l'alcool !

— Sympa...

Penaud, il se frotta la tête.

— Allez, viens. Je te raccompagne.

Je passai devant l'Audi en l'ignorant souverainement.

— Bordel, Hannah, arrête ton cirque ! gronda Davis. Tu ne peux pas rentrer toute seule.

Je fis volte-face, furieuse.

— Oh si, je peux, crois-moi. Maintenant, si tu voulais bien me foutre la paix, ça m'arrangerait.

Le visage de Davis s'affaissa.

— J'ai promis à ton père de te ramener. Monte dans la voiture, s'il te plaît.

— Non.

Sans me laisser le temps de tourner les talons, il me tira par le coude et me traîna littéralement en direction de l'Audi.

— Lâche-moi, Davis. Lâche-moi tout de suite !

Ignorant mes protestations, il ouvrit la portière et me força à entrer à l'intérieur.

— OK ! rugit-il, furibond. Maintenant tu restes assise, tu attaches cette putain de ceinture et tu arrêtes de te conduire comme une conne !

Sa vulgarité me coupa le sifflet. Je serrai les mâchoires et attendis qu'il monte aussi. Il s'installa en silence derrière le volant et démarra. Nous avions dépassé le panneau de sortie de la ville lorsqu'il immobilisa l'Audi sur le bas-côté. Une sueur angoissante me parcourut la colonne vertébrale. Il faisait sombre dehors, et les arbres qui bordaient la route rendaient la nuit encore plus noire. Davis se tourna vers moi, le regard transperçant de colère.

— Qu'est-ce qui ne va pas avec toi, Hannah ?

Je ne répondis pas.

— Tu t'attendais à quoi ? Qu'on boive du soda toute la soirée et qu'on parle croquet ? Franchement, tu devrais grandir un peu, tu ne crois pas ?

Comme j'avais un mal de chien à me contenir, j'explosai.

— Grandir un peu ? C'est *toi* qui dérailles, Davis ! Vous vous êtes vus avec tes potes, à vous remplir l'estomac de bière sans jamais vous arrêter ? Vous êtes minables ! Et ta Suzy ! C'est quoi cette fille ?

Une lueur vive traversa ses yeux bleus.

— Jalouse ?

Je manquai de rire cyniquement.

— Je ne suis pas jalouse d'elle, non, je suis ulcérée. Jamais je n'oserais me conduire comme elle le fait. J'aurais trop peur de passer pour une traînée.

Davis serra les mâchoires.

— Suzy n'est pas une traînée.

Je haussai un sourcil méprisant.

— Elle était super bien déguisée alors !

— Tais-toi, Hannah.

Je marmonnai un « pauvre type » que je regrettai aussitôt. Je ne le pensais pas vraiment.

Davis plissa les yeux.

— Qu'est-ce que tu as dit ?

Je fis un geste évasif de la main.

— On arrête, Davis. Ramène-moi chez moi.

— Tu as dit « pauvre type » c'est ça ?

Il était rouge de colère.

— Laisse-moi remettre les pendules à l'heure, tu veux ? Je suis le pauvre type qui est venu te chercher chaque jour pour te sortir. Le pauvre type qui t'a baladée en bateau pour te montrer un lever de soleil. Le pauvre type qui s'est donné la peine de parler à ton père pour que tu aies le droit de m'accompagner. Mais pour qui tu te prends, Hannah ? Regarde-toi ! Tu te crois si parfaite que ça avec tes airs de sainte-nitouche complètement coincée ? Je préfère mille fois une fille comme Suzy à une nana comme toi ! Au moins, elle, elle sait s'amuser !

OK, je l'avais bien mérité, mais j'étais tellement furieuse qu'il aurait fallu me payer cher pour l'admettre.

J'ouvris brusquement la portière et m'élançai dans la nuit noire pour suivre la route. J'avais à peine fait deux mètres lorsque j'entendis la porte de Davis claquer. Je fis volte-face et le vis arriver à grands pas. Il me fit si peur que je poussai un cri et tentai de lui échapper. Mais plus rapide que moi, il me rattrapa en quelques secondes. Il me ramena violemment contre son torse et écrasa sa bouche contre la mienne sans autre forme de procès. Je ne pouvais plus respirer. Il me força à ouvrir les lèvres et dépassa la barrière de mes dents pour chercher ma langue. J'étais sur le point de défaillir, son haleine alcoolisée me donnait la nausée. Lorsque des larmes roulèrent sur mes joues, Davis s'écarta pour me regarder. Puis je me sentis soudain arrachée de l'étau de ses bras. Je trébuchai sur une racine d'arbre et me retrouvai par terre, au pied d'un chêne tandis que Davis était tiré en arrière. Je n'eus pas le temps de comprendre ce qui venait de se passer, mais il gémissait, plié en deux devant les phares d'un 4×4. Il leva la tête, un filet de sang coulait de ses lèvres.

— Remonte dans ta voiture, Burns, et va dessoûler ailleurs ! siffla l'homme face à lui d'une voix qui ne laissait aucune alternative.

Il se plaça devant Davis et l'aida à se relever avant de le pousser vers l'Audi.

— Hannah ! me héla ce dernier.

— Je ne crois pas qu'elle ait envie que tu t'occupes d'elle, répliqua l'homme que je ne parvenais toujours pas à distinguer. Tu ferais bien de rentrer chez toi.

Davis avait l'air complètement sonné. Il me lança un regard désespéré et voulut protester.

— Mais je dois la ramener... Hannah ! Il faut que je te ramène !

— Vu l'état dans lequel tu es, Burns, il vaut mieux que ce soit moi qui le fasse. Allez ! tonna-t-il. Tire-toi avant que je m'énerve vraiment. Et si tu t'exploses une bonne fois pour toutes sur la route, ça nous fera des vacances.

Davis tressaillit.

— Monte dans le 4×4, je te raccompagne, m'ordonna le type qui me tournait toujours le dos.

Incertaine, je pris appui sur le tronc d'arbre et me relevai sans pouvoir détacher les yeux de Davis qui s'éloignait en titubant, se retournant tous les trois pas pour me regarder. Finalement, il grimpa derrière le volant de sa voiture et démarra. Arrivé à ma hauteur, il baissa sa vitre pour me parler.

— Hannah, je... je suis désolé.

Puis il partit.

Sidérée, je fixai les feux arrière de l'Audi, incapable de réaliser ce qui venait vraiment de se produire.

— Hannah, c'est ça ?

Lentement, je tournai la tête. La silhouette de mon sauveur se dessinait devant la lumière des phares. Il était grand, un mètre quatre-vingt-dix minimum, et plutôt athlétique, d'une allure impressionnante, même.

— Tu t'appelles bien Hannah ?

Puis il s'approcha nettement.

Mon cœur s'arrêta de battre. Je devais être en train de rêver. C'était le type de l'aéroport ! J'en étais certaine.

— Hannah, dit-il avec une décontraction ahurissante, alors que je n'avais pas été capable de répondre, tu veux bien monter dans la voiture, s'il te plaît ? Il fait froid à l'extérieur et il ne va pas tarder à pleuvoir.

Sous le choc, j'obéis. J'étais gelée. Je grimpai dans le 4×4 et, après m'être assise correctement, je serrai les jambes et m'entourai de mes bras aussi fort que possible. Je tremblais comme une feuille. J'entendis qu'il ouvrait le coffre et fouillait à l'intérieur. Il s'installa à côté de moi et me tendit une couverture en laine.

— M-m-m-merci, grelottai-je.

Sans oser le regarder ni même parler, je m'en emparai et m'enveloppai dedans pour me réchauffer.

— Où habites-tu ?

J'exhalai profondément de l'air avant de répondre.

— Le manoir des Redford du côté de...

— Je connais, m'interrompit-il.

Il démarra et fit demi-tour pour reprendre la bonne direction. Pendant qu'il braquait le volant, mes yeux se perdirent sur ses mains. Elles étaient grandes et massives. Comme il portait un tee-shirt à manches courtes, je pus constater que ses avant-bras étaient musclés. Puis inconsciemment, mon regard poursuivit son ascension jusqu'à ses larges épaules, son cou, son visage... Il arborait une barbe de trois jours, et son profil était absolument parfait : un nez droit, une bouche bien dessinée et un menton harmonieux. Ses cheveux sombres étaient légèrement bouclés et dansaient sur sa nuque. Bon sang... Il était encore plus beau que dans mon souvenir.

Sans même m'en rendre compte, puisque la lampe du plafonnier était restée allumée, je me penchai pour revoir la couleur de ses yeux.

— Tu as perdu quelque chose ? siffla-t-il sans me regarder.

Je rougis immédiatement et me redressai sans rien dire. Je jetai néanmoins un œil sur le côté, il affichait un petit sourire en coin. J'étais morte de honte.

Le 4×4 s'engagea enfin sur le chemin d'accès au manoir, et s'arrêta dans la cour. Je retirai prestement la couverture et me retournai vers lui.

— Merci.

D'une main, il prit appui sur le volant, pivota face à moi et me fixa franchement.

— La prochaine fois, choisis mieux tes fréquentations. Tu auras moins de problèmes.

M'avait-il reconnue ? Je n'en avais pas l'impression. Tel qu'il était tourné, je distinguais parfaitement ses yeux et me perdis dans leur vert émeraude unique. Par ailleurs, j'aurais juré que des fils dorés se dessinaient tout autour des pupilles. Subjuguée et complètement sous le charme, j'étais dans l'incapacité de regarder ailleurs. Quand il bougea pour s'emparer du plaid, je clignai des paupières et me fixai sur le levier de vitesse. Il m'observait.

— Tu ne descends pas ?

Je me mordis le coin des lèvres, mortifiée.

— Si, si, bien sûr.

Il rit du nez, ce qui eut l'effet immédiat de me faire déguerpir de sa voiture.

— Merci, murmurai-je sans croiser son regard.

Je me baissai pour ramasser précipitamment mon sac et une fois dehors, je le saluai en laissant une pause qui l'invitait à me révéler son prénom. Mais au lieu de me répondre, il se pencha et tendit le bras gauche vers la portière.

— De rien, dit-il avant de la claquer.

Puis il s'engagea sur le chemin, et s'en alla.

La pluie commençait à tomber.

Je ne tardai pas à rentrer, embrassai mes parents en vitesse et rejoignis ma chambre pour me jeter sur mon téléphone.

De : Moi
À : Sissi

Je ne peux pas entrer dans les détails, ce serait bien trop long à raconter, mais tu te souviens du type dont je t'ai parlé, celui que j'ai rencontré à l'aéroport ? Eh bien, figure-toi qu'il m'a gentiment ramenée chez moi, ce soir.

J'ai failli avoir une crise cardiaque en le voyant. Par contre, lui, je ne suis pas sûre qu'il m'ait reconnue. Du coup, j'ai fait comme si de rien n'était. Je ne sais pas ce qui m'arrive, il me met dans tous mes états. J'ai mal au ventre…

Au taquet, ma Sissi…

De : Sissi
À : Moi

C'est un signe du destin ça, ma vieille ! Au fait, banane, tu es reçue au bac. 16/20.

Mon visage s'illumina et je faillis tout envoyer valser autour de moi.

De : Moi
À : Sissi

Yes ! Yes ! Yes !

En réalité, j'avais tellement bossé que ce n'était pas vraiment une surprise.

De : Sissi
À : Moi

Tu veux un conseil ? Le prochain coup, tu sautes sur ce type ! Ouais... je sais, ce n'est vraiment pas ton genre. Dommage...

Je répondis par un SMS.

|Non, pas mon genre.

|**Rabat-joie !**

Je souris, bâillai et coupai mon portable. J'étais crevée.

Chapitre 4

Des capacités psychiques anormales ?

Je me réveillai le lendemain vers neuf heures, d'une humeur encore plus massacrante que la veille. Le visage fou de colère de Davis s'était imposé à moi la moitié de la nuit et me donnait des envies de meurtre. Pour être totalement honnête, j'étais presque sûre que s'il m'avait embrassée ce matin-là sur le bateau, j'aurais apprécié. Le moment était magique, romantique, mais hier soir... Waouh...

Bon sang, ce que j'étais furax contre lui !

J'avais passé une soirée infernale. Vraiment.

De rage, je battis des jambes pour repousser les couvertures et fonçai tout droit dans la salle de bains attenante. Pour un peu, je me serais fait peur en voyant mon reflet dans le miroir. J'avais une tête aussi effrayante que les pensées qui m'invitaient à couper Davis en rondelles. Je me déshabillai, fis couler l'eau et me glissai sous la douche en fermant les paupières. Je me détendis cinq minutes, puis un sourire effleura mes lèvres.

L'inconnu ténébreux...

Il ne m'avait même pas dit son prénom, mais sa voix, ses mains, ses cheveux, ses yeux étaient définitivement gravés dans ma mémoire.

Je soupirai longuement en versant du shampoing dans le creux de ma paume et me surpris à imaginer qu'il reviendrait peut-être jusqu'ici. Pour moi.

— Compte là-dessus et bois de l'eau, ma vieille ! m'exclamai-je à voix haute.

Mais tout le temps où je fis ma toilette, cette idée ne me sortit pas de l'esprit.

J'essorais grossièrement mes cheveux lorsque j'entendis quelques coups donnés à la porte. J'enfilai à la hâte mon peignoir, et la tignasse encore dégoulinante, je me précipitai pour ouvrir. Je m'attendais à voir ma mère ou Elaine, mais je restai bouche bée devant mon visiteur.

— Davis ?

Il avait une mine épouvantable – presque pire que la mienne –, et sa lèvre inférieure était toute boursouflée.

— Salut... Je suis venu te rapporter ta veste.

Il me la tendit, je fronçai les sourcils.

— Ce n'était pas la peine, tu pouvais la laisser en bas, le rabrouai-je sèchement.

Il me fit des yeux de cocker.

— Je voulais aussi m'excuser...

Puis j'aperçus Mathy dans le couloir. Je grognai.

— Entre, je n'ai pas envie que tout le monde entende. Attends-moi, j'en ai pour une minute.

Je jetai ma parka sur le lit et filai dans la salle d'eau pour récupérer une serviette et finir de m'essorer les cheveux. Lorsque je revins, Davis était debout devant la fenêtre, les mains dans les poches. Il regardait ses pieds. Si je n'avais pas été autant en colère contre lui, j'aurais trouvé la situation presque attendrissante.

— Je t'écoute, commençai-je.

— Je suis désolé. J'avais beaucoup bu, je n'étais pas vraiment moi-même.

C'était plus fort que moi, j'avais envie d'être méchante.

— Tu étais pathétique.

Ses épaules s'affaissèrent encore plus.

— Tu as raison. Je ne sais pas ce qui m'a pris.

Je l'observai un long moment avant de trouver quelque chose à répliquer.

— Pourquoi bois-tu autant, Davis ?

Il haussa les épaules

— Les soirées au pub finissent toujours comme ça. Je picole, fais et dis des choses que je regrette ensuite.

Je fronçai les sourcils.

— Tu vaux mieux que ça.

Embarrassé, il se passa une main dans les cheveux.

— Écoute... Je ne trouve pas que tu sois une sainte-nitouche coincée.

— Si tu l'as dit, c'est que tu le penses, prétendis-je, revêche.

Il secoua la tête.

— C'est juste que...

Il soupira profondément.

— Que quoi ? insistai-je.

— J'étais frustré.

Je battis des cils.

— À aucun moment, ces deux dernières semaines, tu n'as montré si je te plaisais.

Je déglutis discrètement, pas très à l'aise pour le coup.

— Et j'aurais dû ? demandai-je en feignant rester de marbre.

— Je ne sais pas. J'aurais cru que oui.

Oh, ces yeux de merlan frit !

— Ne fais pas cette tête, Davis.

Il plissa le front.

— Quelle tête ?

— Celle du petit animal blessé qui veut te culpabiliser parce qu'il est passé sous les roues de ta voiture, alors qu'il ne regardait même pas avant de traverser. Tu m'as tout de même embrassée de force !

Un éclair de détermination brilla dans ses yeux.

— Et je ne le regrette pas.

Je manquai m'étrangler.

— Enfin si, se reprit-il, mais... écoute, j'en avais très envie et... bref, je ne vais pas te faire un dessin.

Je fis la moue.

— Je suis vraiment désolé, Hannah. Pourras-tu me pardonner d'avoir agi comme un idiot ?

Je le considérai avec attention pendant dix bonnes secondes.

— Je ne sais pas, finis-je par dire, je vais réfléchir.

C'était déjà tout vu, en réalité. J'appréciai Davis.

— Si tu n'as pas encore avalé de petit déjeuner, demande à Mathy de te faire un café, suggérai-je. Tu sembles en avoir bien besoin. Je te rejoins.

Je refermai la porte derrière lui en souriant.

Habillée, les cheveux secs, je descendis quelques minutes plus tard. Davis était attablé dans la cuisine. Il se goinfrait de scones à la crème et à la confiture. Je m'installai à côté de lui en lui frottant le crâne de mon poing. Il avait meilleure mine.

— Ça veut dire que je suis pardonné ? s'assura-t-il, la bouche pleine.

— Ouais. Mais tu n'as pas intérêt à recommencer.

Il s'essuya grossièrement le coin des lèvres.

— Et si c'est toi qui me le demandes ?

— C'est ça... tu peux toujours rêver.

J'avalai rapidement une tasse de thé, un toast, et jetai un œil à travers la porte-fenêtre donnant sur le parc.

— Ça te dit une promenade dans les sous-bois ? proposai-je.

— Mais... il pleut !

— Et alors ? On prendra les cirés.

Il soupira et haussa les épaules.

— Bon, OK, OK... Je te suis.

Nous débarrassâmes la table et fîmes la vaisselle. J'en profitai pour l'éclabousser de mousse et me venger un peu. Mathy était furieuse, sa cuisine était inondée. Lorsque nous eûmes remis de l'ordre, nous nous dirigeâmes dans l'entrée pour nous habiller.

Les sous-bois du manoir étaient très agréables, même lorsqu'il pleuvait. Les feuillus tamisaient la pluie et ne laissaient passer que des gouttes aussi fines que de la bruine.

J'étais soulagée d'avoir pu m'expliquer avec Davis. Notre relation comptait beaucoup, même si je ne la voyais pas tout à fait comme il l'espérait. Toutefois, j'aurais menti en disant qu'il ne me plaisait absolument pas, mais de là à être ensemble... Non, j'avais compris que nous étions trop différents. Ça finirait par mal tourner à un moment ou à un autre. Rester amis était ce que nous avions de plus sage à faire.

— J'aimerais te poser une question à propos d'hier soir, amorçai-je alors que nous nous étions arrêtés sous un grand chêne. Qui est ce garçon qui est intervenu ?

Il avait cessé de respirer, l'expression fuyante.

— Leith Sutherland, répondit-il en fixant un point loin devant lui.

Bon sang, même son nom était sexy...

— Nous l'avons croisé à *Sinclair Castle*, n'est-ce pas ?

Il marmonna un « oui » dans sa barbe.

— D'où est-ce que tu le connais ?

Il baissa la tête et planta son regard dans le mien, comme sur le point de me faire une révélation capitale.

— C'est un mec bizarre, Hannah.

— Ah ? C'est-à-dire ?

— Il n'est pas comme tout le monde.

Avec ça, j'étais bien avancée...

— Tu peux préciser ?

Il plissa les yeux et pinça les lèvres.

— On a fait presque toute notre scolarité ensemble. C'est un type à part.

— À part de quoi ? insistai-je.

Davis prit une lente expiration par le nez, et de nouveau, il s'attarda sur un point dans mon dos pour éviter de me regarder.

— Il n'a jamais vraiment eu d'amis, il foutait la trouille à tout le monde. Quand il a eu environ dix ans, il s'est mis à agir bizarrement. On racontait même qu'il avait des capacités psychiques anormales.

— Des capacités psychiques anormales ? Des superpouvoirs, tu veux dire ?

J'avoue, j'avais envie de hurler de rire.

— C'est absurde, ajoutai-je simplement.

Davis haussa les épaules.

— Tu vois, lorsqu'il avait un problème avec quelqu'un, il le fixait droit dans les yeux. Le mec ou la fille avait un malaise ou partait en courant. Ce genre de trucs.

J'en restai bouche bée. Davis paraissait on ne peut plus sérieux. J'hésitais entre l'amusement et la consternation.

— Enfin, se reprit-il, personne n'en a jamais été sûr, mais il était bien flippant. Est-ce que tu as vu ses yeux ?

Ah, pour ça, je n'en avais pas raté une miette. J'acquiesçai brièvement.

— Donc, si je comprends bien, hier soir, il t'a jeté un sort ? C'est pour ça que tu t'es carapaté ? me moquai-je.

En le détaillant, j'eus la nette impression qu'il venait de blêmir.

— Il m'a collé une bonne droite et avec la quantité d'alcool que j'avais ingurgité, j'étais complètement dans les vapes.

Je haussai les épaules.

— Donc, une simple bagarre ?

— Ouais…, marmonna-t-il. Avec lui, on n'est jamais sûr de rien.

Mon visage se fendit d'un large sourire, et j'éclatai de rire.

— Il faut vraiment être un mec pour imaginer des trucs pareils !

— Hé, se défendit-il. Je viens de te dire que je n'en étais pas certain à cent pour cent. Juste... il y a vraiment quelque chose qui cloche chez lui.

Je secouai le menton et levai la tête pour regarder à travers les frondaisons.

— Il commence à pleuvoir un peu fort. Et si on rentrait ?

Davis acquiesça, trop content que cette conversation se termine.

Nous marchâmes jusqu'au manoir, puis il se dirigea vers l'Audi noire.

— Tu ne restes pas ?

— Non, répondit-il, ma mère attend que je lui ramène sa voiture.

— OK. On se revoit bientôt ?

Il fit mine d'être étonné.

— Ça te ferait plaisir ?

Je lui tirai la langue. Il me gratifia d'un clin d'œil.

— Dans ce cas... Mais je vais avoir pas mal de choses à faire ces prochains jours, me prévint-il. Mon père doit récupérer du bétail dans le Ross et Cromarty. Je pense partir avec lui. On y restera au moins jusqu'à la semaine prochaine. On se fait un truc à mon retour si tu veux ?

Je souris.

— Ça marche.

— À bientôt, tête rouge !

Il monta dans sa voiture, démarra et disparut dans le chemin.

Juste avant de refermer la porte du manoir, j'observai une dernière fois le ciel.

Il pleuvait des cordes.

Vive l'Écosse !

Chapitre 5

Vous ne verrez plus les choses
de la même manière.

Je restai enfermée à la maison les trois jours suivants. La pluie ne s'était pas arrêtée une seule minute de tomber, et ce matin-là, en me levant, je regardais par la fenêtre, avec espoir, le ciel qui semblait vouloir timidement se dégager.

Davis était bel et bien parti avec son père, et l'excitation générale des deux dernières semaines s'était effondrée aussi brutalement qu'un soufflé. Comme à l'accoutumée, je n'avais plus grand-chose à faire.

En clair, je rouillais...

Je m'habillai et décidai d'aller à Wick pour acheter de quoi bouquiner. Depuis quelque temps, j'avais très envie de lire *Le parfum*, de Patrick Süskind. Je le prendrais en version originale, ça me ferait travailler mon allemand.

Mathy était sur le départ, elle tournait la clé dans la serrure lorsque je descendis.

— Mathy, tu te rends à Wick ?

— Oui, je vais faire quelques courses pour midi.

— Pourrais-tu me déposer au centre-ville ? Je voudrais passer à la librairie.

Mathy fronça les sourcils, perplexe.

— Mais il n'est que huit heures et demie. Les boutiques seront encore fermées lorsque nous arriverons.

— Aucune importance. Je m'arrêterai au salon de thé de M. Broadman pour prendre un petit déjeuner.

— Dans ce cas... N'oublie pas ton parapluie !

Malgré le temps et l'heure matinale, le centre de Wick était déjà bien fréquenté. Je me dirigeai vers l'établissement de M. Broadman, il ouvrait tout juste les rideaux métalliques. Comme je préférais attendre un peu qu'il ait terminé de tout mettre en place avant d'entrer, abritée sous mon pépin, je flânai devant les vitrines à proximité. Une en particulier attira mon attention, et je m'y attardai pour détailler la profusion de bouquins qui s'y trouvaient. Toutefois, je n'y visualisai aucun de ceux que j'avais l'habitude de lire. Il s'agissait d'une librairie dédiée aux sciences occultes, elle se situait juste en face du salon de thé. Au milieu des livres, on pouvait voir tout un tas d'objets bizarres présentés sur un fond de velours noir et violet. Je repérai même une amulette servant à éloigner les vampires. Beaucoup de boutiques de ce genre avaient fleuri à Paris, mais je ne m'attendais pas à en trouver une, ici.

Je me tordais le cou en essayant de déchiffrer le titre d'une encyclopédie dont l'écriture était inversée quand une jeune fille m'interpella.

— C'est sympa, non ?

Souriante, elle se tenait sur le perron, un balai à la main. Elle devait avoir à peine vingt ans, arborait un style gothique et un piercing impressionnant dans la narine.

— Je ne vais pas ouvrir avant une demi-heure, mais si tu le souhaites, tu peux entrer pour faire un tour, me proposa-t-elle chaleureusement.

— C'est toi qui tiens cette boutique ? Je ne l'avais jamais vue avant.

— Oui. J'ai ouvert il y a un peu plus de dix mois. Tu t'intéresses aux sciences occultes ?

— Non, pas vraiment. En fait je n'y connais rien. Pour tout avouer, ce n'est pas trop mon truc.

Elle éclata de rire.

— Tu serais surprise d'apprendre qu'ici, on peut tous trouver un truc qui est notre truc ! Entre, je te fais visiter !

Intriguée, je la suivis à l'intérieur.

Des lampes tamisées par des voiles rouges, quelques bougies qui flambaient çà et là. Tout était volontairement assombri et un fort parfum d'encens envahissait la pièce.

Incommodée par l'odeur, je fis la grimace.

— C'est un mélange d'herbes qui éloigne les esprits torturés, m'expliqua-t-elle.

J'ouvris de grands yeux.

— Ah ouais ?

Je ne savais pas si ça devait me rassurer ou pas.

Impressionnée par la quantité de livres exposés dans la boutique, je détaillai les étagères pleines à craquer. Tout était classé par thème. Art de la divination, numérologie, magie, sorcellerie, vampires, spiritisme, loups-garous... Un festival de la petite fabrique des horreurs. J'attrapai une amulette – la même que celle de la vitrine –, et l'observai de plus près. Il s'agissait d'une étoile en métal au centre de laquelle brillait une minuscule pierre rouge.

— Les vampires..., murmura la vendeuse. Il faut toujours s'en méfier. Ils sont capables de manipuler ton esprit pour te faire tomber dans leurs bras et avaler jusqu'à la dernière goutte de ton sang.

Je n'en croyais pas un mot, mais malgré moi, l'image macabre me fit froid dans le dos.

— Tu en parles comme si tu en avais déjà vu.

Dans ses yeux, j'eus presque l'impression de percevoir une lueur de défi.

— Les sciences occultes sont un mystère qu'il ne faut pas sous-estimer. Tu es loin de t'imaginer par qui, ou quoi, tu es entourée.

— Non, en effet, répliquai-je, amusée. En tout cas ta boutique est très originale.

— Merci. Tiens, prends ça, m'enjoignit-elle en me tendant une épaisse encyclopédie.

— *Le grand livre des mystères occultes*, lis-je à voix haute. C'est un gros bouquin.

Elle sourit.

— C'est parce qu'il y a beaucoup de choses à dire. Tu y trouveras tout ce que tu as besoin de savoir sur les forces occultes. Nous parlons d'ouvrage de vulgarisation dans le jargon des libraires. C'est parfait pour les gens aussi sceptiques que toi, et c'est très facile à lire. L'auteur y révèle des choses que tu ne soupçonnes même pas ! Si tu le prends, je te le fais à moins trente pour cent. C'est mon cadeau de bienvenue. Tu n'es pas du coin, n'est-ce pas ?

— Non, en effet. Je suis parisienne. Je reste à Wick deux mois chaque année. Mes parents sont nés ici.

Je détaillai le livre sous toutes les coutures.

— Alors ? chantonna-t-elle. Convaincue ?

Non. Pas vraiment. Pourtant...

— Je le prends.

— Fantastique !

Ouais... Je n'en revenais pas moi-même.

La vendeuse m'observa intensément, je soutins son regard. Elle était plutôt jolie, avec ses longs cheveux noirs, sa bouche rouge écarlate, et ses magnifiques yeux noisette.

— Je m'appelle Gwen, finit-elle par se présenter.

— Hannah.

Elle m'offrit un sourire éclatant.

— Ravie de te connaître.

Elle me guida jusqu'au comptoir et fouilla dans un tiroir.

— Tiens, je te laisse la carte du magasin avec un numéro de téléphone où tu peux me joindre si tu as des questions. N'hésite pas, ou alors repasse.

Simsalabim. C'était le nom de la boutique.

Je réglai le livre et m'emparai du sac en papier qu'elle me tendait et sur lequel était écrit : « *Vous ne verrez plus les choses de la même manière* ». Je pris vraiment sur moi pour ne pas lever les yeux au ciel et la remerciai.

— À une prochaine fois, alors ? fit-elle, enjouée.

— À une prochaine fois.

Je sortis de la librairie et courus jusque chez Broadman pour éviter la pluie. À l'intérieur, les odeurs de café fraîchement moulu m'emplirent aussitôt les narines et attisèrent mon appétit. Je m'assis à une table tout au fond de la salle et commandai un thé au lait et des toasts grillés.

Cet endroit était tout ce que j'aimais. Lorsque j'avais proposé à Davis de venir y passer un moment, il m'avait répondu que Broadman convenait plutôt à ma grand-mère. Il n'y connaissait rien. Accueillant et un brin kitsch, on s'y sentait comme à la maison.

Mes yeux se perdirent sur le sac en papier de chez *Simsalabim*. Je l'ouvris délicatement et en sortis le livre. La couverture était très jolie, violette, avec des lettres stylisées et argentées. Je m'attardai sur la dédicace que l'auteur adressait aux lecteurs et lus :

« *À tous ceux qui doutent.* »

Un sourire en coin se dessina sur mes lèvres. Nul doute que ce bouquin était pour moi.

Je parcourus rapidement la préface et compris que l'auteur prenait vraiment ces choses-là très au sérieux. Je tournai quelques pages et m'arrêtai sur le chapitre intitulé « Les créatures surnaturelles ».

Le vampire :

Le vampire est une créature très ancienne qui n'est ni morte ni vivante. Sa principale source de nourriture est le sang humain. Pour survivre, il peut cependant boire celui des animaux à sang chaud. Quant au sien, il contient une substance capable de changer un Homme en un de ses semblables.

Son existence est éternelle. Il passe les siècles sans vieillir.

Il séduit, il conquiert, il agit.

Les esprits vengeurs :

Les esprits vengeurs sont au départ des hommes et femmes qui ont subi de grandes souffrances de leur vivant et dont l'âme ne permet pas de les faire passer dans l'au-delà. La haine les rappelle alors sur terre pour se venger.

Le loup-garou :

Le loup-garou est une créature aussi ancienne que le vampire.

— Ta lecture est intéressante ?

Je levai la tête, pétrifiée, mes oreilles avaient sifflé.

Leith Sutherland ! Je refermai maladroitement le livre tandis que mon épine dorsale se secouait de frissons que j'eus un mal de chien à contrôler.

— Simsalabim, je me trompe ? fit-il.

Sous le choc, je mis plusieurs secondes avant de répondre. Que faisait-il ici ? Apparemment, lui et moi, nous alignions les rencontres fortuites...

— Non, c'est bien ça, lui confirmai-je. Je me suis laissé convaincre par la vendeuse de l'acheter.

Il rit.

— Gwen est très forte ! Je peux m'asseoir ?

J'acquiesçai et rangeai rapidement le livre dans son sac.

Mon visiteur surprise s'installa en souriant et fit tourner un grand gobelet de café fumant dans ses mains.

Bon sang ! Avait-il seulement conscience d'être aussi beau ? Et encore plus en plein jour... Il me fut difficile de ne pas baver.

Le détailler n'allait pas m'aider à me calmer, mais tant pis, je ne pus m'en empêcher. Il possédait une peau hâlée, peu banale dans ces contrées, et des cheveux si foncés, qu'ils lui donnaient un air exotique. Je distinguai une longue et fine cicatrice sur sa joue droite. Je ne l'avais pas remarquée lors de notre première rencontre, et encore moins pendant la deuxième. Il faut dire que ses yeux avaient retenu toute mon attention... Et justement... ces yeux-là me fixaient sans ciller et je sentis tout à coup une bouffée de chaleur m'envahir. Ce garçon me mettait dans tous mes états.

— Je viens chez Broadman presque tous les matins, expliqua-t-il. Son café est le meilleur de toute la ville. Je t'ai aperçue au fond, tu donnais l'impression d'être si concentrée... T'es-tu remise de ta soirée ?

Je clignai des paupières.

— Euh... oui. Merci, je vais bien.

Il me sembla voir ses pupilles s'étrécirent, ça me fit un drôle d'effet.

— Burns est ton petit ami ?

— Ah non, pas du tout ! m'empressai-je de répondre, alors que pour bien faire, j'aurais dû paraître plus détachée.

Il sourit, puis ses yeux s'assombrirent.

— Il boit trop.

— C'est son problème.

Il leva les sourcils.

— Enfin, je veux dire que c'est le truc qui cloche chez lui, me repris-je. Il est très sympathique, sinon.

Ce dont il avait l'air de sérieusement douter.

— Qu'est-ce que tu fais à Wick ? continua-t-il.

— J'y passe mes vacances d'été, avec mes parents.

— Au manoir des Redford... Ta famille ?

— Oui, Elaine Jorion est ma grand-mère paternelle.

À nouveau, il me fixa avec insistance. C'était terriblement gênant. Je glissai mes mains sous la table et tortillai mes doigts pour me calmer.

— Quel âge as-tu, Hannah ?

Surprise par sa question, je marquai une courte pause avant de répondre.

— Dix-huit ans bientôt. Le vingt-cinq juillet.

Soudain, il recula sa chaise et se leva.

— Content de t'avoir revue, dit-il en inclinant la tête.

— Pareil, murmurai-je dans un souffle.

J'étais bonne à gifler !

Leith s'attarda sur moi encore un moment, puis il fit demi-tour et marcha vers la sortie. Le regard perdu sur son dos, je ne pus m'empêcher de chuchoter son prénom.

Contre toute attente, il s'arrêta. Mon cœur aussi. Puis il se retourna pour me sourire. Il m'avait entendue.

— Oui ?

— Euh… à l'aéroport, c'était bien toi, non ? hésitai-je.

C'est tout ce que je trouvais à dire.

Il m'adressa un clin d'œil, tourna les talons, et partit comme il était venu.

Je le suivis des yeux et penchai la tête pour voir quelle direction il avait prise. Il entra chez Simsalabim. Je me levai et avançai en catimini pour l'épier. À travers la vitrine, je le vis serrer la vendeuse dans ses bras et l'embrasser tendrement sur le front. Mon cœur se comprima. Gwen était sûrement sa petite amie… À quoi m'attendais-je ? Qu'éventuellement je puisse lui plaire ?

Idiote, idiote, idiote !

Je récupérai vivement mon sac et le livre sur la table. Je payai la note, et sortis presque en courant du salon de thé. Sans même un regard du côté de la boutique, je me ruai en direction de la gare routière.

Le ciel était dégagé, à présent, et le soleil promettait un bel après-midi. Mais moi, j'étais d'humeur maussade…

Chapitre 6

Pourquoi les types mignons se croient-ils irrésistibles à ce point ?

Dans l'après-midi même, mon père nous déposa, Elaine et moi, au début du long chemin qui menait au phare de Noss Head. Malgré quelques nuages jouant encore timidement avec le soleil, le ciel était largement découvert.

— Tu as pris la bonne canne, maman ? demanda mon père d'une voix qui dissimulait mal son inquiétude.

— Oui, Paul, et mon parapluie et ma petite laine, ironisa-t-elle.

Il se tourna vers moi, les traits rongés par le stress.

— Hannah, sois prudente, OK ? Tu es bien sûre d'avoir pris ton téléphone portable ?

— Oui, papa, et je t'appellerai comme prévu quand il faudra venir nous chercher.

— Vous pensez marcher combien de temps ?

Ma grand-mère souffla d'exaspération.

— Paul ! Arrête de te conduire comme si tu étais mon père. N'inverse pas les rôles, s'il te plaît, c'est insupportable !

Penaud, il baissa plus ou moins la tête.

— Pardon, maman. Je me fais juste un peu de souci. Je veux être sûr que tout ira bien.

— Tout ira bien, Paul, le rassura-t-elle en souriant.

Il était à la fois joyeux et horriblement paniqué à l'idée qu'Elaine et moi sortions nous promener toutes les deux. Il imaginait qu'elle allait tomber, se cogner la tête et que je ne saurais pas quoi faire pour lui venir en aide. Mais ma grand-mère ne voyait pas les choses de cette manière. Elle était aveugle, certes, de moins en moins sûre d'elle aussi, mais loin d'être empotée. Par ailleurs, elle m'avait semblé particulièrement enjouée lorsque je lui avais proposé cette balade jusqu'au phare.

Mon père finit par nous embrasser, donnant clairement l'impression de se mordre la langue pour ne pas faire une énième recommandation. Il réussit à s'en abstenir et nous laissa au début du sentier balisé. Quand Elaine entendit la voiture s'éloigner, elle relâcha tout l'air contenu dans ses poumons.

— Pfff ! J'ai cru qu'il ne partirait jamais !

— Il t'aime, grand-mère, c'est la raison pour laquelle il en fait autant.

Elaine soupira avec tendresse.

— Je sais bien, ma petite-fille, je sais bien…

Ça soufflait fort. Je relevai la capuche de mon sweater et resserrai le col de ma parka.

— On y va ?

— On y va ! s'écria-t-elle avec un sourire merveilleux.

Nous avançâmes sur le chemin de terre et étroit, bordé de chaque côté par d'immenses prairies aux herbes hautes que le vent marin abaissait en créant de petits tourbillons verdoyants.

— Si je ne suis pas trop lente, nous devrions atteindre le phare dans une heure, m'annonça Elaine.

— Nous ne sommes pas pressées. Nous avons tout l'après-midi devant nous.

— Je suis heureuse de passer du temps avec toi, Hannah. Nous ne nous sommes pas vues beaucoup depuis ton arrivée au manoir.

Je baissai les cils, un peu honteuse.

— Je suis désolée.

— Oh... ne le sois pas, ma petite-fille. Tu semblais bien occupée avec le jeune Davis Burns.

— C'est vrai que nous sommes beaucoup sortis.

— Vous êtes ensemble ?

J'ouvris de grands yeux et manquai de m'étrangler. Elle rit doucement.

— Quoi ? C'est un sujet tabou ?

— Non, pas du tout, mais...

— On ne parle pas de ces choses-là avec sa grand-mère, c'est ça ?

— Eh bien, je...

— Bon alors, c'est ton petit ami, oui ou non ?

Je soupirai résignée, comprenant qu'elle ne lâcherait pas l'affaire.

— Nous sommes juste amis.

— Mais il te plaît ?

Je réfléchis avant de répondre.

— Il est gentil.

— Ce n'est pas ce à quoi je faisais allusion, Hannah. Il est à ton goût ?

— Oui, mais je n'envisage pas que nous allions plus loin.

— Et pourquoi donc ?

Décidément, elle était bien curieuse.

— Nous sommes trop différents. Notre amitié est parfaite et je pense qu'une relation amoureuse viendrait tout gâcher. Voilà.

— Je comprends.

Elle ferma les paupières et leva le nez au ciel pour humer l'air et s'imprégner de l'odeur environnante.

— T'ai-je déjà parlé de mon premier amour ?

— Euh, non. Ce n'était pas grand-père ?

Elle sourit avec une intensité très singulière.

— J'avais un peu plus de seize ans, il en avait dix-sept. C'était un magnifique garçon, brun, avec des yeux superbes, et je l'ai rencontré, ici, à Noss Head, la première fois. Nous faisions une balade avec mes parents jusqu'au phare lorsque je l'ai remarqué. Son père en était le gardien et lui, il faisait l'apprentissage du métier. Nous sommes tombés amoureux l'un de l'autre dès le premier regard. Nous étions sûrs de passer le reste de notre vie ensemble. Je voulais même le présenter à ma famille. Mais l'affaire était difficile, les Redford n'auraient pas été prêts à accueillir un gardien de phare en son sein. Ma mère voyait d'un très mauvais œil cette nouvelle fréquentation. À l'époque, elle a tout fait pour nous éloigner. Mais notre relation a quand même duré une année entière. Une année pendant laquelle nous nous sommes cachés pour nous aimer.

— Ça alors, murmurai-je.

— Oh, ne te méprends pas, Hannah, je suis restée pure, affirma ma grand-mère en souriant. En ce temps-là, il n'était pas question de consommer son amour avant d'être mariés. Nous avons cependant connu un unique et merveilleux baiser que je n'oublierai jamais. Nous nous étions cachés tout en haut du phare, le soleil brillait de mille feux. Et nous avions l'impression d'être seuls au monde, de ne faire qu'un. C'était magique.

J'étais littéralement pendue à ses lèvres.

— Et que s'est-il passé, ensuite ?

— Il a disparu du jour au lendemain.

— Disparu ?

— Oui. J'ai eu le cœur brisé, je pensais ne jamais m'en remettre. Son père disait qu'il avait trouvé un emploi comme gardien de phare dans le sud de l'Écosse. Je m'étais donc résignée à ne plus jamais le revoir.

— Et c'est ce qui s'est passé ? Vous ne vous êtes même jamais croisés ?

— Si, une fois, quelques années plus tard. J'avais déjà rencontré ton grand-père. Nous étions mariés et heureux. Paul avait trois ans. Nous nous promenions tous les trois en famille, sur la jetée, quand je l'ai aperçu. Il était avec une très belle femme, je me souviens, et deux jeunes garçons aussi. Quelque temps plus tard, j'apprenais qu'il reprenait ses fonctions au phare de Noss Head. Il était définitivement revenu, mais les années avaient filé bien vite... Je n'ai jamais osé venir le voir.

— Vous ne vous êtes pas parlé sur la jetée ?

Elle secoua le menton tristement.

— Non. Je n'avais jamais mentionné Dallas Sutherland à ton grand-père, donc je me suis contentée de le saluer d'un hochement de tête lorsqu'il est passé devant nous. Il a fait de même.

— Sutherland, tu dis ?

J'étais bouche bée.

— Oui, pourquoi ?

— J'ai rencontré un Sutherland à Wick. Leith, un garçon d'environ vingt ans.

— Oh...

Il y eut quelques secondes de battement avant qu'Elaine parle de nouveau.

— C'est le petit-fils de Dallas.

Je secouai la tête pour me remettre les idées en place. Ce magnifique brun pour lequel je craquais complètement était le petit-fils de l'amoureux caché de ma grand-mère ? Waouh... quelle nouvelle !

— Et ce Dallas, il vit toujours à Wick ? voulus-je savoir.

— Non, il est décédé dans un accident de voiture, il me semble. C'était il y a environ une vingtaine d'années, peut-être plus. Dis-moi, tu as rencontré le jeune Sutherland dans quelles circonstances ?

— La première fois, à l'aéroport, mais je ne savais pas encore son nom.

Elaine a haussé les sourcils.

— Et la deuxième ?

Je ne préférais pas lui conter l'épisode du baiser fou de Davis. Le mensonge sortit de ma bouche avec une facilité déconcertante.

— Nous avons crevé sur la route avec Davis lorsque nous sommes revenus du pub, il y a quelques jours. Leith Sutherland s'est arrêté pour nous venir en aide.

— Oh. Et comment le trouves-tu ?

Je m'empourprai aussi sec, absolument ravie qu'elle ne puisse pas le remarquer.

— Eh bien... je ne sais pas trop, éludai-je. Il faisait noir, je ne l'ai pas bien vu.

— Hum...

Elle avait l'air de sérieusement en douter. Tant pis, je changeai bien vite de sujet.

— Nous arriverons bientôt au phare, grand-mère, dans vingt minutes, je pense. Tu veux que j'appelle papa ?

— Non. Il nous faut encore monter.

J'arquai les sourcils.

— Mais il y a au moins une centaine de marches !

— Soixante-seize, précisément, ma petite-fille. Je suis bien placée pour le savoir. Et puis, elles ne sont pas particulièrement éprouvantes à gravir.

Je n'avais, pour ainsi dire, pas le choix.

Nous continuâmes et nous arrêtâmes à quelques mètres devant le phare.

— Où sommes-nous, exactement ? me demanda Elaine.

— Juste derrière l'enceinte.

— Pourrais-tu, sonner à l'entrée principale, s'il te plaît ? Il y a souvent quelqu'un dans l'après-midi pour vérifier que tout fonctionne correctement.

Nous avançâmes jusqu'à la grille, et je me penchai pour regarder à travers les barreaux. Un Range Rover gris était garé dans la cour.

— C'est bon, grand-mère, il y a quelqu'un. Je vois une voiture.

J'appuyai aussitôt sur le bouton de la sonnette. Nous attendîmes à peine une minute avant que la porte du bâtiment ne claque, nous signifiant que quelqu'un arrivait vers nous.

Je manquai de tomber à la renverse lorsque je reconnus Leith Sutherland. Mais qu'est-ce qu'il faisait là ? Le destin s'acharnait, non ? Il s'approcha et parut tout aussi étonné de me voir. Cependant, il resta très discret.

— Bonjour, nous salua-t-il. Je peux vous aider ?

Rien qu'à entendre le son de sa voix, je me transformai en flaque.

— Bonjour, monsieur, commença Elaine. J'aimerais beaucoup faire visiter le phare à ma petite-fille. Pensez-vous que ce soit possible ?

Leith observa Elaine avec curiosité, mais il m'ignora totalement.

Il avait remarqué qu'Elaine n'avait pas l'usage de ses yeux, c'est pourquoi, lorsqu'il ouvrit le portillon, il s'approcha doucement d'elle pour ne pas l'effrayer.

— Normalement ce n'est pas autorisé, mais je vais faire une exception. Si vous voulez bien me prendre le bras, je vous guiderai.

— C'est très aimable à vous, le remercia ma grand-mère, ravie.

Je les suivis jusqu'au bâtiment, aussi gênée qu'angoissée par la situation.

Tout en accompagnant Elaine, Leith lui fit la conversation.

— Je ne m'occupe pas du phare, habituellement, c'est mon père qui est chargé d'en vérifier l'éclairage.

— Oh. Alors c'est très gentil à vous de nous faire cette fleur, monsieur... ?

— Leith Sutherland, madame.

Et voilà ! J'avais envie de m'enfoncer dans un trou de souris.

— Ohhh..., laissa-t-elle filer.

Comme elle avait conscience que je marchais derrière eux, elle se retourna dans ma direction pour mimer la surprise de la nouvelle.

— Je ne savais pas que les Sutherland avaient encore la charge du phare, s'étonna-t-elle.

— Si, madame, depuis sa construction, en 1849.

— Très bien, très bien.

Nous arrivâmes à la porte du bâtiment lorsque ma grand-mère eut une idée « génialissime ».

— Monsieur Sutherland...

— Appelez-moi Leith, marmonna-t-il en faisant la moue. M. Sutherland, c'est mon père.

— Très bien, Leith. Je connais cet endroit par cœur, pour l'avoir fréquenté de nombreuses fois étant plus jeune, et comme vous l'avez constaté, je suis aveugle. Auriez-vous l'amabilité de faire le tour avec ma petite-fille Hannah ?

Leith daigna enfin me regarder, mais très furtivement. Et moi, je faillis tout bonnement m'enfuir à toutes jambes.

— Mais bien sûr, madame. Vous allez vous installer dans l'ancienne salle de repos. J'imagine que vous devez être épuisée si vous avez marché jusque-là.

Elle lui sourit.

— Merci, jeune homme, vous êtes vraiment très gentil.

Il accompagna Elaine dans la pièce, la fit s'asseoir sur un fauteuil, puis il lui servit un verre d'eau. Je regardai la scène du coin de l'œil en me demandant à quoi pouvait bien jouer ma grand-mère. C'est elle qui avait envie de monter en haut de ce fichu phare, pas moi ! Bon, la situation aurait pu être pire. Contrairement à ce que je pensais, elle n'avait rien révélé à Leith de notre conversation. Je me doutais bien qu'elle ne lui mentionnerait pas son ancienne relation avec son grand-père, mais j'avais vraiment imaginé qu'elle dirait un truc du genre : « Oh, comme le monde est petit ! Ma petite-fille était justement en train de me raconter que vous vous étiez arrêté sur le bord de la route pour aider son ami Davis à changer sa roue. » J'aurais eu l'air malin ! Par chance, Elaine n'avait pas choisi cette option.

Leith passa devant moi, sans m'accorder un seul regard.

— Suis-moi, m'enjoignit-il en désignant froidement l'escalier.

J'obéis sans dire un mot. J'avais comme l'impression – non, plutôt la certitude – que la situation ne lui plaisait guère. Je me sentais de plus en plus mal à l'aise.

— Alors, comme ça, tu utilises ta grand-mère comme entremetteuse ? lança-t-il tandis que nous montions les marches.

— Mais non ! objectai-je vigoureusement. Je ne savais pas que tu travaillais ici ! Et même si c'était le cas, comment aurais-je pu deviner que tu t'y trouverais ? Tu as dit tout à l'heure que c'était ton père qui s'occupait habituellement du phare.

Il ne répondit rien. Mais mon embarras fit place à la colère.

Pourquoi les types mignons se croient-ils irrésistibles à ce point ?

Imbécile, parce qu'il l'est bien sûr ! me chuchota une petite voix.

J'arrivai en haut de l'escalier, essoufflée, alors que lui ne montrait aucun signe de fatigue. Il ouvrit une porte blindée et entra dans un espace circulaire, entièrement vitré, et rempli de machines avec des boutons partout.

Leith avança pour faire coulisser une porte-fenêtre.

— Tu veux voir le paysage ou tu préfères rester ici ?

Le ton sec de sa voix commençait à m'irriter sérieusement. Après tout, je n'avais rien demandé à personne, moi ! Néanmoins, je demeurai muette, je le suivis sur le balcon qui faisait le tour de la pièce.

À peine m'étais-je approchée de la balustrade qu'une rafale me balaya les cheveux. Je les repoussai de la main pour contempler le paysage et restai bouche bée. La vision de la mer s'étirant à perte de vue et celle de la falaise tombant à pic juste sous nos pieds me coupa le souffle.

D'ici, la vue était si différente de ce que j'avais admiré depuis le bateau de Davis. C'était absolument époustouflant. L'eau ondulait et les vagues se jetaient contre la roche, formant une ligne d'écume mousseuse. Et cet air pur... Je levai le menton pour mieux sentir le vent, et laissai les embruns me caresser le visage. Je compris soudain pourquoi Elaine et son amoureux venaient se réfugier ici. Cet endroit était tout simplement magique.

Le sourire aux lèvres, je me tournai vers Leith. Il se tenait à plus d'un mètre de moi et m'observait avec une intensité qui me retourna complètement l'estomac. Et lorsque je le vis s'approcher, je me raidis instantanément. Encore un pas. Puis un autre. Un dernier... Son visage n'était plus qu'à quelques centimètres du mien. De sa bouche ou de ses yeux, je ne savais quoi regarder. Ce qui était certain, c'est que j'avais complètement oublié de respirer. Ses iris étaient si verts, si brillants... De plus en plus brillants... Subitement, il y eut une étincelle, comme des milliers d'étoiles blanches qui en jaillirent. Je poussai un cri, reculai et manquai de tomber à la renverse. Leith me retint fermement par la taille, me garda contre lui un court instant, puis me lâcha pour disparaître dans la salle des lumières.

Je restai immobile, les jambes flageolantes, sans trop savoir si ce à quoi je venais d'assister était le fruit de mon imagination ou pas. Après plusieurs longues secondes, je repris l'escalier pour rejoindre Elaine et découvris Leith nonchalamment adossé contre le mur, les bras croisés sur la poitrine, comme si rien ne s'était passé. Il attendait avec ma grand-mère et m'observait fixement, empreint d'une certaine curiosité.

— Tout va bien, Hannah ? Tu as apprécié la vue, ma petite-fille ? s'enquit Elaine.

Je ne lâchai pas Leith des yeux – lesquels étaient toujours aussi magnifiques, mais parfaitement normaux, évidemment.

— Je... oui, c'était très beau, bredouillai-je.

— Tu devrais peut-être appeler ton père, maintenant. Il doit s'inquiéter de ne pas avoir reçu de coup de fil pour nous récupérer.

— Oui, si tu veux, grand-mère, acquiesçai-je à la manière d'un automate.

— Madame, intervint Leith sans cesser de me regarder, j'ai terminé les contrôles du phare. Je me ferai un plaisir de vous raccompagner chez vous avec votre petite-fille si vous le souhaitez.

— Comme c'est gentil, jeune homme. Mais nous ne voudrions pas vous déranger et vous obliger à faire un détour.

— Ce ne sera pas le cas, madame. Je dois me rendre à Thurso, votre manoir est sur la route.

— Oh ! s'étonna Elaine. Vous savez où j'habite ?

— Oui, madame, j'ai déjà eu l'occasion de ramener Hannah.

— Je vois. Dans ce cas, je veux bien, s'amusa-t-elle.

Je grinçai des dents, à peu près certaine qu'elle ne manquerait pas de me poser tout un tas de questions sur le sujet lorsque nous nous retrouverions seules.

Dans la voiture, elle s'installa à l'avant. Depuis l'arrière, et pendant tout le trajet, je ne cessai d'examiner les yeux de Leith dans le rétroviseur, incapable de comprendre ce qui s'était réellement passé là-haut.

Le 4×4 arriva enfin au manoir, mon père sortit en trombe presque aussitôt.

— Nom de Dieu, mais où étiez-vous ? Je me suis fait un sang d'encre. Hannah, ton portable est éteint, je tombais sans arrêt sur la messagerie ! Je m'apprêtais à venir vous chercher quand même. Tout va bien ? Il n'y a pas eu de problème ?

— Aucun, Paul, le rassura Elaine tandis que nous nous extirpions du véhicule. Ce charmant jeune homme nous a offert une visite privée du phare et nous a ensuite gentiment proposé de nous ramener. Leith, voulez-vous entrer quelques minutes ?

— Je vous remercie, madame, mais je dois m'en aller, refusa-t-il poliment

— Eh bien, au revoir, et merci pour tout. Je serais ravie de vous recevoir à la maison pour partager une tasse de thé à l'occasion.

Il s'approcha d'Elaine et serra la main qu'elle lui tendait.

— Je vous en prie, madame, et ce sera avec plaisir.

Mon père salua brièvement Leith et raccompagna Elaine à l'intérieur. Je m'empressais de leur emboîter le pas lorsque Leith me rejoignit en deux enjambées pour me retenir par le coude. Malgré moi, je frissonnai.

— Que t'est-il arrivé sur le balcon ? me demanda-t-il.

À moi ? Ça, c'est la meilleure !

— Mais... rien du tout. C'est toi qui...

Je le dévisageai, consternée.

— Tes yeux, ils... ils ont fait comme des étincelles.

Leith m'étudiait avec tout le sérieux du monde.

— Des étincelles ? Que veux-tu dire par là ?

Je balayai l'air de la main, agacée.

— Comme un feu d'artifice, quoi !

Il se composa une expression sereine.

— Eh bien..., je suppose que tu as dû confondre avec la lumière du phare.

Je fronçai les sourcils.

— Comment ça, la lumière du phare ?

— Lorsqu'on contrôle le programmateur des lampes, on fait des essais pour s'assurer qu'il fonctionne bien. Vraisemblablement, les éclairages se sont déclenchés à ce moment-là. Il n'y a jamais eu d'étincelles.

— Ah.

J'étais perplexe, mais ce qu'il disait était bien plus cohérent que mon histoire de feux de Bengale. Cependant...

— Dans ce cas, pourquoi es-tu parti si vite ?
Quelque chose t'a bien mis mal à l'aise, non ?

Un sourire fleurit au coin de ses lèvres.

— Non, pas quelque chose, Hannah, quelqu'un...,
chuchota-t-il.

Et il me frôla la joue. Ses doigts étaient brûlants
et mon corps réagit au quart de tour. Mes jambes ne
me tenaient plus, une boule gigantesque me bloqua
l'estomac, et une déferlante de papillons s'envola dans
mon ventre.

Ouh là là... J'étais mal... très mal.

— Je dois m'en aller, annonça-t-il d'une voix
presque inaudible.

Je demeurai immobile, subjuguée.

Sans un mot de plus, il tourna le dos et remonta
dans sa voiture. Je la suivis du regard jusqu'à ce
qu'elle disparaisse. Je ne savais plus quoi penser. Je
n'avais pas rêvé. J'avais vu des étoiles jaillir de ses
yeux. Et bon sang, le diable si je ne lui plaisais pas !
Or, il avait tout de même une petite amie.

Et ?

Et rien du tout !

Dans mon for intérieur, je me fichais comme d'une
guigne qu'il ne soit pas libre. Je priais pour qu'il fasse
demi-tour, qu'il me regarde encore, qu'il me parle,
qu'il me touche une nouvelle fois.

— Sissi, ma vieille, je suis dedans jusqu'au cou !
maugréai-je à voix haute.

Au secours !

Chapitre 7

Ce soir je vais rencontrer les membres du G.A.B.S.A.C.M.

Le loup-garou :

Le loup-garou est une créature aussi ancienne que le vampire et son pouvoir de persuasion tout aussi puissant. Il s'agit d'un être vivant capable de se transformer en loup ou en ce qui s'en approche. Cinq races de lycans sont aujourd'hui connues : les Hommidés, les Galbros, les Crinos, les Hispos et les Lupi (Lupus au singulier). L'Hommidé étant celui qui ressemble le plus à l'Homme, et le Lupus, au loup. Nous pouvons souvent lire que le loup-garou subit plusieurs phases de mutation, c'est une erreur. Il ne prend qu'une seule apparence, c'est une loi génétique.

Contrairement à bien des légendes, le garou ne se transforme pas involontairement pendant la pleine lune. Il choisit lui-même le moment de sa mutation et la fréquence de celle-ci. Néanmoins, chez certaines races, la colère, la rage ou un simple choc émotionnel déclenche le processus sans qu'ils le contrôlent. C'est en général à cet instant qu'ils sont les plus dangereux.

La chaleur corporelle du loup-garou est supérieure à celle de l'Humain, environ quarante et un degrés Celsius. Mais juste avant sa métamorphose, sa température atteint les quarante-trois degrés.

Lorsqu'il est sous sa forme humaine, le loup-garou est doté d'une force exceptionnelle qui n'est égalée que par celle des vampires. Comme eux, il est capable de se déplacer à une vitesse prodigieuse.

Même si le loup-garou est une créature extraordinaire, il n'en est pas moins mortel. Une grave blessure ou un accident pourrait lui être fatal. Cependant, il ne contracte aucune maladie. C'est pourquoi sa vie est souvent très longue et qu'il n'est pas rare de le voir dépasser les cent ans.

Les loups-garous peuvent s'accoupler entre eux, toutes races confondues. Toutefois, il est absolument invraisemblable qu'une telle union puisse donner un rejeton. Si malgré tout, le cas devait survenir, l'enfant serait pourvu d'atroces difformités et n'aurait sans doute aucune chance de survivre. Cependant, les lycans pourront avoir une descendance avec un compagnon de race identique ou un Humain.

Le Lupus

Le Lupus est le loup-garou le plus abouti, reconnaissable à l'éclat vert de ses yeux. Il se rapproche du loup commun, même s'il est deux fois et demie plus grand. Il en possède également tous les attributs olfactifs et auditifs. L'acuité de ses sens est, par ailleurs, bien supérieure à celle des quatre autres formes de garou.

La couleur de sa robe et sa taille varient en fonction des individus. À l'instar de l'Hispo, même après sa transformation, le Lupus continue à penser en être humain, ce qui n'est pas le cas des trois autres races. Cela le rend particulièrement dominant lorsqu'il rencontre une meute de loups communs.

L'Hispo

Très proche du Lupus par certains côtés, l'Hispo...

— Hannah ! Téléphone ! cria ma mère.

Je coinçai un marque-page dans le *Grand livre des mystères occultes* et me frottai les yeux. Il était temps que quelqu'un me tire de cette lecture. L'auteur croyait tellement à ce qu'il racontait que ça commençait à devenir ridicule. Je jetai le bouquin sur mon lit et me levai.

— J'arrive !

Je sortis de ma chambre et descendis tranquillement les escaliers.

— C'est une jeune fille, chuchota-t-elle en gardant une main sur le combiné. Une certaine Gwen.

Mon sang ne fit qu'un tour, et, forcément, je songeai à Leith. La culpabilité s'abattit sur moi plus vigoureusement qu'une bonne douche écossaise. Et si elle venait s'assurer qu'il ne s'était rien passé entre son petit ami et moi ? Ce qui, en soi, était parfaitement idiot. À moins qu'il lui ait raconté l'épisode du phare – ce dont je doutais quand même un peu – il n'y avait aucune raison pour qu'elle soit au courant de notre rencontre surprise, trois jours plus tôt. Crispée, je pris l'appareil du bout des doigts et le portai à l'oreille. Ma mère me laissa discuter et rejoignit la cuisine.

— Allô ? pépiai-je.

— Salut, Hannah ! s'écria Gwen d'une voix enjouée. C'est Gwen Fisher, de *Simsalabim*.

— Bonjour.

— Tu as oublié ton parapluie au magasin quand tu es venue. Comme tu as payé par carte bancaire, j'ai vu ton nom et je l'ai cherché à tout hasard dans le bottin. Évidemment, il n'y a qu'une famille Jorion à Wick, donc ça n'a pas été difficile de te trouver !

Je faillis lâcher un profond soupir de soulagement.

— Merci, beaucoup. Je passerai le récupérer à l'occasion.

Je l'entendis rire doucement.

— Eh bien, justement... Ce soir, une de mes amies expose ses toiles dans l'arrière-salle du restau français sur Wick Bay. C'est son premier vernissage. Le thème est : « Rêves occultes ». Ce qu'elle fait est absolument génial et je pense que tu pourrais trouver ça très instructif. As-tu ouvert le bouquin que je t'ai vendu ?

— J'ai commencé à le feuilleter, oui.

— Et donc ? Tu aimes ?

Comment dire ?

— C'est... intéressant, mentis-je honteusement.

— Ah ! J'étais sûre que ça te plairait ! Viens au vernissage. Les tableaux de Stéphanie compléteront ta lecture.

J'avais perdu une occasion de me taire. Ce livre ne me faisait pas frétiller les moustaches, alors, si les œuvres de cette fille tournaient autour du même sujet, sans doute me feraient-elles un effet identique. Sans compter que passer du temps avec la petite copine de Leith n'était pas ce que j'avais le plus envie de faire en ce moment.

— Je ne sais pas trop, commençai-je à dire.

— Oh, accepte ! J'aimerais vraiment que tu voies ça !

Sa faculté à gratter l'amitié était absolument étonnante. Nous ne nous étions rencontrées qu'une seule fois et elle me parlait comme si elle me connaissait depuis des années. Je réfléchis quelques menues secondes et le côté manipulateur en moi prit finalement le dessus. Je décidai d'accepter son invitation. Je pourrais certainement en apprendre plus sur Leith et la nature exacte de leur relation.

— Dans ce cas... C'est à quelle heure ?

— Dix-neuf heures trente.

Je consultai la pendule dans l'entrée, il était déjà dix-huit heures.

— On se retrouve devant le restau français ? embraya Gwen. Tu sais où il se situe ?

Il n'y avait qu'un établissement de ce genre à Wick.

— Oui, tout à fait.

— Parfait ! Je me réjouis de te revoir ! À tout à l'heure, Hannah !

— À tout à l'heure.

Je raccrochai.

— Alors ? demanda ma mère.

Je haussai les épaules.

— Si vous êtes d'accord, papa et toi, je suis invitée à un vernissage à Wick.

Ma mère fut tellement contente d'apprendre que je m'étais fait une nouvelle amie qu'elle accepta sur-le-champ et se proposa même de faire le taxi. Comme j'avais l'estomac dans les talons, je décidai d'avaler quelque chose en vitesse et de monter me préparer.

Comment étais-je supposée m'habiller pour un vernissage ? Je n'avais encore jamais eu l'occasion d'aller à ce genre d'événement. Je fouillai dans mon armoire et en sortis une petite robe noire évasée, toute simple – l'unique que j'avais prise avec moi.

Une douche chaude, un brushing et un peu de mascara que je volais à ma mère, et j'étais métamorphosée. Je regardai mon reflet dans le miroir, et constatai, ravie, que je paraissais plus âgée. Car il n'était pas rare, à cause de mes taches de rousseur, qu'on me donne à peine plus de quinze ans. Je chaussai des ballerines noires sans talons et descendis rejoindre mes parents dans le salon.

— Wouah ! s'exclama ma mère. Ça te change tellement ! Tu es sûre que tu n'as pas rendez-vous avec un garçon ?

Et ça recommence...

— Non, ce soir je vais rencontrer les membres du G.A.B.S.A.C.M.

— Le quoi ? glapit-elle, interdite.

— Le Groupement des Admirateurs de Buveurs de Sang et Autres Créatures Monstrueuses.

Elle blêmit.

— Maman ! C'est une blague ! Le thème du vernissage est : « Rêves occultes ». J'imagine des invités arborant le même style que Gwen.

Elle arqua un sourcil.

— Qui est ?

Je souris.

— Définitivement gothique.

— Gwen est gothique ?

Elle eut vraiment l'air de s'inquiéter.

— Han han. Et je te rassure, ce n'est pas une tare.

Elle eut un geste évasif de la main.

— Oui, je sais, je sais... C'est la raison pour laquelle tu t'es habillée en noir ?

— Nan... C'est juste parce que je n'ai rien de plus sophistiqué que ça. On y va maintenant ou tu souhaites m'attacher des gousses d'ail autour du cou avant de partir ? Au cas où...

Elle pouffa de rire et me fit signe de sortir de la maison.

En rejoignant Gwen sur le trottoir, je restai bouche bée. Elle avait crêpé et retenu ses longs cheveux ébène par des rubans grenat. Ses magnifiques yeux noisette étaient exagérément soulignés d'eye-liner, et ses lèvres, maquillées en rouge sang. Elle portait un kilt écossais très court dans des tons assortis, des collants opaques noirs et une paire de New Rock de même couleur. Les semelles rehaussées l'avantageaient d'au moins douze centimètres. Quant à son débardeur, il était tellement décolleté que je pouvais difficilement regarder ailleurs. À côté d'elle, avec ma robe, je me faisais l'effet d'une bonne sœur ! Je ne pus d'ailleurs m'empêcher de penser que le style sobre et classique de Leith n'était pas du tout en accord avec celui de Gwen.

— Tu es super-élégante ! me complimenta-t-elle en m'accueillant.

— Merci. Et toi tu es... exubérante !

— C'était le but recherché ! Tiens, ton parapluie, dit-elle en me l'offrant.

Je m'en emparai et le rangeai aussitôt dans mon sac avant de la suivre.

Lorsque nous pénétrâmes dans l'arrière-salle du restaurant, les notes de musique expérimentale qui s'en élevaient me hérissèrent instantanément les poils des bras. J'eus même du mal à ne pas grimacer ouvertement. Quant à mon idée de G.A.B.S.A.C.M., eh bien... je n'étais pas bien loin de la vérité. Certains des invités – dont la plupart étaient habillés en noir et rouge – évoluaient dans la pièce le visage poudré de blanc pour paraître plus pâles, portaient des crocs en résine, des chapeaux haut-de-forme, ou des voilettes en dentelle.

Alors qu'avec Gwen nous embrassions la salle des yeux, une jeune femme plutôt maigrichonne et de très petite taille vint à notre rencontre.

— Gwen ! Comme je suis contente que tu sois là ! s'exclama-t-elle avec un accent français très prononcé. Il y a un monde fou et je me ratatine comme une vieille figue à force de parler !

Gwen sourit.

— Salut, Steffy. Je te présente Hannah. Elle est française, elle aussi, mais c'est une habituée de Wick, elle y séjourne chaque année.

— Salut ! dit-elle sans vraiment m'accorder d'importance. Suivez-moi vers le buffet avant que je sèche sur pied. J'ai soif !

Un verre de vin entre les doigts, Stéphanie nous expliqua la manière dont elle avait abordé le thème qu'elle exposait, les endroits qui l'avaient inspirée, les livres qu'elle avait lus. Elle semblait intarissable et terriblement compliquée. Quand elle n'eut plus rien à raconter, elle nous remit un petit fascicule contenant la liste de toutes ses œuvres.

— Je vous quitte, déclara-t-elle théâtralement en portant une main à son front. Il y a encore tellement de monde à voir !

Elle tourna brusquement les talons, faisant virevolter les volants de sa longue robe noire.

— J'aperçois quelqu'un que je connais là-bas, s'excusa Gwen, je te laisse démarrer la visite sans moi ?

J'acquiesçai et pris mon petit dépliant.

Je regardai autour de moi et plissai le front. Le ton était donné : sang, sang et sang.

Le premier tableau avait été nommé « *De sueur et de sang* ». L'ombre d'un personnage levait une faux pour couper l'herbe noire à ses pieds. De celle-ci jaillissaient des jets sanguinolents qui éclaboussaient tout.

Passionnant...

Le deuxième, « *Dans le creux de ma paume* », représentait une femme maigre à la robe éthérée et aux cheveux de jais. Elle tenait dans sa main un cœur humain encore palpitant.

J'étais décontenancée. Et lorsque j'arrivai à la troisième œuvre, Gwen me rejoignit.

— Excuse-moi d'avoir tardé, je profite de l'occasion pour faire la promotion du magasin. Tu aimes l'expo ? s'enquit-elle, guillerette.

Je haussai les sourcils et pinçai les lèvres.

— C'est... surprenant.

— Stéphanie a une approche très personnelle de l'art, elle ne retranscrit que ce qui est caché.

Tu m'en diras tant...

— Ton petit ami n'a pas voulu t'accompagner ? demandai-je comme un cheveu sur la soupe.

Elle se mit à rire franchement.

— Si seulement il y en avait un ! Le dernier en date est retourné dans les jupons de sa mère lorsque je lui ai montré ma collection de crânes de chauves-souris !

Même si cette étrange confidence aurait dû me surprendre, ce n'est pas celle que je retins en priorité.

Gwen n'avait pas de petit ami et aussi triste que cet état de fait était pour elle, je reçus la nouvelle avec beaucoup d'allégresse.

Leith Sutherland était libre ! Enfin... a priori.

— C'est Leith Sutherland qui a fui ? risquai-je.

Les yeux de Gwen s'arrondirent d'étonnement.

— Leith ? Sûrement pas ! Il est comme un frère pour moi. Nous sommes voisins depuis toujours. D'où tiens-tu un truc pareil ?

Je me sentis irrémédiablement rougir.

— Non, c'est juste que...

Je balayai l'air de ma main.

— Laisse tomber, ça n'a aucune importance, bredouillai-je, embarrassée.

Elle pencha la tête de côté avec une lueur de curiosité dans le regard.

— Comme ça, vous vous connaissez, tous les deux ?

Je me mordis le coin de la bouche.

— Il nous a fait visiter le phare avec ma grand-mère il y a trois jours.

Elle me considéra silencieusement pendant quelques secondes, le visage inexpressif, puis un sourire finit par se dessiner sur ses lèvres.

— Et donc ? Tu le trouves sympa ?

Un peu plus et je me raclais la gorge. « Sympa » n'était pas le terme le plus approprié pour le décrire. Mais plutôt mourir que d'avouer à Gwen le fond de ma pensée.

— Il est cool.

Puis j'éludai la question en faisant mine d'être subjuguée par le tableau derrière elle.

— Quelle intensité dans cette toile !

Elle se retourna, fixa l'illustration un moment et sourit de plus belle.

— Tu trouves ?

— Han han, affirmai-je sans quitter l'œuvre des yeux.

En réalité, je n'y comprenais rien du tout. Une ombre que je ne parvenais pas à identifier était cachée derrière un épais brouillard. Au centre du tableau étaient peints un halo et un simple point vert.

— « *L'éclat* », dit Gwen en me montrant le fascicule.

— Qu'est-ce que c'est censé représenter ?

— Un loup.

— Un loup ? répétai-je, surprise, car je ne voyais aucune concordance avec l'animal.

Elle dodelina de la tête.

— Observe l'ombre.

J'étudiai plus attentivement le dessin, et en me concentrant un peu, je parvins à distinguer la gueule grande ouverte d'une bête de profil. Un loup, donc ? Soit...

— Regarde cette lumière, me fit-elle remarquer en pointant du doigt l'éclat vert. Il représente l'émotion de l'animal.

J'arquai les sourcils, perplexe, et hochai le menton histoire de ne pas être contrariante.

Nous continuâmes notre visite, et trente minutes plus tard, alléluia, nous avions terminé.

Je n'aurais pu en supporter davantage. La musique commençait sérieusement à me taper sur les nerfs. La compagnie de Gwen était bien le seul intérêt de cette soirée. C'était une fille charmante et pleine de vie que j'aurais énormément de plaisir à revoir. D'ailleurs, pendant que nous attendions sur le trottoir que ma mère me récupère, elle me proposa de nous retrouver un de ces quatre pour une partie de billard. J'acceptai volontiers.

Dix minutes plus tard, je me vautrai sur le fauteuil de la voiture, épuisée.

Chapitre 8

Je rouille, ma vieille. Je rouille...

De : Moi
À : Sissi

Je vais péter un plomb.

Je ne suis pas sortie de cette baraque depuis presque une semaine, il pleut toute la journée, c'est l'enfer. Mes parents et Elaine sont partis à Helmsdale chez ma grande tante, et Mathy est à Inverness. Davis est toujours dans le Ross et Cromarty avec son père, et Gwen, la fille que j'ai rencontrée la semaine dernière, n'était pas dispo tous ces soirs. Crois-moi, l'Écosse, c'est bien, mais je commence à trouver le temps long. Je rouille, ma vieille. Je rouille… Bref… Mes parents rentrent demain matin.

Oh, je ne t'ai pas raconté. Avant qu'ils partent à Helmsdale, mon père et ma grand-mère ont eu une grosse dispute. Mon père lui a annoncé qu'il serait peut-être judicieux qu'elle s'installe dans une résidence pour personnes âgées. Enfin, il a surtout dit qu'il préférait qu'elle y aille. Elle l'a très mal pris, tu penses. Du coup, je m'en suis mêlée. Je lui ai fait remarquer qu'il n'avait pas le droit d'agir comme un dictateur. Ma mère est partie dans mon sens. Imagine la tête de mon père… On était toutes les trois liguées contre lui, il n'a pas franchement aimé. Depuis, *statu quo*… Tout le monde a accepté de réfléchir à une autre solution. Affaire à suivre…

Et histoire de terminer ce mail en beauté…

Ça fait un moment que j'hésite à te parler d'un truc. Tu vas me prendre pour une cinglée…

J'ai revu Leith Sutherland, et il s'est passé quelque chose de très étrange entre nous. Je n'arrive toujours pas à me l'expliquer.

Elaine a absolument tenu à ce que je monte sur le phare de Noss Head. Il se trouve que Leith s'occupe ponctuellement de la maintenance, alors il m'a servi de guide. Nous étions tous les deux en haut, sur le balcon, et subitement, ses yeux ont fait des étincelles. Je ne plaisante pas. Un feu d'artifice ! J'ai bien failli tomber à la renverse tant j'étais surprise. Donc honnêtement, je suis incapable de dire ce qui s'est passé, mais il y a au moins un truc dont je suis presque certaine : je lui plais.

Et, et… il est sûrement célibataire !

Reste à savoir si nous nous reverrons un jour.

Il est vingt-trois heures, je vais me coucher.

Bonne nuit,

Hannah.

P.-S. : J'aurais dix-huit dans deux jours. Dix-huit ans, et pas un ami avec moi pour fêter ça. Youhou…

Chapitre 9

Happy birthday to you!

Je fuyais à travers bois depuis des heures. Des loups étaient à mes trousses. Je frappai à la porte d'une vieille baraque en planches, un vampire m'ouvrit. Je hurlai. Il me fit tourner dans tous les sens sur une musique expérimentale horripilante. Quand il cessa, il me tira les cheveux et s'inclina sur ma gorge pour sucer mon sang. Puis Gwen apparut avec son talisman anti-vampire. Aussitôt, la sangsue s'évapora dans un nuage de fumée noire. Et voilà… Maintenant, un esprit vengeur. Il virevoltait autour de moi. J'étais si triste… Je voulais mourir. Puis un large couteau se matérialisa dans ma main droite en même temps que la silhouette de Davis se dessinait dans l'encadrement de la porte. Je levai la lame pour le frapper, j'étais sur le point d'y parvenir, mais un loup blanc s'interposa et…

Je me réveillai au fond de mon lit.

Nom de Dieu !

Je m'assis brusquement, en sueur. Tous mes muscles étaient bandés. Je venais de faire le pire cauchemar de ma vie.

— Quelle horreur ! m'étranglai-je.

J'attrapai mon téléphone ; sept heures et demie. Il était peut-être trop tôt pour me lever, mais après ça, je pouvais toujours courir pour espérer me rendormir. Je soupirai et regardai d'un sale œil *Le grand livre des mystères occultes* posé sur ma table de nuit.

— C'est ta faute ! vociférai-je.

Bon sang, la journée commençait mal. Je fermai les paupières et me frottai le front.

Samedi vingt-cinq juillet. J'avais dix-huit ans.

Et j'étais *là*. Ici. En Écosse.

Pff...

J'envoyai valdinguer les couvertures, me levai et filai tout droit dans la salle de bains. Lorsque j'en sortis, j'étais toujours d'une humeur de chien. Il aurait suffi d'un rien pour que je me mette à mordre. Je m'habillai en vitesse, me tressai sommairement les cheveux et me postai devant la fenêtre de ma chambre.

Il faisait beau.

Très beau.

Le ciel me narguait.

Je fis coulisser le battant, fermai les paupières et essayai de me calmer en respirant bien à fond. N'y parvenant pas, j'étais bien partie pour jurer comme un charretier lorsque des coups de klaxon assourdissants retentirent. Une voiture s'engageait sur le chemin d'accès à la maison. J'écarquillai les yeux et frôlai l'infarctus.

Devant moi, se tenait le pick-up de Davis, et sur les sièges à l'avant...

— Ahhhhhhhhhhhhh ! hurlai-je, hystérique en sautant sur place.

Sissi et Maisie !

Je débaroulai les escaliers et courus les rejoindre dans la cour.

— Mais je rêve ! hurlai-je. Ahhhhhh ! Je rêve !

— Joyeux anniversaire ! s'écrièrent mes amis en chœur.

Maisie, Davis et Sissi m'accueillirent à bras ouverts.

— Mais que... comment ? bredouillai-je, éberluée.

Sissi s'approcha pour me serrer contre elle.

— Tu ne pensais quand même pas fêter tes dix-huit bougies toute seule, paumée dans ce bled ? Joyeux dix-huitième anniversaire, ma vieille !

Je lui offris un sourire éclatant et pivotai vers la sœur de Davis.

— Tu sais que j'ai dû supporter les railleries de ton jumeau à ta place ? Ne me refais jamais le coup de me laisser seule avec lui, hein ?

Elle me fit un clin d'œil et tapa sur l'épaule de son frère.

— J'en connais d'autres qui ne s'en plaindraient pas, marmonna Davis en m'embrassant sur la joue. Joyeux anniversaire, Hannah.

— Et à qui dois-je cette incroyable surprise ? demandai-je.

D'un geste du menton, Maisie désigna Elaine qui attendait sur le pas de la porte avec mes parents.

— À ta grand-mère. Elle a organisé ça avec tes parents. Tu sais, c'est elle qui a payé nos billets d'avion.

Je me tournai pour la regarder et m'approchai pour la serrer contre moi. Elaine était vraiment championne du monde.

— Merci, soufflai-je, émue au-delà des mots.

— De rien, ma petite-fille, de rien, murmura-t-elle en me tapotant doucement le dos. Si tu es heureuse, je le suis aussi.

— Cette surprise était organisée de longue date, intervint ma mère. Autant t'avouer que lorsque nous avons quitté Paris, on hésitait entre te piler sur place ou te dire la vérité tout de suite.

— Vous êtes géniaux !

— Bien. Comme nous avons prévu une petite fête ici, ce soir, nous avons besoin d'espace. Oust ! nous chassa Elaine. On a du pain sur la planche et il n'est pas question qu'Hannah soit dans nos pattes !

Davis nous servit de chauffeur toute la journée, Sissi voulait tout visiter. Les heures filèrent à une allure folle, si bien que personne ne vit le temps s'écouler. Puis en début de soirée, nous nous retrouvâmes entre filles dans ma chambre pour nous préparer. Quiconque serait passé devant la porte aurait juré qu'un poulailler s'y était installé. Nous gloussions et jacassions aussi fort que cent dindes dans une basse-cour.

— Tu es superbe ! clama Sissi en m'admirant.

— Ce n'est pas trop décolleté ? m'assurai-je en tirant sur le tissu qui descendait jusque dans le creux des seins.

Maisie avisa la robe que j'avais empruntée à ma mère et sourit.

— Non, tu es à tomber.

Elle était fluide, à brides, dans un satin vert foncé, et m'arrivait au niveau des chevilles. Je n'avais jamais été plus féminine.

— On va s'occuper de tes cheveux ! décida Sissi.

Je lui souhaitais bien du courage ! Mais elle y parvint.

Elle me coiffa d'un superbe chignon alambiqué, laissant s'échapper quelques mèches rousses sur mes épaules.

Lorsque nous fûmes prêtes, nous descendîmes rejoindre les invités, lesquels m'accueillirent en fanfare. Il y avait beaucoup plus de monde que je ne l'aurais pensé. Les Cameron – des amis de mes parents –, mon oncle et ma tante de Helmsdale, les copains de Davis, Suzy y compris. Quant à la décoration… Ma famille avait mis le paquet. Des guirlandes étaient pendues partout dans le jardin, des lampions accrochés aux arbres, et une multitude de bougies allumées posées sur une immense table en U. Une piste de danse en bois avait été installée pour l'occasion où des musiciens accordaient leurs instruments. Et, à mon grand étonnement, tous les hommes avaient revêtu un costume. Même Davis, qui ne quittait jamais son jean et ses Converse, portait un complet bleu nuit. Et il était à couper le souffle.

— Tiens, me dit Maisie en me collant un verre de champagne entre les mains.

Je la remerciai et en bus une gorgée.

— Tu connais cette fille ? Elle a un sacré look ! s'esclaffa-t-elle en pointant Gwen du doigt.

Mon visage s'illumina.

— Oh ! Gwen ! C'est génial qu'elle soit là, je l'adore. Tu vas voir, elle est vraiment chouette.

Comme à son habitude, elle portait une tenue extravagante composée d'une robe horriblement courte et noire autour de laquelle passait un tutu explosif de même couleur. Ses cheveux étaient toujours aussi crêpés, et ses bottes, toujours aussi hautes ! Comme elle ne m'avait pas encore remarquée, je marchai à sa rencontre pour l'accueillir, hélas, mes pas furent stoppés tout net. Mon cœur dérapa littéralement et j'oubliai de respirer. Moins de deux secondes plus tard, tout le contenu de mon verre se renversa sur le sol.

Il était ici.

Derrière elle.

Dans un magnifique costume noir.

Je manquai défaillir. Qui avait invité Leith Sutherland ?

Je fus prise d'un moment de panique et, au lieu de me diriger vers eux, je choisis de passer en catimini par la cuisine pour les éviter. Là, je trouvai Mathy qui s'affairait à remplir un immense plateau de toasts.

— Hannah, ta grand-mère aimerait que tu la rejoignes dans sa chambre.

Je ne lui en demandai pas plus et filai comme si j'avais le feu aux fesses.

— C'est moi, Elaine, l'avertis-je en entrouvrant la porte.

Lorsque j'entrai, elle était en train de fouiller dans le tiroir de sa commode. Elle en ressortit une petite boîte qu'elle tint enfermée dans son poing et alla s'asseoir sur son lit.

— Viens, m'invita-t-elle en tapotant la couverture. Je voudrais t'offrir ton cadeau d'anniversaire.

— Mais..., protestai-je en m'installant à ses côtés, tu en as déjà tellement fait.

Elle écarta les doigts et révéla un écrin de velours noir. Je m'en emparai et l'ouvris délicatement.

À l'intérieur se trouvait un médaillon en métal, circulaire et ajouré d'entrelacs d'inspiration celtique. Juste au-dessous de la bélière destinée à passer un lien était gravée une série de trois minuscules cercles concentriques. Du bout de l'index, j'en caressai les formes sinueuses.

Je l'adorais.

— C'est magnifique, murmurai-je.

— C'est un présent que j'ai reçu lorsque j'avais à peu près ton âge, je voudrais qu'il te revienne.

— Qu'est-ce que c'est, exactement ?

— Une amulette, il me semble.

— Sais-tu ce que représente le motif ?

Elle secoua la tête.

— Je n'en ai aucune idée. Mais elle est très jolie, tu ne trouves pas ?

— Oui. Je l'aime beaucoup, Elaine. Merci pour ce merveilleux anniversaire, soufflai-je en la serrant contre moi.

Elle sourit.

— Je t'en prie, ma petite fille. Je suis très heureuse qu'il te plaise.

Je remis l'amulette dans son écrin et la posai sur la table de nuit avec l'intention de la récupérer un peu plus tard.

— Retournons vite à la fête, Hannah, tes amis vont s'impatienter.

Ah oui... la fête. Naturellement, je n'avais aucun moyen de passer la soirée planquée ici.

— Au fait, me demanda Elaine alors que nous étions en haut des marches. Le jeune Sutherland est-il arrivé ?

Mon cœur s'emballa un peu plus.

— Je ne sais pas, grand-mère, mentis-je. Tu l'as invité ?

— Oui, j'ai pensé qu'il s'agissait d'une excellente façon de le remercier pour son amabilité.

— Bien sûr, opinai-je en voulant paraître la plus détachée possible.

Elle serra doucement sa main autour de mon poignet.

— Je crois qu'il ne t'est pas complètement indifférent, n'est-ce pas ?

Elaine... Ce n'était pas sa cécité qui la rendait aussi fine d'esprit. Elle avait toujours été comme ça.

— Mais de quoi parles-tu ? fis-je mine de ne pas savoir.

Elle étouffa un rire.

— Tu crois que je suis née de la dernière pluie ?

— Mais je le connais à peine, marmonnai-je.

— Et c'est également la raison pour laquelle je l'ai invité, Hannah, pour que vous appreniez à vous connaître ! Tu ne vois pas grand monde ici, à part Davis.

— Tu n'aimes pas Davis ?

— Si, si, bien sûr, mais deux amis valent mieux qu'un, tu ne penses pas ? conclut-elle malicieusement.

— Sans doute..., murmurai-je, la tenaille au ventre.

Au fur et à mesure que nous descendions, mon cœur battait de plus en plus fort. J'avais le trac. C'était puéril, certes, mais j'étais tout simplement affolée à l'idée de le revoir. Alors, quand mon père vint cueillir Elaine en bas de l'escalier, je me sentis soudain privée d'un appui précieux.

— Tes amis s'impatientent ! me lança-t-il alors que je m'étais immobilisée sur les dernières marches.

— J'y vais, papa, j'y vais !

Je n'en menais pas large.

Je passai la porte-fenêtre de la cuisine et fouillai le jardin du regard.

Pas de Leith Sutherland en vue.

Entre déception et soulagement, j'osai m'aventurer dehors. Puis j'aperçus Davis au loin qui gesticulait comme un diable devant ses amis largement amusés par ses pitreries. Je me concentrai sur lui, tant et si bien que je ne vis pas Gwen arriver dans mon dos, et hurlai de surprise quand elle posa ses mains sur mes hanches.

— Joyeux anniversaire ! s'écria-t-elle. Tiens, mon cadeau.

Le souffle court, je lui souris et m'emparai du pochon en velours qu'elle me tendait.

Je l'ouvris prestement et en sortis une minuscule fiole contenant un beau liquide ambré. Je remarquai comme de la poussière d'or au fond, et sur le flacon, le mot *Envoûtant* était gravé en fines lettres rouges.

— C'est un philtre d'amour, me révéla-t-elle.

J'écarquillai les yeux.

— Sérieusement ?

— Il ne se boit pas. Tu en mets une toute petite goutte au creux de ton cou, et il te rendra irrésistible, me certifia-t-elle avec un clin d'œil mutin. C'est grâce à l'or qu'il contient et qui renvoie un fluide magnétique exceptionnel.

Alors là…

— Eh bien… merci, Gwen. Je dois l'essayer maintenant ?

— Surtout pas ! s'écria-t-elle. Garde ce liquide précieux pour une occasion spéciale !

Puis, elle regarda par-dessus mon épaule et son visage s'éclaira.

— Tiens ! Voilà Leith.

Je retins ma respiration et me retournai pour le voir avancer vers nous le plus tranquillement du monde.

Mon Dieu, ce que j'avais mal au ventre ! Et, mon Dieu, ce qu'il était beau !

— Joyeux anniversaire, Hannah, dit-il d'un timbre grave et doux.

— Merci.

Un piaillement de moineau.

J'avalai ma salive aussi sec et tentai de dire quelque chose de pas trop idiot.

— Je suis surprise, mais très heureuse que tu sois ici.

Ah, dommage, je n'étais pas parvenue à retenir les ridicules trémolos de ma voix.

— Ta grand-mère... elle est allée jusqu'au phare avec ta mère pour obtenir mon numéro de portable, avoua-t-il en plissant les paupières sur ses yeux immensément verts.

— Elaine a ton numéro de portable ? braillai-je.

Je me repris aussitôt en me raclant la gorge.

Trop tard, il avait souri.

— Mon père s'est sincèrement demandé ce qu'une vieille dame pouvait bien avoir à me dire. Mais il le lui a donné quand même, et sans trop poser de questions.

Il recula de quelques pas jusqu'à la grande table de jardin et se saisit d'un gigantesque bouquet de fleurs, dans un vase.

— C'est pour toi.

D'abord, je battis des cils. Ensuite, je le pris à pleines mains et humai le doux parfum des lys blancs et des roses pâles.

— Ce sont mes fleurs préférées.

— Je sais.

— Merci beaucoup, soufflai-je.

C'était la première fois qu'un garçon m'offrait des fleurs.

Pas n'importe quelles fleurs.

Pas n'importe quel garçon.

J'en fus simplement toute chamboulée.

Puis Leith leva les sourcils pour m'avertir que quelqu'un approchait. Je m'empressai de remettre le bouquet dans son vase et me tournai vers Sissi. Elle n'allait sûrement pas manquer Leith...

— Tu nous présentes ? me suggéra-t-elle.

Elle le fixait bizarrement et souriait comme dans une pub pour dentifrice. Un peu plus, et je lui tapais derrière la tête pour qu'elle s'arrête.

— Leith, voici Sissi, ma meilleure amie.

— Bonsoir, la salua-t-il poliment.

Sissi, bien moins conventionnelle, gloussa plus efficacement qu'une poule devant un coq. Je ne savais plus où me mettre.

— Waouh ! s'écria-t-elle soudain. Tu portes des lentilles de contact ? C'est incroyable, cette couleur !

— Non, répondit Leith, imperturbable. Héritage familial.

Sissi le dévorait littéralement du regard. Bon sang, je lui aurais bien refilé un coup de pied dans le tibia pour la peine. Par chance, mon père la sortit de sa contemplation lorsqu'il me héla pour que je m'avance jusqu'au centre de la piste. Je m'exécutai au moment où un énorme gâteau sur trois étages arrivait, poussé sur une desserte par John Cameron. Le chiffre dix-huit trônait au sommet, autour duquel dix-huit petites chandelles vibrionnaient. Le batteur imita un roulement de tambour tandis que je me penchais pour souffler les bougies. La traditionnelle chanson du « joyeux anniversaire ! » retentit, alors que ma mère s'approchait de moi avec un air malicieux.

— À présent, tu tournes le dos et tu fermes les yeux, s'il te plaît.

— Mais, mon gâteau ? protestai-je.

— C'était juste pour la forme, on le mangera plus tard. Tourne-toi !

Je m'exécutai tandis qu'elle bandait les yeux à l'aide d'un foulard qu'elle noua derrière ma tête. Tout le monde se mit à siffler et à rire en même temps.

— Colin-Maillard ! s'exclama-t-elle. Allez ! Dispersez-vous. Mais pas trop loin, tout de même.

Elle laissa passer quelques secondes et se pencha jusqu'à mon oreille.

— L'un de nous tient dans ses mains ton cadeau d'anniversaire. Avant de t'en emparer, tu dois deviner de qui il s'agit.

Après quoi elle me prit par les épaules, me fit tourner trois fois sur moi-même, et m'abandonna à mon sort.

Chapitre 10

Pas de gros monstre méchant ?

J'avançai prudemment, levant la tête et baissant les yeux en même temps, dans l'espoir que le bandeau me laisse entrevoir des bouts de chaussures par-ci par-là. Que dalle ! Ma mère l'avait bien trop serré. Au bout d'une minute à peine, j'attrapai mon premier gibier. Je touchai les cheveux, ils étaient très courts. Je tâtai les épaules, elles étaient massives et larges. Je suivis la ligne du nez, il était droit. Je terminai par le menton, il était râpeux.

— Mike ? hasardai-je.

— Trop forte ! s'esclaffa ce dernier.

Surprise, je ramenai devant lui ses mains qu'il gardait cachées dans son dos, mais le cadeau n'y était pas.

— Mets-toi de côté, Mike ! cria mon père. Continue, Hannah.

Je hochai la tête en souriant. Ce jeu m'amusait beaucoup, mais après mon septième poisson, j'étais désespérée et me demandais si j'allais finir par y arriver.

J'avançai et percutai un des musiciens qui, afin que je ne bouscule pas les instruments, me conduisit jusqu'à un arbre de façon à ce que je puisse y prendre appui. Je tâtai le tronc, incapable de décider de quel côté je devais me diriger. Puis ma main frôla un morceau de tissu. Je l'agrippai brusquement et attirai vers moi ma nouvelle victime.

Le tissu appartenait à un costume, il s'agissait donc d'un homme.

Je levai les bras et commençai par les cheveux. Ils étaient souples et doux, j'éprouvai un front soyeux, un nez droit. Puis mes doigts s'immobilisèrent lorsque je sentis un souffle chaud, devinant une respiration légèrement saccadée. Dès l'instant où je compris que j'étais en train de toucher Leith, des fourmillements se répandirent sur la plante de mes pieds et mes jambes s'amollirent aussi sûrement qu'un morceau de pain sec trempé dans l'eau. Je me ressaisis sans tarder. Il aurait été tellement dommage de m'arrêter en si bon chemin.

C'est pourquoi je recommençai depuis le début. Les cheveux, le front, le nez… Je frôlai ses paupières closes, ses joues un peu râpeuses, effleurai du bout des doigts ses lèvres pleines et veloutées… J'étais si proche que je pouvais sentir son haleine sucrée me balayer le visage. Alors je descendis jusqu'à ses épaules, solides et fermes, tâtai doucement son torse et devinai une musculature développée. À travers sa fine chemise, les paumes à plat contre ses pectoraux, je perçus la chaleur qu'il dégageait, ainsi que les battements rapides de son cœur, et j'en frissonnai.

J'aurais voulu que ce moment dure plus longtemps, mais je finis par lever la tête et murmurer son prénom d'une voix chevrotante.

— Leith…

— On n'a pas entendu, Hannah ! s'écria mon père. Parle plus fort !

— Leith ! criai-je.

La magie était terminée.

Mes mains descendirent le long de ses bras et allèrent à la rencontre des siennes. Il les serra si furtivement que je crus l'avoir imaginé. J'ouvris ses paumes, elles étaient vides.

Leith me guida dans une autre direction, puis il s'éloigna.

Les jambes flageolantes, j'arrivai vers ma nouvelle proie, alors que j'aurais presque pu faire un caprice pour retourner à la précédente. Je soupirai et mis les bras en avant. Une épaisseur de tulle m'empêchait de m'approcher de trop près.

— Gwen ! braillai-je, sans même avoir besoin de la toucher.

— C'est moi ! gloussa-t-elle.

Je glissai les mains dans son dos et trouvai enfin mon cadeau sous les acclamations des invités.

Je détachai le bandeau et levai le paquet au ciel en signe de triomphe, puis mon regard croisa celui de Leith qui hocha la tête pour me féliciter. Je baissai finalement les cils sur ma victoire et identifiai un écrin à bijou.

— Jette un œil à l'intérieur, murmura ma mère en s'approchant.

Lorsque je l'ouvris, je découvris un porte-clés nu, en cuir, sur lequel était écrit *Rover Mini.*

Je cessai de respirer, interdite.

Il me fallut une bonne poignée de secondes pour comprendre.

— Mais ce n'est pas vrai ! hoquetai-je enfin. Une voiture !

— Bien sûr, tu devras d'abord passer ton permis de conduire, m'avertit mon père en souriant.

— Oh là là ! Je n'en reviens pas. Merci, merci, merci, merci mille fois !

Je ne cherchai pas à découvrir où était le véhicule, je me doutais bien qu'il m'attendait gentiment à Paris. Je m'approchai de mes parents pour les embrasser chaleureusement, plus heureuse et reconnaissante que jamais.

Nous discutâmes un long moment au sujet de la voiture. Je les interrogeai sur sa couleur, son kilométrage... Je ne connaissais absolument rien aux bagnoles, mais celle-ci allait être la mienne et je voulais tout savoir. Lorsque j'eus terminé de les harceler de questions, je remarquai Davis qui me gratifiait d'un mouvement de tête pour que je le rejoigne, il avait l'air plutôt contrarié.

— Tu as invité Sutherland ?

Je plissai le front.

— Non. C'est ma grand-mère qui s'en est chargée.

Ses yeux lançaient des éclairs.

— Tu sais très bien ce que je pense de lui !

Je n'eus pas le temps de répliquer, Leith s'était planté devant Davis et lui offrait la main pour le saluer.

— Bonsoir, Burns. Ne te noie pas dans le champagne cette fois. Toutefois, si jamais tu perdais pied, je me dévouerais volontiers pour te coller une droite et te réanimer.

Et il lui servit un sourire éclatant.

J'eus un frémissement d'appréhension. Davis bouillonnait de colère. Mais Leith gardait sereinement le bras tendu, le fixant droit dans les yeux. Contre toute attente, le regard mauvais de mon ami se dissipa pour laisser place à un rire un peu gêné. Davis se gratta la tête, penaud, et accepta la poignée de main.

— Sans rancune. Je l'avais bien cherché.

J'étais sidérée.

Dubitative, je levai les paupières vers Leith, il m'adressa un clin d'œil, en catimini.

J'avais bien du mal à comprendre. Mais soit, puisque ces messieurs semblaient mettre de la bonne volonté pour ne pas gâcher la fête, je n'allais pas m'en plaindre. Les amis Davis se joignirent à nous et au bout de dix minutes, une conversation s'animait au sujet des gros 4×4. Morte de froid, je décidai de me replier un moment dans la cuisine et de me servir une tasse de thé. J'y découvris Gwen, attablée et aussi frigorifiée que moi.

— Tout va bien ? m'enquis-je.

— Mieux maintenant, répondit-elle, tremblotante, en montrant son mug fumant.

Je pris place à côté d'elle.

— Belle fête d'anniversaire, me félicita-t-elle.

Je souris.

— Ma grand-mère est une perle.

Comme le silence s'installait sans que j'en comprenne vraiment la raison, j'abordai l'un des sujets favoris de Gwen.

— Comment t'est venue l'idée d'ouvrir une librairie comme la tienne ?

Elle pencha la tête pour me regarder.

— D'aussi loin que je me souvienne, je me suis toujours passionnée pour les sciences occultes. Il y a tellement de choses que le commun des mortels ignore.

Je m'accoudai à la table, et me calai la joue droite sur le poing.

— Le bouquin que tu m'as vendu, tu y crois ?

Gwen avala une gorgée de thé et sourit.

— Pas toi ?

Je secouai la tête dans un sens et dans l'autre.

— Je suis plutôt cartésienne, me justifiai-je.

Elle arqua un sourcil.

— Tu veux dire que tu ne crois en rien de ce qui ne peut être prouvé ?

— C'est un peu ça.

— Donc, tu ne penses pas que chaque légende a sa part de vérité ?

— Je pense surtout que les fantasmes de l'Homme le rassurent et l'aident à se sentir moins seul dans l'univers.

Gwen sembla très amusée par mon scepticisme.

— Sais-tu que des personnalités très respectées ont fait mention de leur foi en l'existence des loups-garous, par exemple ? Hérodote lui-même en parlait.

— Vraiment ?

— Oui, affirma-t-elle. Il disait que certains habitants du bord de la Mer Noire étaient capables de magie et plus particulièrement de se transformer en loup. Qu'ils savaient également reprendre forme humaine quand ils le souhaitaient. Hérodote expliquait aussi que leur métamorphose les rendait extrêmement forts et qu'ils possédaient les sens aiguisés d'une bête sauvage.

— C'est passionnant, Gwen, mais, selon moi, tout ceci se rapproche plus de la mythologie qu'autre chose. Appuyer de telles histoires sur des hommes se transformant en loups venait gonfler les croyances populaires. Hérodote et ses contemporains y trouvaient sûrement leur intérêt.

Gwen soupira profondément.

— Tu es si rationnelle...

Je haussai les épaules.

— Peut-être parce que personne n'a vraiment pu prouver l'existence de telles créatures. Et puis, n'est-ce pas surtout une vieille histoire qu'on raconte pour effrayer les enfants ?

— Justement, Hannah, sais-tu pourquoi le loup-garou nous fait peur ?

— Parce qu'il est poilu, moche et qu'il sent mauvais ?

Elle secoua la tête et leva les yeux au ciel.

— La plupart des Humains ignorent la réalité de l'existence des loups-garous. Ils pensent que c'est une légende populaire, une histoire relatée depuis la nuit des temps. Mais personne ne se demande jamais pourquoi une fable aussi invraisemblable perdure à travers les siècles. Vois-tu, selon des textes anciens, les Hommes et les loups-garous vivaient communément sur Terre, mais les Hommes tremblaient devant les loups car ces derniers contrôlaient l'expansion humaine.

— C'est-à-dire ?

— Les Hommes étaient très nombreux. Ils pullulaient et faisaient beaucoup de dégâts. Les loups-garous étaient chargés d'en faire diminuer la population et de préserver la Terre. Mais ce qui pourrait nous sembler être une barbarie était nécessaire à la survie de l'espèce humaine et à l'équilibre fragile de la faune et de la flore. Les Hommes prenaient de plus en plus de place et se battaient à mort pour des territoires. Les loups-garous eux-mêmes voyaient leur espace de vie se réduire d'année en année. C'est le chef des loups, Tyros, prit la décision de limiter quantitativement l'Humanité. Aujourd'hui, cette période est imprimée dans le subconscient de chaque être humain. Il garde une crainte notoire de l'apparition du loup-garou. Mais l'Homme refuse d'admettre son existence, sans doute pour se protéger d'un passé lointain trop douloureux. Il est ainsi convaincu de sa domination sur le monde.

— Mais il n'a pas cessé de se reproduire, fis-je remarquer. Au contraire, nous sommes de plus en plus nombreux, les guerres territoriales et de religion tuent toujours autant. Pourquoi les loups-garous n'interviennent-ils pas une nouvelle fois pour régler le problème en un tour de main ? argumentai-je avec ironie.

Gwen claqua la langue.

— Tu vois, au début, les loups-garous ne restaient qu'entre eux. Mais leur mission les mettait de plus en plus souvent en contact des Hommes. Et sous sa forme humaine, le loup-garou possède les mêmes désirs et besoins que nous. Au fil des siècles, ils ont fini par faire de nous leurs compagnons. Ils se sont liés à nos semblables au point de nous considérer comme leurs égaux. Le contrôle de la population n'était plus possible, les Humains étaient devenus trop proches. De ces unions, des enfants sont nés. Les garous vivent comme nous, parmi nous, en toute discrétion. Personne n'en sait rien.

Je la dévisageai longuement. Elle y croyait dur comme fer.

— Tu trouveras toutes sortes d'histoires sur les loups-garous, continua-t-elle. Beaucoup d'auteurs s'essaient à des explications. Quelques érudits sont même persuadés d'en connaître l'essentiel, mais ils se trompent probablement sur un certain nombre de faits.

— Tu sembles tellement convaincue de leur existence.

Elle me considéra avec un sourire en coin.

— Pourquoi ne le serais-je pas ? Certains croient bien en un dieu qu'ils n'ont jamais vu.

— C'est vrai, admis-je, pensive. Qui était Tyros ?

— C'est le premier loup-garou, le père de tous les autres. Sa métamorphose serait due à une malédiction divine. Mais nous savons très peu de choses à son sujet.

— Il s'agit de Lycaon, le roi d'Arcadie transformé en loup par Zeus ?

Elle eut l'air d'être surprise.

— Tiens, tu connais Lycaon ? Eh bien, non. L'histoire de Lycaon est une allégorie, une parabole qui illustre maladroitement ce qui s'est réellement passé. Avant sa mutation, Tyros était un guerrier d'une très grande cruauté. Il a assassiné froidement des milliers d'innocents, des vieillards, des femmes, des enfants. Les dieux l'ont puni pour ses actes de barbarie et l'ont condamné à vivre sous la forme d'un être hideux, mi-homme mi-loup, pendant trois siècles. Ensuite, il devait mourir. On lui avait prédit une vie infernale, repoussé par les Hommes, détesté des animaux, voué à trois cents années de solitude. Mais Tyros s'est parfaitement adapté à son existence maudite. Durant le premier siècle, il s'est accouplé à une louve commune. Leur union a donné naissance à cinq petits très distincts. Ce sont ceux qui ont formé les cinq races de loups-garous connues aujourd'hui : l'Hommidé, le Galbro, le Crinos, l'Hispo et le Lupus.

Mais c'est qu'elle commençait à me captiver sérieusement ! J'étais pendue à ses lèvres.

— À quoi ressemblent-ils ? voulus-je savoir.

— Ils sont forts ! s'exclama-t-elle en riant. Laisse-moi te les décrire. Une fois transformé, l'Hommidé a l'aspect global de l'Homme, mais avec des traits physiques particuliers, comme les sourcils qui se rejoignent, les lobes exagérément distendus, les canines légèrement sortantes. Son odorat et son ouïe sont plus développés que chez l'Humain, mais il en garde les caractéristiques générales. Il y a ensuite le Galbro. Lui, il se recouvre presque entièrement de poils, ses mains s'étirent, ses oreilles deviennent pointues, ses dents s'allongent, son nez se change en museau, et ses sens sont bien plus affinés que chez l'Hommidé. Toutefois, même transformé, il reste indubitablement identifiable à un homme ou une femme.

— Pas de gros monstre méchant ?

Elle fit la grimace.

— Si. Le Crinos. C'est la plus impressionnante et la plus terrifiante des cinq races. Il est immense, aussi velu de la tête aux pieds, il possède des griffes, des crocs redoutables, une gueule effrayante. En fait, il a tout du loup, mais il marche debout. On dit que tous ses sens sont perpétuellement en alerte, et qu'il est d'une force inimaginable. Comme les deux autres, il a la particularité d'être incontrôlable sous sa forme bestiale. C'est sûrement lui qui hante le plus nos cauchemars. Et puis, il y a aussi l'Hispo. Celui-ci possède quelques caractéristiques physiques du loup commun, par exemple, il évolue à quatre pattes, mais il est plus grand et plus massif, on ne peut pas vraiment le confondre avec l'animal. Son apparence est plus grossière, mais son agilité est sans faille. Il semblerait que ce soit une véritable machine à tuer.

— Je ne me souviens pas de grand-chose, mais j'ai lu que le Lupus ressemblait davantage à un loup.

— Han han, il en est même la réplique parfaite, mais deux fois plus grosse au moins, et comme lui, la couleur de sa robe est unique. Sa force est colossale sous sa forme humaine, mais pas autant que lorsqu'il est un animal. Sa rapidité est prodigieuse aussi. On le qualifie de bienveillant, mais sa colère peut faire de lui un être presque incontrôlable durant les premières années de sa vie. Cependant, ses facultés à réfléchir lui permettent d'évoluer et de devenir quelqu'un d'exceptionnellement intelligent. Le plus brillant des cinq races, dit-on. Toutefois, ce qui le démarque vraiment à mon sens, c'est son pouvoir de séduction et d'hypnose sur nous. Il est plus puissant que chez ses semblables. L'Hispo et le Lupus sont les seuls garous capables de continuer à penser en homme ou en femme sous leur forme animale. Tous les autres n'ont que de vagues souvenirs, voire aucun, quand ils retrouvent leur apparence.

— J'ai lu que ces cinq races ne pouvaient pas procréer entre elles.

— C'est exact. Elles sont génétiquement bien trop différentes, même si elles présentent des facteurs communs.

— Et que s'est-il passé après la naissance des cinq races ?

— Les cinq lycans se sont accouplés à des loups communs et ont assuré leur propre lignée. Tyros a régné encore deux cents ans. C'est pendant ces deux siècles qu'il a instauré le contrôle de l'expansion humaine. Nous pensons d'ailleurs que c'est peut-être quand il est mort que ses plans ont commencé à s'essouffler. Les siens devaient être fatigués de leur chasse à l'Homme.

— Eh bé…, murmurai-je. C'est une sacrée légende.

Gwen soupira.

— Ce que nous connaissons des garous a d'abord été le fait d'une tradition orale. Ce n'est que vers l'époque médiévale que les premiers vrais écrits sur leur histoire sont apparus. J'imagine que beaucoup ont dû se perdre. Nous n'avons pas toutes les réponses.

— Et tu en sais autant sur les vampires ? la charriai-je avec un large sourire.

— Houla… C'est un sujet qu'il ne faut pas aborder avec moi si tu ne veux pas rester éveillée durant les sept prochains jours ! Les vampires sont ma grande passion.

— Peut-être que tu pourrais m'en parler une autre fois ? rétorquai-je rapidement avant qu'elle ne se lance dans un nouveau et long récit.

— C'est ça, une prochaine fois, répéta-t-elle avec un clin d'œil.

Nous terminâmes tranquillement notre tasse de thé, abordâmes un sujet bien moins controversé, la mode, puis je me décidais à rejoindre les invités alors que Gwen préférait rester au chaud plus longtemps.

À peine sortie de la cuisine, Leith m'interpella d'un geste de la main. Il était en grande conversation avec Elaine. Je m'approchai et touchai la main de ma grand-mère.

— C'est Hannah, l'avertis-je.

Elle sourit.

— J'ai été ravie de discuter avec vous, Leith. Racontez donc à ma petite-fille votre passionnante étude sur l'Humain dans l'art, je suis sûre qu'elle sera très intéressée.

Puis, s'adressant à nous deux.

— Je vais vous laisser, il fait un froid de canard. Vous me raccompagnez à l'intérieur ?

Je la pris par le bras et la conduisis jusque dans le salon où Mathy lui servirait une tisane. Quand Elaine fut confortablement installée, Leith m'invita à le suivre à l'extérieur, côté cour.

— De quoi parlait ma grand-mère ? demandai-je lorsque nous nous arrêtâmes devant son 4×4.

— Je suis étudiant à l'université de St Andrews. Je planche sur l'histoire de l'Humanité dans l'art.

Je ne pus cacher mon étonnement.

— Je ne t'imaginais pas faire ça.

Il arqua un sourcil.

— Ah oui ? Et à quoi pensais-tu donc ?

— Je ne sais pas... Marin ou, non, garde-côte ! Enfin, un truc en rapport avec la Nature.

Ses lèvres s'étirèrent.

— Et toi, Hannah, que fais-tu à Paris ?

— Je viens de passer mon bac. Je n'ai encore pas arrêté mon choix pour la suite.

La vérité était que j'y réfléchissais depuis des mois, mais que je n'avais toujours pas réussi à prendre une décision. Mon père était architecte, il aurait sans doute adoré que je marche sur ses pas. L'idée était séduisante, mais les études très longues, et il n'y avait que trop peu d'élus à la fin. Quant à ma mère, elle était prof d'anglais, et je m'imaginais tout aussi bien suivre ses traces.

— Histoire, architecture, je ne sais pas, avouai-je enfin.

— Le département d'histoire est très réputé à St Andrews. Je suis sûr qu'il te plairait, affirma Leith d'une voix douce et tranquille.

— C'est un peu loin de Paris, marmonnai-je en réalisant que dans à peine plus d'un mois, je serais rentrée chez moi et que Leith et moi ne nous reverrions plus.

— C'est vrai..., murmura-t-il comme à regret.

C'était sans doute ridicule, mais ça me mit un coup. Mes yeux se perdirent sur mes chaussures, et pendant quelques secondes, je me surpris à nerveusement gratter le sol de la pointe du pied.

— Hannah...

Je levai la tête pour l'observer, intriguée par le ton rauque de sa voix. Il me dévisageait si intensément que je sentis de très légers picotements dans le creux de mes reins.

— Je compte partir lundi pour les îles Orcades et rendre visite à mon oncle et ma tante. J'ai prévu de rentrer mercredi dans la journée. Aimerais-tu m'y accompagner ?

Ma bouche s'ouvrit béatement.

— Il y a de jolis coins pour se balader, plaida-t-il.

Je battis des cils.

— Tous les deux ?

La commissure de ses lèvres s'étira malicieusement.

— Oui. Toi et moi.

Mes oreilles virèrent au rouge. Je ne savais plus quoi dire.

— Alors ? s'enquit-il.

— Eh bien...

Il ne me fallut pas deux secondes pour me décider.

— C'est d'accord, mais je dois d'abord en discuter avec mes parents.

— C'est normal, approuva-t-il.

Passer deux jours avec lui était tout à fait inattendu et un peu étrange pour un premier rendez-vous. Si, j'en prenais conscience, ma famille le noterait aussi et pourrait être très réticente, voire absolument contre cette escapade. Les convaincre allait s'avérer compliqué.

Leith me sourit.

— Il y a de la place chez mon oncle, tu auras ta propre chambre...

Cette petite précision était loin d'être inutile, et quelque part, elle me rassurait. Je hochai la tête.

— Nous nous y rendons comment ? demandai-je.

— En bateau. C'est le seul moyen. En ferry, depuis Thurso. Tu n'as pas le mal de mer ?

Je secouai le menton énergiquement.

Il parut content.

— Alors, tant mieux.

Il fouilla dans la poche intérieure de sa veste et me tendit une carte.

— Donne-moi ta réponse demain, et si c'est OK, je viendrai te chercher lundi matin.

110

— D'accord..., murmurai-je en lisant son numéro de téléphone, aussi heureuse que gênée.

Lorsque j'osai de nouveau croiser son regard, il me dévisageait attentivement. Puis ses yeux se posèrent longuement sur ma bouche. Instantanément, mes lèvres s'écartèrent d'elles-mêmes et un léger souffle en sortit.

— Je dois y aller..., chuchota-t-il.

J'arrêtai de respirer.

— Au revoir, Hannah.

Il tendit la main et me frôla la joue du bout des doigts. Je fermai les paupières malgré moi.

Lorsque je les rouvris, il était déjà en train de s'installer dans sa voiture.

Je le regardai partir en soupirant.

Bon sang... J'étais folle. J'étais folle de lui.

Chapitre 11

Sexy ?
Il trouvait que j'avais une voix sexy ?

De : Moi
À : Sissi

Il est huit heures, je suis sur le départ.
Je n'arrive toujours pas à le croire. Deux
jours avec Leith Sutherland !
Je te raconterai tout à mon retour, c'est
juré. Je ne sais pas si le réseau passe, là-
bas. D'après ma mère, c'est encore plus paumé
que Wick... Il faut vraiment que je sois dingue.
Des bises,
Hannah.

P.-S. : Tu es bien rentrée ?

Sissi me répondit presque dans la foulée.

De : Sissi
À : Moi

Salut !
Je viens de lire le mail que tu m'as envoyé
juste avant que j'arrive à Wick pour ton

anniv. C'est quoi cette histoire d'étincelles ? Tu avais picolé ce jour-là ?

Nan, sérieux… Tu as confondu étincelles
et coup de foudre, ma vieille. Ce type te
fait tellement craquer que tu as vu des
étoiles ;-)

Sinon j'ai une autre théorie. Il t'a
embrassée sans que tu t'en rendes compte et
tu t'es enflammée en moins de deux ?

Des étincelles… J'te jure, tu me les auras
toutes faites.

En attendant qu'il rallume la mèche sur les
îles Orcades, *Carpe diem* !

Sissi.

P.-S. : Si jamais il y a un premier baiser,
je me fous que tu aies du réseau ou pas, tu
trouves une cabine téléphonique !

P.P.-S. : Oui, je suis bien rentrée. À
Paris, il pleut…

Je gloussais encore lorsque, par la fenêtre, je vis
arriver le 4×4 gris métallisé de Leith. Je terminai de
faire mon sac, enfilai mon sweater, et descendis le
rejoindre dans la cuisine, il discutait avec mon père
du chemin qu'on allait prendre. En se tournant vers
moi, il m'offrit un sourire éclatant.

— Salut, Hannah. Prête pour l'aventure ?

— Et comment ! m'exclamai-je.

Mon paternel croisa mon regard et haussa un sourcil. Je me calmai aussi sec.

Bon sang, en réfléchissant bien, Leith et moi
n'avions pas passé plus d'une heure seuls. Rien que
pour ça, j'aurais dû rester chez moi, mais la montée
d'adrénaline qui agressait mon estomac depuis la
veille m'ordonnait de faire tout le contraire. Et

comme mes parents n'y voyaient aucun inconvé-
nient...

— Alors, c'est parti, décida-t-il. Il vaut mieux éviter
de rater le ferry.

Je saluai ma famille et grimpai dans la voiture. Pendant que Leith rangeait mes affaires dans le coffre,
j'attachai ma ceinture de sécurité et m'efforçai de respirer profondément – le trac était en train de faire
surface.

— Tout va bien ? s'assura-t-il en s'installant derrière
le volant.

Je lui souris, un peu crispée, et hochai le menton.

— Impeccable.

Il manœuvra pour sortir de la cour et s'engagea sur
la route.

Une question me taraudait l'esprit depuis ma fête
d'anniversaire, alors je pris mon courage à demain et
la lui posai.

— Pourquoi as-tu voulu que je vienne avec toi ?

Il tourna furtivement la tête pour me jeter un coup
d'œil.

— Pour apprendre à te connaître.

— Tu fais toujours ça quand tu veux apprendre à
mieux connaître les gens ? Tu leur offres une escapade sur une île ?

— Non. Seulement avec toi, répondit-il en toute
franchise, le regard fixé sur la route.

Je baissai les cils, troublée.

— À mon tour, s'amusa-t-il. Pourquoi as-tu accepté
de passer ces deux jours avec moi ?

— Pour les mêmes raisons que toi. Et non, je n'ai
pas l'habitude de faire des escapades avec les gens
pour apprendre à les connaître mieux, anticipai-je.

Il sourit en coin.

— Continuons sur notre lancée, tu veux ? Que fais-
tu lorsque tu es à Paris ? Je veux dire, comment
aimes-tu occuper ton temps en général ?

— Ça dépend. Roller, musée, cinéma, cours de chant et...

— Tu chantes ? m'interrompit-il en écarquillant les yeux.

J'acquiesçai.

— Vas-y, je t'écoute.

Je manquai m'étrangler avec ma salive.

— Tu plaisantes ?

Il arqua un sourcil en m'observant.

— Absolument pas. Je suis très sérieux.

J'en restai bouche bée. Je n'allais quand même pas gazouiller devant lui ?

— Jamais de la vie ! affirmai-je.

Il fit la moue.

— Dommage... Je suis convaincu que tu as une très jolie voix.

— Ah, oui ?

— Ça se voit à ta façon de parler. Tu as un timbre un peu rauque et tu lies harmonieusement chaque mot. C'est... ravissant.

— Tu trouves ?

Il me coula un regard de côté.

— Non, pas vraiment en fait.

Je dus me faire violence pour ne pas montrer ma déception.

— C'est carrément sexy, ajouta-t-il.

Je battis des cils comme une idiote.

Sexy ? Il trouvait que j'avais une voix sexy ?

Cramoisie, les oreilles en feu, je me concentrai sur la route, et n'osai plus ouvrir le bec. Leith éclata de rire.

— Allez, Hannah, relax. Maintenant, tu sais que ta voix me plaît.

— Hum..., marmottai-je.

Au bout de quelques secondes, je le lançai sur un autre sujet.

— Vous êtes proches avec ton oncle et ta tante ?

— Oui, plutôt. Ils n'ont jamais pu avoir d'enfant, alors ils ont reporté toute leur affection sur moi. Je le leur rends bien.

— Avec Gwen aussi, vous êtes très liés, non ?

OK... aucun rapport avec la choucroute, il n'empêche que je voulais savoir. Leith ne put réprimer un sourire.

— On se connaît depuis longtemps. On a fait une partie de notre scolarité ensemble, et c'est ma voisine depuis toujours. Elle n'était pas aussi déjantée plus jeune, fit-il remarquer en riant.

— Ah oui ?

— Elle était du genre introverti. Lorsqu'elle était adolescente, elle avait le visage recouvert d'acné et portait des binocles plus épais qu'une tranche de quatre-quarts. Elle en a bavé, les gars n'étaient pas sympas avec elle. J'ai toujours eu beaucoup d'affection pour Gwen.

— Et c'est partagé, je crois.

— Ça l'est oui, me confirma-t-il avec des inflexions de tendresse dans la voix.

— Elle et toi, vous n'avez jamais songé à... à...

Les sourcils levés, il me toisa avec espièglerie.

— À être ensemble ? termina-t-il à ma place. Non. Elle n'est pas mon genre.

En savoir plus était bien trop tentant, et ma curiosité, trop grande.

— Dans ce cas, quel est ton type de fille ?

— Tu ne sais pas ?

Je secouai la tête, l'estomac tout retourné.

— Eh bien, celles qui ont une voix sexy, mon cœur. Regarde, dit-il en pointant l'index vers l'embarcadère. On est arrivés.

J'étais rouge comme une tomate.

***

— Nous y sommes presque, m'informa Leith.

Je respirai l'air à plein nez à travers la vitre ouverte. Les pâtures s'étiraient à perte de vue, s'arrêtant à pic au bord des falaises et, d'après ce que Leith m'avait expliqué, la maison de son oncle et de sa tante était perdue au milieu de tout ça. C'était époustouflant.

Leith amorça un dernier virage et emprunta un chemin de terre chaotique.

— On y est !

J'écarquillai les yeux lorsque je vis plusieurs chevaux dans un paddock, et d'autres dans un champ, derrière une clôture.

— Tu ne m'avais pas dit que ta famille possédait un ranch ! m'écriai-je hystérique.

Il haussa un sourcil, amusé.

— Ils sont éleveurs. Ils ont également du bétail. Tu aimes monter ?

— Et comment !

Il eut l'air ravi.

— Alors c'est sûr, mon oncle et ma tante vont t'apprécier, affirma-t-il avec un très large sourire.

Nous étions à peine descendus de voiture, qu'un couple d'une cinquantaine d'années nous accueillit.

— J'ai cru que tu ne te déciderais jamais à venir nous rendre visite, crapule ! C'est bon que tu sois là, s'écria l'oncle de Leith.

Et il lui fit une vigoureuse accolade.

C'était vraiment un très bel homme. Brun, les cheveux raides jusqu'en haut du dos, les yeux verts. Quant à son épouse, blonde et rondelette, elle était magnifique, elle aussi.

— Oncle Alastair, tante Bonnie, je vous présente Hannah, dit Leith en me prenant par les épaules.

— Bienvenue à Mainland, Hannah ! s'exclama Alastair en m'étouffant contre lui.

— C'est la première fois que nous rencontrons une amie de Leith, m'apprit Bonnie en m'étreignant à son tour. Nous sommes ravis de t'accueillir chez nous.

— Merci, madame, répondis-je gauchement.

— Madame ! s'esclaffa-t-elle. Non, il vaut mieux que tu m'appelles Bonnie.

J'approuvai, gênée.

Leith récupéra nos sacs dans le coffre alors que Bonnie m'invitait déjà à la suivre.

— J'espère que tu as faim ! voulut-elle joyeusement s'assurer. Aujourd'hui, nous mangeons typiquement écossais.

— C'est parfait, lui certifiai-je.

— Leith ! cria-t-elle. Peux-tu montrer sa chambre à Hannah pendant que je termine de préparer le déjeuner, s'il te plaît ? Celle du fond, à l'étage.

Je sursautai de surprise lorsqu'il s'empara de ma main pour me tirer avec lui à l'intérieur.

— Suis-moi, murmura-t-il en m'observant fixement.

Nous empruntâmes un escalier en chêne massif dont les murs latéraux étaient couverts de photos. Je m'arrêtai au milieu, et m'attardai devant. Les clichés représentaient des paysages de montagnes enneigées, entourées de vastes prairies et de lochs.

— C'est l'ouest du Sutherland, m'indiqua Leith. La terre de mes ancêtres.

— C'est absolument magnifique. As-tu déjà eu l'occasion d'y aller ?

— Non.

Et il me tourna brusquement le dos et monta les dernières marches.

L'espace d'un instant, je restai interdite. Finalement, je haussai les épaules et le rejoignis.

Dans le couloir, la première porte qu'il ouvrit fut celle de la salle de bains.

— Il n'y en a qu'une pour tout l'étage, précisa-t-il. J'utiliserai donc celle du bas avec mon oncle et ma tante de façon à te laisser la jouissance de celle-ci.

— Ça ne me dérange pas de la partager, lançai-je avec précipitation.

Ses yeux s'illuminèrent comme ceux d'un gosse devant ses cadeaux de Noël.

— Tu ne serais pas embêtée que je voie tes secrets de fille ?

— Euh… Eh bien, je n'ai rien à cacher…, bredouillai-je, incertaine.

— Alors, c'est parfait ! On se retrouve pour prendre notre douche ensemble, demain matin, huit heures.

J'en restai coite. Il éclata de rire.

— Leith ! le sermonnai-je en lui tapant gentiment l'épaule.

Il simula une sincère déception.

— Tant pis. J'aurai essayé.

Il poussa la porte de la chambre où j'allais dormir et déposa mon sac à dos sur le lit.

— Je te laisse t'installer. On se retrouve en bas pour déjeuner ?

J'acquiesçai et le suivis des yeux pendant qu'il s'éloignait.

Quand il disparut dans l'escalier, je lâchai un profond soupir. On n'avait pas idée d'être aussi craquant !

Pendant que nous déjeunions – des birdies[1] et de la salade, j'adorais ça –, Alastair, que Bonnie appelait Al, me raconta leur vie au ranch et évoqua le plaisir de vivre en pleine nature. Je le crus sur parole, bien qu'il me fût difficile d'imaginer en faire moi-même l'expérience. Il mentionna le temps capricieux des îles, les prairies à perte de vue, les chevaux, et quand il finit d'avaler sa dernière bouchée de tarte aux pommes, il m'étudia avec un large sourire.

— À ton tour, Hannah. Raconte-nous comment vous vous êtes rencontrés avec Leith. C'est un vrai cachottier, il ne nous dit jamais rien.

1. Petits pâtés de viande en croûte.

Je piquai un fard illico en repensant à la raison de notre « première » rencontre. La vraie, au bord de la route. Hélas, Leith songeait à la même chose que moi.

— Je l'ai sortie des griffes de son petit ami qui était ivre mort, coassa-t-il avec sarcasme.

— C'est faux, objectai-je calmement. Il n'était pas ivre mort et il n'a jamais été mon petit ami.

Puis je baissai la tête, terriblement gênée.

— Bien ! déclara Bonnie pour me venir en aide. Tu nous raconteras ça une autre fois, Hannah, je crois qu'Al aimerait te montrer les chevaux.

J'acceptai bien volontiers et, avant de quitter la table avec Alastair, d'un regard, je promis à Leith que nous aurions deux mots à nous dire.

— Ça risque d'être un peu boueux, m'avertit Bonnie avant que nous sortions.

De la paume, elle désigna une malle dans l'entrée.

— Il y a des bottes en caoutchouc à l'intérieur. Prends-en une paire, tu devrais trouver ta taille.

Je la remerciai et m'exécutai avant de sortir.

Comme Alastair marchait loin devant, je me tournai vers Leith, les sourcils froncés.

— Je peux savoir pourquoi tu as dit ça ?

Il s'arrêta en même temps que moi et me considéra d'un air faussement innocent.

— Dis quoi ?

— Parler de Davis ! J'étais très embarrassée devant ton oncle et ta tante.

Il haussa les épaules.

— Je n'ai fait que raconter la vérité.

— À moitié, seulement, et ce n'était pas sympa du tout ! Sans compter que Davis ne m'aurait jamais fait aucun mal.

Il arqua un sourcil, dubitatif.

— Vraiment ?

— Oui, vraiment. Tu ne m'as sortie des griffes de personne !

Son visage se referma d'un coup.

— Je vois.

À mon tour de plisser les yeux.

— Tu vois quoi ?

— Je me dis que puisque tu aimes manifestement le genre homme des cavernes, je devrais peut-être te traiter de la même manière ?

— Qu... quoi ? hoquetai-je.

Sans crier gare, il mit sa menace à exécution et, avec une force que je n'aurais jamais soupçonnée, il passa son bras autour de ma taille, me souleva comme si j'étais aussi légère qu'une plume, et me jeta par-dessus son épaule.

— Lâche-moi tout de suite ! braillai-je en tapant férocement des pieds et des poings.

Comme si de rien était, Leith continua à marcher en direction des écuries.

Nom de Dieu ! J'étais rouge de colère, mais j'économisai ma salive, il ne me reposerait à terre que lorsqu'il l'aurait décidé. Quand il me libéra, je remis tant bien que mal de l'ordre dans mes cheveux ébouriffés et lui lançai un regard courroucé. Lui, en revanche, était très fier de son petit numéro, il souriait de toutes ses belles dents blanches. Fatalement, Alastair rit aux éclats.

— Allez, viens, Hannah. Je vais te présenter mes merveilles.

Je le rejoignis aussitôt et au bout de quelques mètres, je jetai un regard en arrière, Leith ne nous avait pas suivis.

— Il ne vient pas ? demandai-je à Al.

— Non, pas tout de suite. Les chevaux sont nerveux en sa présence.

— Nerveux ? Pour quelle raison ?

— Comme tu as pu le constater, mon neveu est très sanguin, se moqua-t-il.

Puis il se reprit.

— Ils n'ont pas l'habitude de voir du monde. Ils sont un peu craintifs.

Je regardai autour de moi, dans les stalles, les chevaux étaient parfaitement calmes.

— Euh, d'accord, persistai-je, ils ne bougent pas et pourtant ils me voient pour la première fois.

Al sourit en coin.

— Sauf ton respect, Hannah, tu es une femelle, les étalons pensent ne rien avoir à craindre de toi !

Je manquai m'étouffer. Je n'avais jamais entendu pareille théorie. Je jetai encore un œil en direction de Leith. Il était accroupi à l'entrée des écuries et fixait les chevaux un à un. Je haussai les épaules et m'avançai vers le box d'une jument. Son poulain tétait énergiquement.

— Magnifique, murmurai-je. Quel âge a-t-il ?

— Cinq jours, tout juste. Sa mère a eu beaucoup de difficultés à le mettre au monde, nous avons dû intervenir. Leith m'a dit que tu aimais les chevaux. Ça te plairait de monter ?

— Oh, oui ! m'écriai-je, sans pouvoir cacher mon enthousiasme

— Nous possédons un magnifique Clydesdale. Ce n'est pas un reproducteur, il est extrêmement doux. Il s'agit normalement d'un cheval d'attelage, mais il s'adapte parfaitement au terrain chaotique de la région. Tu pourrais faire un essai avec lui, qu'en penses-tu ?

Je lui répondis par un grand sourire.

Je le suivis jusqu'à l'animal en question, et découvris une bête de toute beauté à la robe baie et blanche, fin et musculeux, et aux sabots parsemés de longs poils blancs. Je m'approchai doucement pour lui caresser la tête, lequel l'abaissa aussitôt pour rechercher mon contact. J'étais conquise.

— Breath, je te présente Hannah. C'est elle qui va te sortir aujourd'hui.

— Leith monte aussi à cheval, n'est-ce pas ? m'enquis-je.

Je me voyais mal faire une balade toute seule dans un endroit où je n'avais jamais mis les pieds.

— Bien sûr, et comme un dieu, admit-il sans rire. C'est le meilleur cavalier que je connaisse.

Pourquoi n'étais-je même pas surprise ?

Je sortis fièrement des écuries sur le dos de Breath. Le hongre avait une démarche souple et confortable, ses larges flancs assuraient un maintien parfait. Leith attendait à l'extérieur à côté d'un superbe étalon noir et bien plus grand que Breath. Quand il le vit, Breath se mit à renâcler. Puis nerveusement, il commença à battre du sabot et à reculer devant Leith.

— Holà, holà...

Je tentai de l'apaiser, mais son souffle s'accéléra. Breath se cabra plusieurs fois, manquant de justesse me faire tomber. Je tins bon. Leith, qui était resté parfaitement silencieux, demeurait serein devant les ruades de l'animal. Il le regardait fixement. Comme par enchantement, Breath finit par se calmer. Puis Leith posa doucement la main sur le chanfrein du hongre pour le flatter.

Muette comme une carpe, je ne quittai pas Leith des yeux. Puis il monta sur son étalon comme si de rien n'était.

— Tout va bien ? s'enquit-il en m'observant à son tour.

— Comment as-tu fait ça ?

— Comment j'ai fait quoi ?

— Eh bien, le... le cheval, tu... il..., bredouillai-je. Je n'avais jamais vu une chose pareille.

La commissure de ses lèvres s'étira paresseusement. Il pressa brusquement les flancs de sa monture et le lança dans un triple galop quasi immédiat.

Prise au dépourvu, je mis un petit coup de talon à Breath et rejoignis Leith qui finit par ralentir.

Nous avançâmes au pas sans rien dire pendant un long moment, jusqu'à ce que nous fassions une halte tout près de la falaise. Leith sauta souplement de son cheval et fixa les rênes derrière l'encolure de l'animal. J'étais sur le point de descendre à mon tour lorsque

Leith intervint pour m'aider. Il me souleva par les hanches, et me posa à terre, serrée tout contre lui. Là, il me dévisagea un court instant. J'eus l'impression que le temps s'était arrêté, et mon cœur aussi par la même occasion.

— Viens, chuchota-t-il enfin. Je voudrais te montrer la plage.

— Tu n'as pas peur qu'ils s'en aillent ? m'enquis-je au sujet des chevaux.

— Ils ont l'habitude. Ils en profiteront pour brouter. Ils seront là à notre retour, m'assura-t-il.

J'acquiesçai et le suivis à travers les rochers.

Au pied de la falaise, le sable était doré et fin. J'en pris une poignée, le laissai glisser entre mes doigts et souris. La plage était superbe, comme tout ce qu'il y avait autour, du reste. J'inspirai une grande goulée d'air et fermai les paupières. Lorsque je les rouvris, Leith approchait du rebord de l'eau. Immobile, j'admirai sa démarche féline, sensuelle, ses boucles noires balayées par le vent et ses vêtements lui collant à la peau par endroits. Il s'arrêta. Les mains dans les poches, il fixa la mer.

— N'as-tu jamais rêvé d'être un poisson pour pouvoir visiter les profondeurs des océans ? demandai-je, lorsque je l'eus rejoint.

Il ne quittait pas l'horizon de vue.

— Non. Je préfère être un homme.

Il avait employé le même ton que quelques heures auparavant, lorsque j'observais les photos du Sutherland. Déconcertée, je levai les yeux. Il semblait crispé et soucieux, si bien que je n'osai pas insister, et encore moins l'interroger. Je ramassai un coquillage, et le fis rouler nerveusement entre mes doigts.

— On marche ? me proposa-t-il.

Je hochai la tête et, pendant quelques minutes, j'avançai à ses côtés sans dire un mot. Puis finalement, je décidai de briser le silence.

— Tu as l'air de beaucoup apprécier cet endroit.

— Énormément.

— N'aimerais-tu pas y vivre plus tard ?

— Et toi ?

Je lui décochai un regard en biais, surprise.

— Moi, quoi ?

Il continuait à marcher droit devant lui.

— Pourrais-tu vivre dans un lieu comme celui-ci, Hannah ?

Je songeai à ma vie parisienne, à la facilité avec laquelle on pouvait accéder à toutes les originalités.

— Je ne pense pas, je suis une vraie citadine.

— Je déteste la ville, détermina-t-il. Elle est bruyante, polluée et surpeuplée.

Je haussai les épaules.

— Certes, mais elle est aussi tellement pratique... Paris a des côtés funs que tu apprécierais sûrement.

— J'en doute.

— Je sais que Wick n'est pas spécialement grande, mais c'est quand même une ville dans laquelle tu aimes vivre, non ?

— Pas plus que ça. J'y vis parce que mon père s'y trouve.

— Et ta mère ?

— Elle est morte lorsque j'avais huit ans.

Une bouffée de chaleur me prit les joues et je m'arrêtai de marcher sans même m'en rendre compte.

— Je suis désolée.

Il stoppa, baissa la tête pour m'observer, puis un épais silence s'installa. Brusquement, il s'inclina pour me regarder de plus près, les yeux plissés de malice. Je restai sur mes gardes, je commençai à le connaître.

— Il faut que je te dise, mon cœur... Tout à l'heure, lorsque je t'ai portée, j'ai remarqué que tu étais plutôt lourde. Tu devrais arrêter de manger des cookies.

Déconcertée par ce revirement, je mis plusieurs secondes avant de réagir.

— Oh, mais... mais...

Il éclata de rire.

— Leith Sutherland ! fis-je, horrifiée. Espèce de... de...

Il fit un pas en arrière pour m'éviter, tandis que j'essayai de lui envoyer une pichenette sur l'épaule.

— Tu ne vas pas t'en tirer comme ça ! lui promis-je.

Il s'esclaffa de plus belle et s'élança en courant sur la plage quand il me vit foncer sur lui.

Alors que je le poursuivais comme une démente, il fit subitement volte-face et le chasseur devint la proie. Surprise, je déguerpis dans l'autre sens en poussant de grands cris. Avec une facilité écœurante, il me rattrapa en quelques secondes.

— Ahhhhhhhh ! hurlai-je en me prenant les pieds dans une branche rejetée par la mer.

Je trébuchai et emportai Leith dans ma chute, tombant tête la première dans le sable.

Leith se redressa aussitôt et m'aida à me retourner.

— Hé, ça va ?

Au lieu de répondre, les yeux fermés, je crachai et me nettoyai la langue. Et lorsque je rouvris les paupières, Leith riait.

— Rien de cassé ? s'assura-t-il finalement.

Je secouai la tête.

— Non. Ça va.

Alors, il leva la main, et retira délicatement jusqu'au dernier grain de sable collé à mes joues.

Je me laissais faire, paralysée. Puis il remit une mèche de cheveux derrière mon oreille.

— On se connaît à peine, mais lorsque tu rentreras à Paris, tu me manqueras bien plus que je ne l'aurais imaginé.

Cet aveu finit de faire s'effondrer mes ultimes barrières. Pourtant, je fus incapable de prononcer un mot, de proférer un son. Leith roula subitement sur le dos et regarda le ciel.

Nerveusement, je me frottai le front et me mordis les lèvres – un tic qui revenait dès qu'une situation m'angoissait. Et là, je l'étais clairement. Comment pourrais-je me passer de lui ? Supporterais-je seulement d'attendre les prochaines vacances, un an, avant de le revoir ? On se connaissait à peine, c'était insensé.

Abattue plus que je l'aurais voulu, je m'allongeai à mon tour et méditai cette triste réalité.

Dans un mois, je serais rentrée à Paris.

Leith représentait tout ce que j'aimais chez un garçon. Captivant, drôle, énigmatique, malin, et, cerise sur le gâteau, beau. Si nous devions nous rapprocher davantage, la séparation serait pour moi d'une violence inouïe. Intolérable. Alors, sans même m'en rendre compte, je venais de prendre une décision importante.

Je ne voulais pas souffrir.

Nous resterions amis. Rien de plus.

Toutefois, je brûlais d'envie de me laisser aller et de m'ouvrir à toutes les folies. Car tout au fond de moi, l'idée de passer à côté de quelque chose d'extraordinaire me faisait hurler.

Nous demeurâmes longtemps silencieux et couchés sur le sable, et lorsque nous quittâmes la plage, le soleil était déjà bas dans le ciel. Nous escaladâmes le dernier rocher et aboutîmes dans la pâture où les chevaux nous attendaient. Leith tint les rênes de Breath et m'invita à monter. Je m'approchai et retins mon souffle. Il était trop près, je ne voulais pas qu'il me vienne en aide. S'il me touchait encore, je serais capable de m'effondrer dans ses bras. Je refusai de ramasser mon cœur à la petite cuillère. C'est pourquoi je mis le pied à l'étrier et grimpai avant qu'il ne fasse un geste. Sans attendre qu'il soit en selle, je talonnai Breath et le lançai dans un galop effréné. La pauvre bête montrait son mécontentement en tirant sur les rênes. Pris au dépourvu, Leith me rejoignit en un rien de temps et me fit signe de ralentir. Puis il s'empara des brides de Breath et le força à s'arrêter.

— Hé, je peux savoir quelle mouche t'a piquée ?

J'étais incapable de desserrer les lèvres et m'efforçai d'éviter son regard.

Il me tapota brusquement l'épaule pour que je me concentre sur lui, je m'exécutai. Leith me fixait intensément. L'éclat de ses yeux émeraude me transperçait, me brûlait. Après quelques interminables secondes, il comprit que je ne répondrais pas. Alors, frustré, il me rendit les rênes et recula.

— Allons-y. Mais tranquillement. Breath n'a pas l'habitude qu'on le rudoie.

Je hochai la tête et déglutis.

— Je..., commençai-je en m'humectant les lèvres.

Il s'immobilisa et leva les cils.

— Toi aussi tu me manqueras.

Il m'observa longuement, puis il lâcha un profond soupir.

— Allez. Viens.

Chapitre 12

Clair de Lune.
On dit que c'est la nuit des loups.

Lorsque je descendis après une bonne douche, une odeur délicieuse envahissait le rez-de-chaussée. Un feu crépitait dans la cheminée et Bonnie s'affairait dans la cuisine. Je m'approchai et lui souris quand elle se tourna vers moi.

— Je peux vous aider à faire quelque chose ? demandai-je.

— Tu es gentille, Hannah, mais tout est prêt. Par contre, si tu veux bien aller chercher Leith dans les écuries, nous n'allons pas tarder à passer à table.

Je hochai la tête et me saisis de la lampe de poche qu'elle me tendait.

Il faisait déjà très sombre dehors et les box n'étaient pas éclairés. J'en déduisis que Leith ne devait sûrement pas s'y trouver, toutefois, j'allumai la torche et m'en approchai pour vérifier.

— Leith, tu es là ? lançai-je en longeant les stalles.

Je m'arrêtai devant la jument et son poulain et les observai un moment. La mère, protectrice, s'interposa entre moi et son petit dès qu'elle me vit.

— Je ne vais pas vous faire de mal, ma belle, la rassurai-je en lui caressant le chanfrein.

Elle renâcla, puis soudain, j'entendis un bruit provenant de l'extérieur. Je dirigeai la lumière vers la porte grande ouverte et aperçus furtivement un animal blanc. Sûrement un chien. Pas très tranquille, tout de même, je décidai de retourner auprès d'Alastair et Bonnie. Leith ne devait pas être loin, il finirait bien par nous rejoindre.

Je m'apprêtai à sortir lorsque je remarquai des vêtements et des baskets jetés en boule à même le sol, contre le mur. Les affaires de Leith. Comme il y avait des bleus de travail accrochés à un piton, j'imaginai que Leith s'était changé avant d'aller s'occuper des chevaux et qu'il les avait oubliées. Je les ramassai et regagnai la maison.

— Bonnie ? appelai-je en rangeant les chaussures près de la malle.

— Oui ? répondit-elle en sortant de la cuisine, un torchon à la main.

— J'ai trouvé les vêtements de Leith. Il les a laissés dans l'écurie. Où est-ce que je les mets ?

Le teint blême, elle parut soudain très mal à l'aise.

— Euh… oui, merci, Hannah. Tu n'as qu'à les poser sur la table. J'ai prévu de faire une lessive. Veux-tu bien t'occuper de dresser le couvert dans le salon, s'il te plaît ?

Je hochai la tête.

— Pas de problème. Et, je suis désolée, mais je n'ai pas trouvé Leith.

Elle brassa l'air de la main.

— Aucune importance, m'interrompit-elle avec rudesse. Il arrivera quand il arrivera !

Décontenancée, j'entrai dans la salle à manger pour installer la table, mais tout était déjà disposé. Il ne manquait rien.

— Bonnie, hésitai-je en avançant vers elle. La table est déjà mise…

— Oh, suis-je bête ! s'excusa-t-elle d'une voix chevrotante. Al s'en est chargé tout à l'heure.

Elle émit un rire, presque un hoquet, et retourna aussitôt à sa popote.

Quelque chose qui m'échappait…

— Hum, ça sent bon ! s'exclama Alastair qui pénétrait dans la cuisine. Qu'est-ce que tu as préparé ?

Il prit Bonnie par la taille et l'embrassa dans le cou.

— Un goulasch. J'espère que tu aimeras, Hannah.

— Je n'y ai jamais goûté. Mais ça sent tellement bon que je suis sûre que oui, lui certifiai-je.

— Hé, bas les pattes ! cria-t-elle en tapant sur les doigts de son mari qui essayait de piquer un morceau de viande dans le plat.

Je ne pus m'empêcher de sourire. Leur complicité n'était pas sans me rappeler celle de mes parents.

— Au fait, demandai-je soudain, vous avez un chien ?

— Un chien ? répéta Alastair, étonné.

— Oui, parce que j'ai cru en voir un tout à l'heure lorsque j'étais dans les écuries. Un grand chien blanc.

Alastair et Bonnie restèrent figés un instant, si bien que j'eus la nette impression d'avoir dit quelque chose de mal. Puis Alastair se tourna vers moi, incertain.

— Sans doute un animal errant. Il y en a beaucoup par ici, ils rôdent dans les fermes pour essayer de chaparder quelque chose à manger.

— Oh... ils ne sont pas dangereux ? voulus-je m'assurer.

Il secoua la tête.

— Pas le moins du monde, Hannah, mais...

Il s'interrompit comme s'il cherchait ses mots.

— ... ils font beaucoup de dégâts !

Au même moment, la porte d'entrée claqua si violemment, qu'elle me fit sursauter. Je fis volte-face et évitai de justesse la crise cardiaque en découvrant Leith, torse et pieds nus, à peine vêtu d'un bleu de travail, la peau brillante de transpiration. Il était tellement beau que j'en eus le souffle coupé. J'essayai de regarder ailleurs, mais sans succès, son buste m'attirait comme un aimant.

— Pardon pour ma tenue, dit-il sans cacher son agacement. J'avais laissé mes fringues dans l'écurie, mais quand je suis revenu, ils n'y étaient plus !

Je piquai un fard.

— Je suis désolée, bredouillai-je, les yeux vissés au carrelage. C'est... c'est ma faute, je les ai ramassés sans réfléchir.

Comme il ne répondait pas, j'osai de nouveau lever le nez.

Ses prunelles pétillaient d'amusement.

— Je vais prendre une douche, annonça-t-il en me gratifiant d'un clin d'œil.

Ce n'est que lorsqu'il disparut que je me rendis compte que j'avais cessé de respirer. J'exhalai tout l'air de mes poumons, et pivotai vers Alastair et Bonnie, un sourire crispé accroché aux lèvres.

— Eh bien, on est au complet !

Ils hochèrent la tête, amusés, et m'invitèrent à partager un verre de vin avec eux.

Plus tard, pendant le dîner, Alastair me demanda si j'avais aimé monter Breath et me proposa de refaire une balade le lendemain si je le souhaitais.

— En fait, je pensais emmener Hannah à Skara Brae dans la journée, intervint Leith.

— Skara Brae ? Qu'est-ce que c'est ? interrogeai-je.

— Ce sont les ruines d'un village néolithique. Il surplombe la mer. C'est très joli, m'informa Bonnie.

— Je suis sûr que tu vas adorer, affirma Leith en se levant pour rassembler les assiettes sales.

J'acceptai volontiers sa proposition, et l'imitai tandis qu'Alastair et Bonnie s'élançaient dans la cuisine. Amusés, pendant que nous terminions de débarrasser, nous les vîmes se chamailler pour savoir lequel des deux laverait et essuierait la vaisselle. Leith sourit et me fit signe de le suivre.

— On sort marcher ? suggéra-t-il.

J'acquiesçai, pris ma parka sur le portemanteau, et l'accompagnai à l'extérieur.

Le ciel était dégagé, et la lune, pleine, si bien que nous n'eûmes pas besoin d'éclairer nos lampes torche. Dans un endroit aussi sauvage que les îles Orcades, cette douce lumière était surprenante, époustouflante, et renvoyait une impression presque surréaliste. Sans bruit, nous longeâmes un petit chemin de terre qui débouchait sur une pâture. L'humidité de la nuit rendait glissant les galets jonchant le sol, j'avançais prudemment, mais finis tout de même par déraper. Leith me retint par le bras.

— Ça va ?

J'acquiesçai sans un mot.

— Tu n'as pas froid ?

Cette fois, je secouai la tête.

— Tu as perdu ta langue ? s'amusa-t-il.

Il y eut quelques secondes de battement pendant lesquelles il me scruta, alors que moi, je fuyais son regard. Il soupira et leva le nez au ciel. Je fis de même.

— Clair de lune, murmura-t-il. On dit que c'est la nuit des loups.

— Une légende rurale. Il n'y a pas de loups en Écosse.

Il baissa la tête et m'étudia en souriant.

— Quel est ton rêve, Hannah ?

Je réfléchis un instant.

— Je ne sais pas. Je crois que je n'en ai pas. Pas spécifiquement un, en tout cas.

Il arqua un sourcil.

— Généralement les filles en ont des tas.

— Ah oui ? répliquai-je en plissant le front. Et quel genre de rêve sont-elles supposées avoir, d'après toi ?

Il rit du nez.

— Le premier qui me vient à l'esprit est « rencontrer le prince charmant ».

Je ricanai.

— Ben voyons ! C'est comme si je disais que celui des garçons est d'aller dans l'espace ou de marcher sur la lune.

Il donna l'impression d'être choqué.

— Ben, quoi ? C'est un super rêve.

Je secouai la tête.

— Je n'arrive pas à croire que les tiens soient si peu originaux.

Il arqua un sourcil.

— Pourquoi ne pourraient-ils pas l'être ?

Je haussai les épaules.

— Je ne sais pas... Ça ne colle pas à qui tu es.

— Hum..., fit-il en se frottant le menton. Et qui suis-je, exactement ? Je suis curieux de le savoir.

— Je ne te connais pas assez pour le dire, admis-je finalement.

— Mais suffisamment pour me faire remarquer que rêver d'aller dans l'espace est un fantasme qui ne me correspond pas, rétorqua-t-il, amusé. Allez, Hannah, sois honnête. Comment me vois-tu ?

Je n'oserais tout de même pas lui avouer que je le trouvais sublime, qu'il possédait les plus beaux yeux du monde, que son assurance me faisait craquer et que je le mangerais tout cru si je le pouvais, si ?

Je pris une profonde inspiration et levai la tête pour soutenir son regard.

— Tu es en décalage avec les garçons de ton âge, tu ne bois pas, ne fumes pas, il n'y a pas une once de vulgarité dans ta manière de parler. Tu es courageux, galant, poli, mystérieux...

Les mots me venaient dans le désordre.

— Mystérieux ?

— Oui, j'ai beaucoup de mal à te cerner.

— Pourtant, tu viens de faire une description de moi assez fidèle, affirma-t-il d'une voix troublée.

— Il y a un côté sombre en toi que je n'arrive pas à définir. Tu peux rire, et d'un coup, tu te fermes, te crispes. Tu peux me regarder, comme tu le fais là et...

134

La lumière de la lune faisait intensément briller ses yeux. L'éclat était tel que j'avais du mal à me concentrer.

— ... et je ne parviens pas à savoir ce que tu penses, repris-je dans un souffle.

— Si c'est de toi, que du bien, Hannah, murmura-t-il en inclinant lentement son visage vers le mien.

Tout mon corps se mit en alerte. J'avais conscience qu'il fallait que je m'éloigne, mais je n'y arrivais pas. J'avais envie qu'il m'embrasse. J'en crevais d'envie.

C'est à cet instant précis qu'un oiseau marin salvateur choisit de s'envoler au-dessus de nous en hurlant. Je sursautai si violemment que je me tordis la cheville en poussant un cri. Leith me retint et secoua la tête.

— Les filles...

— Il m'a fait peur, marmonnai-je.

— Chochotte.

Je fonçai les sourcils.

— Macho... J'avais oublié ça dans ma description.

Il sourit à pleines dents, fier de lui.

— On fait demi-tour ? suggéra-t-il.

J'acquiesçai.

Nous marchions depuis quelques minutes quand je lui demandai à mon tour :

— Et toi, comment me vois-tu ?

Il fit mine de réfléchir très sérieusement à la question.

— Écoute, mon cœur, commença-t-il en prenant un air grave, tu me sembles tellement compliquée qu'il me faudrait sans doute la nuit entière pour te définir. Je suis un peu fatigué, on fait ça demain ?

Mouchée, je m'arrêtai tout net. Pas lui.

— Oh, si jamais je..., le menaçai-je.

Il se tourna et papillonna innocemment des cils.

— Oui ?

Je fis un pas dans sa direction, il éclata de rire, et s'enfuit loin devant. J'essayai tant bien que mal de l'attraper, mais je ne parvins qu'à m'essouffler alors qu'il était déjà en train de pénétrer dans la maison. Il m'attendit à l'intérieur, maintenant la porte grande ouverte. Haletante, je le précédai en lui tirant la langue, ce qui provoqua une drôle d'expression chez lui. Après ça, il ne regardait plus que mes lèvres.

À l'étage, la main sur la poignée, il patienta devant sa chambre que j'entre dans la mienne.

— Bonsoir, Hannah.

— Bonsoir, murmurai-je en soupirant.

***

Au petit matin, je m'étirai lentement sous l'édredon, jusqu'au bout des orteils, et souris en jetant un regard vers la fenêtre dont les volets étaient restés grand ouverts.

Il faisait un temps radieux et j'étais de belle humeur.

Je me levai et croisai mon reflet dans le miroir mural. Je grimaçai. Ma tignasse était tellement hirsute qu'elle aurait pu faire pâlir un lion de jalousie. Autant dire que j'étais ravie que personne ne voie ma tête au réveil. Je filai tout droit dans la salle de bains pour me doucher et mettre de l'ordre dans mes boucles. Habillée, les cheveux secs et essorés, j'optai pour une longue tresse en épi et, en examinant mon visage, décidai de me maquiller très légèrement.

Je jetai un coup d'œil dans ma besace, espérant trouver mon poudrier. Par malchance, je ne l'avais pas pris. En revanche, je tombai sur la fiole d'*Envoûtant* que Gwen m'avait offerte.

Je souris en faisant sauter le bouchon en liège pour humer le parfum. Ça sentait bon. Une légère touche de musc dominait sur les notes florales. Je n'y croyais pas une seule seconde à ce truc, mais je déposai quand même une minuscule goutte dans le creux de mon cou, comme Gwen m'avait dit de le faire. La poudre d'or resta au fond. Je l'observai un instant, et refermai le flacon avant de l'enfouir dans la poche de mon sweater.

Je sortis en chaussettes de la chambre et traversai le couloir qui embaumait le café frais. Je m'apprêtais à descendre l'escalier lorsque j'entendis la voix furieuse d'Alastair. Pétrifiée, je m'immobilisai. Il semblait s'adresser à Leith.

— Tu ne peux pas le faire sans réfléchir. Il y a des règles à respecter, nom de Dieu !

— Je connais très bien les règles, gronda Leith. Elles me fatiguent.

— Elles nous déplaisent à tous, dit doucement Bonnie. Mais tu dois être prudent, Leith. Tu as promis...

— Je sais, acquiesça-t-il plus calmement.

— Tu en as conscience, mais tu fais tout de travers ! le reprit Alastair qui avait manifestement du mal à apaiser sa colère. Imagine seulement qu'elle soit...

— Ça n'arrivera pas ! l'interrompit Leith. Pas comme ça. Je fais attention.

J'avalai ma salive. « Elle. » Ils parlaient de moi.

— As-tu décidé d'aborder le sujet avec elle ? demanda Bonnie.

— Non. Enfin... je ne sais pas, c'est compliqué, tu... L'escalier..., dit soudain Leith.

Le sang me monta aux joues. Je m'enfonçai un peu plus dans le couloir et me collai au mur, le cœur battant.

— La prochaine fois que tu auras envie de t'évader, prends tes précautions, conclut Alastair.

Je retins ma respiration.

Qu'il prenne ses précautions ? Mais... à quoi faisait-il allusion ? Ils ne pensaient tout de même pas que Leith et moi..., comme ça, sous leur toit ?

Bon sang, je devais être aussi rouge qu'une pivoine.

Ça devait être un malentendu. J'avais forcément compris de travers. J'inspirai bien à fond et décidai de descendre au moment où la porte d'entrée claquait.

Je plaquai un beau sourire sur mes lèvres et pénétrai dans la cuisine.

— Bonjour ! lançai-je, comme si de rien n'était.

Leith était en train de faire griller des toasts, il se tourna à peine pour me saluer.

— Bien dormi ? s'enquit-il avec humeur.

Intimidée, j'essayai d'avoir un comportement normal.

— Comme un loir. Bonnie et Alastair sont-ils déjà sortis ? demandai-je innocemment en m'approchant.

Leith s'immobilisa, puis il fit lentement volte-face et m'observa avec curiosité durant d'interminables secondes.

— Quelque chose ne va pas ? m'inquiétai-je.

Il secoua la tête, agacé.

— Non. Al est parti aux champs pour s'occuper du bétail, et Bonnie se trouve quelque part dans l'écurie. Petit déj ? proposa-t-il en me tendant un mug de thé.

Je m'en emparai et allai m'asseoir.

Je me saisis d'une tartine de pain de mie et y étalai consciencieusement du beurre.

— L'endroit où nous devons nous rendre aujourd'hui, Skara quelque chose..., c'est loin d'ici ?

— Skara Brae. Non, à peine une demi-heure. J'ai préparé un panier à pique-nique pour manger sur place. Qu'est-ce que tu sens ?

Il me fallut quelques battements de cils pour comprendre à quoi il faisait allusion. Je haussai les épaules, feignant ne pas savoir de quoi il causait, et mordis dans ma tartine. Leith fronça les sourcils de plus belle et, sans rien dire, s'assit en face de moi.

— Si nous partons d'ici trente minutes, nous aurons le temps de nous promener autour de Skara Brae avant l'heure du déjeuner, définit-il.

J'avalai ma dernière bouchée de pain, terminai de boire mon thé, et m'essuyai le coin des lèvres avec une serviette en papier.

— Je suis prête. On peut y aller quand tu veux.

Je fis un petit tour dans la salle de bains pour me brosser les dents, récupérai ma parka et mes bottes, et sortis rejoindre Leith qui m'attendait dans le 4×4. Comme il ne s'était pas déridé, je pris sur moi de l'interroger, histoire de crever l'abcès et de savoir si j'étais bel et bien la cause de son irritabilité.

— Tu sembles contrarié, Leith. Quelque chose ne va pas ?

— J'ai passé une mauvaise nuit, répondit-il sans même me regarder.

Il enclencha la première et s'engagea sur le chemin de terre, les mâchoires si crispées que j'eus presque envie de l'avertir que s'il ne se détendait pas, il risquait une élongation. Je n'en fis rien et me concentrai sur la route, somme toute un peu agacée de ne pas comprendre de quoi il retournait.

Tout à coup, il leva la main pour se presser rageusement l'arête du nez.

— Bon Dieu ! Mais qu'est-ce que tu sens, Hannah ?

Une sueur glaciale me parcourut la colonne vertébrale.

— Euh... c'est un nouveau parfum. L'odeur t'incommode ? demandai-je en tâchant de rester calme.

Il claqua la langue.

— Non. C'est juste qu'elle est... bizarre, répondit-il, de plus en plus irrité.

Malgré le vent frais, j'ouvris un peu ma fenêtre pour tenter d'en évacuer les effluves. Discrètement, je sortis même un mouchoir en papier de mon sac pour m'essuyer le cou en catimini, puis je l'enfermai dans la poche de ma veste. Je jetai un œil à la dérobée en direction de Leith. Il était toujours aussi tendu. Le silence glacial dans lequel il nous avait plongés me parut une éternité pendant les trente minutes de route qui nous séparaient de Skara Brae. Alors quand nous arrivâmes aux abords du site, je m'éjectai à toute vitesse de la voiture.

Ici, le vent soufflait fort, bien plus qu'à l'intérieur des terres. J'étais bien contente d'avoir pris mon sweater en plus de ma veste. Je rabattis la capuche et remontai le col de ma parka. Leith me fit signe d'avancer.

Nous marchâmes sans mot dire sur un sentier serpentant au beau milieu des champs. Régulièrement, je levai la tête vers Leith dans l'espoir qu'il dise quelque chose. Rien. Ça n'allait quand même pas durer toute la journée ! Mais finalement, le regard toujours fixé devant lui, il se décida enfin à desserrer les dents.

— Je suis désolé, Hannah, je ne suis pas de très bonne compagnie ce matin.

C'est le moins qu'on puisse dire !

Je le toisai, sans piper mot, attendant la suite de ses explications.

— J'ai eu une petite dispute avec Al, et je déteste ça.

— Je sais, avouai-je. Je vous ai entendus.

Il s'arrêta de marcher pour me scruter, ses yeux lançaient des éclairs.

Super... J'avais perdu une occasion de me taire.

— Qu'as-tu entendu, exactement ?

Tourner sa langue sept fois dans sa bouche avant de parler. À la longue, j'aurais dû savoir cette maxime par cœur, mon père ne cessait de me le rabâcher.

— Eh bien... Ton oncle semblait dire qu'il fallait que tu prennes tes précautions et que tu ne pouvais pas t'évader comme tu le voulais. Qu'il y avait des règles à respecter.

— Est-ce tout ?

— Euh... oui. Je crois aussi qu'il était question de moi.

Il arqua un sourcil.

— De toi ?

Je hochai la tête.

— Il disait « elle ».

Il me dévisagea silencieusement, puis il recommença à avancer. Décontenancée, je restai immobile un instant, puis le feu me monta aux oreilles.

— Hé ! beuglai-je enfin. Ton oncle et ta tante s'imaginent qu'on a couché ensemble, c'est ça ? Qu'est-ce qui a bien pu leur faire croire une chose pareille ?

Leith se retourna, ahuri. Puis, comme dans un film, au ralenti, son visage se détendit et il laissa éclater un rire tonitruant. Je le fixai, désarçonnée.

— Hannah, s'esclaffa-t-il en secouant la tête. C'est vraiment ce que tu crois ? Que mon oncle et ma tante me faisaient la morale parce qu'ils pensent qu'on s'est envoyés en l'air ?

Je haussai les épaules.

— C'est pas ça ?

— Non, mon cœur, c'est pas ça. Quelle idiote tu fais ! lança-t-il en riant de plus belle.

Je me renfrognai.

— Allez, viens, finit-il par m'intimer, le sourire aux lèvres. Je vais te montrer un truc qui va sûrement te plaire.

Et il reprit la marche. Je m'élançai derrière lui.

— Hé, minute ! Tu penses pouvoir m'expliquer ce qui s'est passé ce matin, ou mon cas est désespéré ?

Il rit du nez.

— Mon oncle et ma tante ne s'imaginent pas du tout que toi et moi nous couchons ensemble. En tout cas, si c'est ce qu'ils pensent, ils ne m'en ont pas touché mot.

— Vraiment ? Mais alors, de quoi parlaient-ils ?

Il me jeta un œil de côté.

— Rien qui doit te mettre mal à l'aise, Hannah. Tu peux me faire confiance.

OK. Je le croyais.

— Qu'est-ce que tu veux me montrer ? finis-je par demander.

— Attends. Encore une dizaine de mètres.

Nous avançâmes jusqu'au bord de la falaise. Leith se pencha et désigna du doigt un groupement de loutres de mer se prélassant en contrebas. Elles étaient entourées de leurs petits qui chahutaient ensemble.

— Waouh ! m'exclamai-je, subjuguée.

Quel dommage qu'il nous fût impossible de descendre pour les voir de plus près. D'après Leith, ces charmantes bestioles étaient très hargneuses et n'hésiteraient pas à nous croquer les mollets si nous nous approchions.

Après une longue balade le long des falaises, Leith commença à avoir faim. Nous fîmes demi-tour jusqu'au Range Rover, il s'empara du panier à pique-nique, de son sac à dos et d'un plaid, puis il nous dégota un coin tranquille entre les rochers, à l'abri du vent et des touristes. Là, nous nous installâmes afin de nous restaurer.

Ça cognait fort, c'est pourquoi je retirai ma veste, et m'étirai de bien-être en levant les bras au ciel. Leith s'excusa de devoir m'abandonner quelques minutes et rejoignit les toilettes. J'en profitai pour m'allonger et me prélasser sur la couverture, il faisait si bon. Avec ravissement, je savourai des rayons du soleil. Un sourire s'épanouit sur mes lèvres en revoyant la tête de Leith quand je lui avais exposé ma petite théorie. Je ne crois pas m'être sentie plus ridicule un jour...

Je respirai profondément l'air marin, me frottai le nez, puis soudain, j'eus le sentiment de ne plus être seule. M'attendant à ce que Leith soit revenu, je n'ouvris pas immédiatement les paupières. Toutefois, je réagis au quart de tour lorsqu'un souffle chaud et humide s'enroula autour de ma main. Je me redressai en même temps qu'un cri d'effroi s'étouffait dans ma gorge.

Un homme jeune était agenouillé à mes côtés et me reniflait comme l'aurait fait un chien.

Je reculai sur les fesses, terrorisée, m'aidant de mes mains, jusqu'à ce que la paroi rocheuse dans mon dos m'arrête. La peur au ventre, je voyais cet étranger me dévisager comme si j'étais une sucrerie alléchante, ses longs doigts maigres grattant le sol. Il était si physiquement repoussant que je retins un gémissement d'effroi. Très chevelu et excessivement poilu, il possédait des sourcils qui semblaient ne faire qu'un. Ses joues tombaient exagérément et ses pupilles, anormalement dilatées, brillaient d'une soif presque animale. Quant à ses bras, ils étaient disproportionnés par rapport au reste de son corps. Pas une seule pensée cohérente ne me traversa l'esprit, mais à son regard fou, je devinai combien il était sur le point de me faire du mal. Paniquée, je parcourus les alentours des yeux. J'étais prise au piège entre lui et la roche.

Subitement, il se mit debout, m'arrachant un cri d'angoisse. Et quand il fit un pas dans ma direction, je hurlai. J'essayai de me relever pour lui échapper, mais plus vif que l'éclair, il me bouscula avec tant de puissance que je butai lourdement contre la paroi, dans l'incapacité de faire un geste. J'étais paralysée.

Soudain, Leith apparut dans mon champ de vision. Il se jeta sur l'étranger et le tira brutalement en arrière. Ils roulèrent sur le sol avec une violence inouïe, poussant des grognements que je n'aurais pas cru possibles que chez un animal.

Immobile, j'assistai à la scène, épouvantée. Ils mordaient, grondaient, griffaient, leurs vêtements se tachaient de sang. Puis ce que je vis finit de me glacer d'effroi. Alors qu'ils se relevaient pour se faire face, soufflant comme des bêtes, les yeux de mon agresseur devinrent plus noirs que la nuit. Les veines de son front palpitèrent anormalement, ses mains se boursouflèrent et ses ongles s'allongèrent. Quand il poussa un rugissement épouvantable, j'aperçus dans sa bouche béante les pointes terrifiantes de quatre énormes crocs. Blanc. Immaculés.

Ma gorge s'asséchait, ma respiration s'accélérait. Tout ce qui m'entourait était en train de se troubler. Je perdais connaissance sans pouvoir en réchapper. Dans un ultime effort, j'ouvris les yeux et crus voir les vêtements de Leith se déchirer d'eux-mêmes.

Ma dernière pensée fut pour Gwen, le livre, ses théories. Mon corps se mit à trembler, mes jambes me lâchèrent, et puis plus rien. Le trou noir.

Chapitre 13

Tu n'aurais jamais dû en voir autant...

J'avais tellement mal au crâne...

Je soulevai lentement les paupières. Mes yeux se posèrent d'abord sur le plafond beige du 4×4 de Leith, puis sur le visage anxieux de ce dernier, penché au-dessus du mien.

— Est-ce que ça va ?

— Mal, murmurai-je en me frottant le front. Qu'est-ce qui m'est arrivé ?

— Tu as perdu connaissance et tu t'es cognée sur la roche, m'expliqua-t-il en me caressant tendrement les cheveux.

Il m'aida à me redresser quand il vit que je désirais m'asseoir.

— Aïe... ça tourne.

— Doucement, chuchota-t-il en déposant ma veste sur mes épaules.

Mécaniquement, je passai les bras à l'intérieur, et fronçai les sourcils pour essayer de rassembler mes idées. Ce n'était pas très clair. Je levai alors le visage vers Leith et vis la plaie sanglante qui lui barrait la tempe droite, jusque derrière l'oreille. Je ne mis pas deux secondes avant de me souvenir de ce qui s'était passé et fis un bond brutal sur le fauteuil, submergée par l'angoisse.

— L'homme, le... le... Où est-il ? Mon Dieu, quelle horreur ! m'écriai-je en portant ma main à la bouche.

— Tout va bien, Hannah, il n'est plus là, tenta-t-il de me rassurer en me serrant contre lui. Calme-toi.

Impossible.

Je revoyais toute la scène. La lutte, les grognements, le sang, ses dents…

Je repoussai Leith pour le dévisager. Qui était-il ? Qu'était-il ? Mes lèvres se mirent à trembloter sans que je puisse les contrôler, puis vint la panique.

— Je veux sortir d'ici ! criai-je en me débattant. Laisse-moi sortir de cette voiture !

J'ouvris la portière et me jetai à l'extérieur en tombant à genoux. Je me relevai, regardai autour de moi, les yeux hagards, et courus dans le champ sans savoir où j'allais. Leith me rattrapa en quelques foulées et me prit par les épaules. J'étais hystérique. Je le frappai de mes poings, hurlai, me moquant bien des quelques touristes qui nous observaient avec curiosité.

— Lâche-moi ! beuglai-je en le repoussant de toutes mes forces.

Il retira aussitôt ses mains et scruta mon visage horrifié. J'étais en pleine crise de nerfs. Il tenta un pas dans ma direction, je tressaillis.

— Ne t'approche pas de moi, tu entends ? Ne t'approche pas ! l'avertis-je en levant la paume pour former une barrière virtuelle.

Il s'immobilisa. Puis je le revis, rugissant comme une bête féroce, renâclant et crachant. Ce n'était pas normal. Leith n'était pas normal. Un Humain ne grognait pas de cette manière. Les larmes coulaient sur mes joues sans que je parvienne à les retenir. Mon corps tremblait avec une telle violence que je me crus sur le point de convulser. Je devais me calmer à tout prix. Grelottante, je portai les mains à mon visage et respirai profondément, me mordant les lèvres pour m'éviter de claquer les dents. Du sang se répandit dans ma bouche, alors

146

je tombai finalement à genoux et laissai éclater de longs sanglots.

De toute ma vie je n'avais jamais eu de réaction aussi brutale. C'était comme si une pression énorme menaçait de faire exploser mes veines. Je finis par m'asseoir, le front posé sur mes genoux, les jambes encerclées autour de mes bras. J'amorçai un mouvement de balancier, parvins à retrouver un semblant de calme, tandis que ma respiration s'apaisait graduellement. Encore secouée de quelques spasmes nerveux, je relevai la tête et croisai les yeux de Leith.

Jamais je n'oublierais l'expression de son visage.

Il paraissait anéanti.

— Je suis tellement désolé, murmura-t-il en s'agenouillant devant moi.

Son regard me transperçait.

— Qu'était-il ? finis-je par demander en reniflant.

Il ne répondit pas. Il cherchait ses mots. Mais je le savais. Je le savais très bien.

— Qu'était-il ? répétai-je avec plus de conviction.

Il aspira une grande goulée d'air, et ferma les paupières un court instant.

— Un loup-garou.

Il venait de me donner raison. Les larmes affleurèrent de nouveau. J'avais vu un homme muter en quelque chose d'abominable, une créature dont je ne croyais pas en l'existence jusque-là. Je pris une profonde inspiration et parcourus du regard le corps solide de Leith, le vert de ses iris, ses pupilles anormalement dilatées. Il ne portait plus les mêmes vêtements que lorsque nous avions quitté le ranch ce matin, les précédents avaient volé en éclats sous mes yeux.

Un long frisson ébranla mes épaules, puis un sanglot d'angoisse remonta à ma gorge.

— Toi aussi, n'est-ce pas ?

Je retins ma respiration dans l'attente de sa réponse.

Le regard fixe, il ouvrit la bouche pour dire quelque chose, puis il la referma. L'expression torturée, il se leva et me tourna le dos. Relâchant mon souffle, je me remis sur mes pieds, le cœur serré lorsque je vis les profondes entailles qui dépassaient de son tee-shirt.

— Tu es blessé, dis-je d'une voix étranglée.

Ce que je venais de vivre me terrassait, mais dans les méandres de mes angoisses, c'était à lui que je pensais. À ce que cette créature lui avait infligé.

— Ne t'inquiète pas pour moi, murmura-t-il sans même se retourner.

Leith aurait pu risquer sa vie pour moi, mais il s'était quand même jeté sur mon agresseur. Ce qu'il était changerait-il quelque chose à ça ?

Non.

L'affection que je lui portais en serait-elle amoindrie ?

Non.

Au plus profond de moi, je me moquais de sa véritable nature. Oui, c'était très simple :

J'avais envie d'être avec lui.

— Es-tu vraiment comme lui ? Un loup-garou ?

— Je le suis, souffla-t-il.

Je retins ma respiration.

— Je suis né comme ça, ajouta-t-il en se retournant pour m'étudier avec gravité.

Mes yeux se perdirent dans les siens. Il était si beau, ses traits si doux en dépit de la cicatrice qui lui barrait la joue. Comment un visage aussi parfait pouvait-il être celui d'une telle créature ?

— Tu me vois comme un monstre, n'est-ce pas ? prétendit-il.

Je ne pouvais pas répondre directement à cette question, car d'une certaine façon, oui, c'était le cas.

— Je suis terrifiée, Leith. Ça dépasse l'entendement. J'ai l'impression de rêver tout éveillée.

Il leva la main pour toucher ma joue, mais se ravisa au dernier moment.

— Je suis sincèrement désolé, Hannah.

Mon cœur se serra. Il semblait si affligé.

— Je n'ai pas choisi d'être ce que je suis.

— Ça n'a aucune importance, affirmai-je spontanément, comme si les mots étaient sortis d'eux-mêmes.

Il posa sur moi des yeux surpris.

— Ta famille est également comme toi ?

— Ils le sont tous. Mon père, Al, Bonnie...

— Al et Bonnie..., murmurai-je. C'est de ça qu'ils parlaient ce matin, lorsqu'ils disaient que tu devais être prudent et prendre tes précautions, n'est-ce pas ?

Il hocha la tête.

— Ils voulaient te préserver. C'est ce que j'aurais dû faire aussi, mais je n'y suis pas parvenu.

— Tu m'as protégée, Leith. Si tu n'avais pas été là...

Je déglutis, submergée par les émotions.

— Oh, Leith, avais-tu l'intention de m'en parler ?

— Je ne sais pas. Mais je le désirais en tout cas, je désirais juste te connaître davantage.

— Pour être sûr de moi ?

— Oui, admit-il avec une honnêteté troublante.

— Et maintenant ? Penses-tu que je sois plus digne de confiance qu'hier ou avant-hier ?

Comme il semblait tiraillé, je posai la main sur son bras.

— Je ne dirai rien, Leith. À personne.

Il acquiesça.

— J'ai confiance en toi, Hannah.

— Mais ce n'était pas le cas hier. Qu'est-ce qui a changé depuis ?

Il me contempla de longues secondes avant de répondre.

— Ta perception des choses.

Il avait raison. S'il m'avait simplement tout avoué, je ne l'aurais pas cru. Je me serais même empressée de tout raconter à Sissi. Je lui aurais ri au nez comme je l'avais fait avec Gwen. Mais à présent, tout était différent.

— Pourquoi ton oncle était-il en colère contre toi, exactement ? Ta conduite était irréprochable, je ne me doutais de rien.

— Tu m'as aperçu, hier soir, tel que je suis vraiment.

— Le chien blanc devant les écuries…, murmurai-je comme une évidence.

Il hocha la tête.

— Tu es un Lupus ?

Il parut surpris.

— Tu connais ce terme ?

— Je l'ai lu dans l'ouvrage que m'a vendu Gwen. Il parle des créatures occultes, dont des loups-garous et…

— Créatures occultes ! cracha-t-il amèrement. Nous sommes presque aussi anciens que l'Homme lui-même, mais nous sommes occultes ! Tu vois, c'est l'une des grandes différences qu'il y a entre toi et moi. Toi, tu vis au grand jour. Moi, je me cache pour être qui je suis vraiment.

Comment aurait-il pu en être autrement ? Personne n'était prêt à voir ce que j'avais vu.

— Et l'autre loup-garou. De quelle race est-il ?

— C'est un Galbro.

— Pourquoi m'a-t-il attaquée ?

— En théorie, les loups-garous savent se contrôler. Mais chez le Galbro, un état d'excitation peut le conduire à perdre son self-control.

— Mais…, protestai-je, je n'ai rien fait pour l'exciter, je ne l'ai même pas vu arriver.

Leith fronça les sourcils et me dévisagea avec intensité.

— C'est ton odeur. Je ne sens que ça depuis ce matin...

Envoûtant...

— Lorsque tu es entrée dans la cuisine pour prendre ton petit déjeuner, j'aurais juré qu'on t'avait versé un seau de phéromones sur ta tête.

Je baissai les cils, honteuse.

— Gwen..., murmurai-je.

— Quoi, Gwen ? demanda-t-il, décontenancé.

— Elle m'a offert une fiole de parfum pour mon anniversaire, et... j'ai voulu l'essayer, ce matin.

Je sortis la minuscule bouteille de la poche de mon sweater et la lui tendis. Il s'en saisit et ouvrit le bouchon pour en sentir les effluves.

— Jasmin, musc et bergamote, conclut-il. Qu'a-t-il de si particulier ?

— Gwen affirme que la poudre d'or agit sur la peau, et que les effets sont... surprenants.

Il fronça de plus belle les sourcils.

— C'est un philtre d'amour ?

Le rosissement de mes joues fut plus éloquent qu'une réponse.

— Bon Dieu, mais pourquoi t'a-t-elle offert un truc pareil ? Pas étonnant que...

Il s'étrangla de colère et se reprit.

— Bon, écoute. On doit partir. Le Galbro a filé pour l'instant, mais il pourrait revenir. Tu empestes encore à plein nez.

— Je suis désolée, m'excusai-je.

— Allons-y.

Il commença à avancer, puis s'arrêta pour regarder en arrière lorsqu'il vit que je n'avais pas bougé d'un pouce.

— As-tu suffisamment confiance en moi pour me suivre ? demanda-t-il avec gravité.

Je lui fis signe que oui, alors il me tendit la main. Je la pris et marchai avec lui en direction la voiture.

Quand nous arrivâmes devant, il me rendit la fiole et me fit face.

— Promets-moi que tu n'en remettras pas.

J'acquiesçai d'un hochement de menton.

— Tu n'as pas besoin de ça pour être attirante.

Une vague de chaleur envahit ma poitrine et je baissai les cils.

Il ouvrit ma portière, et attendit que je sois assise pour s'installer derrière le volant. Il démarra et quitta les abords de Skara Brae.

— Où allons-nous, maintenant ? demandai-je.

Il m'étudia, surpris.

— Tu ne souhaites pas rentrer chez toi ?

— Non, répondis-je catégoriquement.

— Je pensais qu'après une telle révélation, tu voudrais que je te ramène au plus vite auprès de tes parents.

— Pourquoi ? Es-tu en train de me dire que je ne suis pas en sécurité avec toi ?

— Bien sûr que tu l'es, Hannah ! s'emporta-t-il. Je n'ai aucunement l'intention de te faire du mal, je ne suis pas un mangeur d'enfants ou de personnes en détresse !

Il fixa la route, les lèvres pincées. Non, bien sûr, il ne l'était pas. Toutefois, lorsque je resongeai à la violence avec laquelle il s'était battu, je réalisais qu'il pourrait me briser les os sans effort s'il le souhaitait.

— Le Galbro m'aurait-il tuée si tu n'étais pas intervenu ?

— Tuée ? Je doute que ç'ait été dans ses premières intentions.

Il tourna la tête vers moi et vit mon visage interloqué.

— Bon sang ! Tu ne peux pas être aussi naïve. Ce qu'il voulait, c'était s'accoupler avec toi, pas te faire la conversation.

152

Un frémissement de dégoût me parcourut tandis que les mains de Leith se crispaient sur le volant. Il n'était pas en colère contre moi, à proprement dit, mais s'il savait qu'il aurait à répondre à un certain nombre de questions, celles au sujet du Galbro ne faisaient qu'augmenter sa fureur. Je décidai de les laisser de côté, pour le moment.

— Lorsque j'ai perdu connaissance, tes vêtements se déchiraient tout seuls. Toi aussi tu as muté ?

— Oui, avoua-t-il la mâchoire serrée.

— La métamorphose est-elle douloureuse ?

— Les premiers temps, lorsque nous sommes jeunes. Puis l'expérience nous apprend à maîtriser nos sens et nos muscles. La transition devient de plus en plus aisée et de plus en plus rapide.

— Le Galbro, son visage était si effrayant, et pendant que tu te battais avec lui, ses mains ont gonflé, et ses dents...

— Tu n'aurais jamais dû en voir autant, murmura-t-il. Lorsqu'un loup-garou se transforme, les Humains qui le regardent ou qui sont trop proches perdent irrémédiablement connaissance au bout de quelques secondes, bien avant que la mutation soit achevée. C'est un phénomène d'autosuggestion que nous transmettons au cerveau humain. C'est inscrit dans nos gènes comme une empreinte immuable, nous le faisons sans même nous en rendre compte.

Il me dévisagea furtivement, perplexe.

— Je n'ai encore jamais rencontré d'être humain capable de tenir aussi longtemps sans s'évanouir.

Brusquement, il braqua sur la droite et stoppa la voiture sur le parking pratiquement désert d'un pub.

— J'ai besoin de manger quelque chose.

Je hochai la tête.

— Les vêtements que tu portes, d'où viennent-ils ? voulus-je subitement savoir.

— Bonne question, docteur Watson, se moqua-t-il. Je transporte toujours quelques affaires de rechange

dans mon sac à dos au cas où. J'imagine mal me promener nu comme un ver, même enfermé dans mon
4×4. Ce n'est pas que ça me dérangerait, mais il paraît
que ça ne se fait pas.

Je lui souris timidement, et le suivis dans le pub.

Je n'avais encore jamais vu quelqu'un manger
autant, et à en croire la tête de la serveuse, elle non
plus. Leith avait essentiellement commandé des plats
à base de viande rouge et de féculents. Moi, je me
contentai d'une simple tasse de thé, incapable d'avaler
quoi que ce soit d'autre.

— Ton grand-père paternel était donc aussi un
Lupus ? demandai-je, tout à trac.

Bien qu'elle ne fût pas innocente – j'étais curieuse
de savoir si le premier amour de ma grand-mère était
comme lui –, Leith sembla surpris par ma question.

— Évidemment, pourquoi ?

— Existe-t-il beaucoup de gens comme toi ? éludai-
je. Enfin, je veux dire, dans le monde ?

Il se mit à rire.

— Pour être honnête, mon cœur, je n'ai pas consulté
le dernier recensement. Mais oui, nous sommes nombreux. Sur les Orcades par exemple, il y a quelques
familles de Lupi, notamment parmi les personnalités
appréciées de l'île. Très peu de mes semblables vivent
dans de grandes villes. Nous préférons nous isoler
pour les besoins que tu peux imaginer. Pour l'espace,
entre autres.

— Tu disais que les tiens viennent du Sutherland.

— Le paysage et le climat étaient parfaitement
adaptés à notre condition, expliqua-t-il rapidement.

— Pourquoi en êtes-vous partis dans ce cas ?

— C'est une longue histoire, Hannah. Je te la
raconterai une autre fois, si tu veux bien.

De nouveau son visage était fermé, c'est pourquoi
je n'insistai pas.

Il paya l'addition et nous reprîmes la route jusqu'au
ranch.

— Hannah, murmura Leith lorsque nous nous arrêtâmes devant la maison. Par pitié, va prendre une
douche, ton odeur est en train de me rendre dingue.

Je battis des cils innocemment.

— Tant que ça ?

Ses yeux s'étrécirent jusqu'à ne former que deux
toutes petites fentes menaçantes.

— Reste cinq minutes de plus dans cette voiture,
et je te montrerai à quel point.

Il ne me fallut que trois secondes pour sortir.

Quant à Leith, eh bien... il riait.

Chapitre 14

Leith est un loup-garou.

Je retirai ma veste et la jetai sur le lit. La fiole d'*Envoûtant* tomba sur le sol.

Je la ramassai et l'étudiai attentivement.

Gwen savait-elle ce qu'elle faisait lorsqu'elle m'avait offert ce parfum ? Connaissait-elle la véritable nature de Leith ? Probablement pas, sans quoi, elle n'aurait jamais pris le risque de nous mettre en danger tous les deux. J'essayai de me rassurer, mais je n'en étais pas certaine.

J'abandonnai le flacon sur la commode et entrai dans la salle de bains pour me doucher.

Ce n'est que lorsque l'eau chaude coula sur mon corps et détendit mes muscles meurtris, que je me rendis compte à quel point j'étais contractée. Je m'emparai de ma bouteille de gel moussant et frottai énergiquement entre mes clavicules, là où j'avais déposé une goutte d'*Envoûtant*. Puis, quand je me passai la main sur le bas du dos, je sentis une bosse au milieu du coccyx et pinçai les lèvres. J'avais dû me cogner sacrément fort contre la roche.

Je sortis de la salle d'eau, enroulée dans une serviette de bain, les cheveux humides, et attrapai l'unique tabouret de la chambre. Maladroitement, je montai dessus pour m'examiner les reins devant le miroir.

Aïe… Ce n'était pas très joli à voir, un hématome violacé s'étendait sur presque toute la largeur. Je fis une nouvelle grimace en reposant les pieds au sol. Si le choc avait anesthésié la douleur, la douche que je venais de prendre l'avait réveillée.

Je m'habillai avec une lenteur angoissée à l'idée d'affronter Al et Bonnie. Ce n'était pas leur nature qui m'effrayait, mais ce qu'ils pourraient me dire, car à présent, j'étais pour eux un peu plus que l'amie de leur neveu : désormais, je représentais une personne potentiellement dangereuse, capable de révéler leur secret. Je m'attendais ce qu'ils m'avertissent de certains risques, me parlent des règles à respecter, et me fassent prononcer un serment ou un truc de ce genre pour que je me taise à jamais.

Leith avait été blessé et, en quelques minutes, ma vie avait pris un tournant imprévisible. À cause d'un stupide parfum ! Qu'allait-il se passer, maintenant ? Dévisagerais-je chaque personne dans l'expectative qu'elle soit elle un loup-garou ? Tout ceci finirait par me rendre paranoïaque.

J'inspirai profondément avant de fermer la porte de la chambre et descendis mollement l'escalier pour rejoindre les Sutherland.

Leith m'attendait en bas des marches. Il semblait aussi tourmenté que moi. Il s'empara de ma main et entremêla ses doigts fiévreux aux miens. Fascinée, je tendis l'autre pour toucher sa blessure au-dessus de l'oreille. Il s'était douché, il ne subsistait qu'une légère marque rouge, comme un coup de stylo-feutre fin. Je me dressai alors sur la pointe des pieds pour inspecter sa nuque. Les balafres avaient presque disparu, elles aussi. Leith m'offrit un sourire gêné, frôla ma joue et me conduisit dans le salon.

— Oh, Hannah..., murmura Bonnie en se levant pour me serrer dans ses bras. Viens, installe-toi, dit-elle en désignant le canapé. Comment te sens-tu ?

— Bien, à part une petite blessure dans le dos, répondis-je en grimaçant pour m'asseoir.

— Montre-moi ça. Ouh ! s'écria-t-elle avec compassion, en soulevant mon tee-shirt. Tu ne peux pas rester comme ça, je vais te préparer un cataplasme pour te soulager.

Elle disparut aussitôt dans la cuisine, nous laissant dans un silence pesant tout juste brisé par les bûches crépitant dans l'âtre. Alastair faisait glisser sur moi un regard pénétrant. Il me dévisageait avec attention et me rendait nerveuse. C'est pourquoi je pris soin de demeurer rivée à la cheminée jusqu'à ce que Bonnie revienne.

Elle posa un bol fumant et plusieurs compresses de tissu sur la table basse, et remonta les manches de son chemisier.

— Allonge-toi sur le ventre, s'il te plaît, m'intima-t-elle. Je vais t'appliquer un mélange de plantes que ma famille utilise depuis toujours. C'est très efficace.

Si c'était ce qui avait réduit les blessures de Leith, je la croyais sur parole ! Je m'exécutai et me couchai à plat ventre sur le canapé. Bonnie souleva mon tee-shirt et baissa légèrement mon pantalon.

Quand il vit l'étendue de mon hématome, le visage de Leith se décomposa.

— Ne bouge pas, m'ordonna Bonnie.

Je tressaillis lorsqu'elle étala la mixture brûlante sur mon dos.

— Je sais, je sais, compatit-elle. C'est chaud, mais ça te fera beaucoup de bien. Je te l'appliquerai encore deux fois d'ici à ce que tu ailles te coucher. Voilà, c'est terminé. Reste un peu allongée, le temps que ça s'imprègne.

Quelques minutes plus tard, je me redressai pour m'asseoir tandis que Leith prenait place à côté de moi. Il ne me quittait pas des yeux. Son regard exprimait une telle colère, que je m'en détournai aussitôt.

— Ça va mieux ? finit par s'assurer Alastair.

— Oui, merci, répondis-je doucement.

La décoction de plantes commençait à faire son effet, mon dos me tiraillait un peu moins.

— Leith nous a expliqué tout ce qui s'est passé. Je suis navré que tu aies eu à vivre ça. Le parfum n'était manifestement pas une bonne idée.

Je baissai la tête, honteuse. Je devais avoir l'air si ridicule d'avoir voulu essayer un philtre d'amour.

— Le fait est que, maintenant, tu connais l'essentiel sur nous, continua-t-il. Tu es une jeune fille intelligente et je ne vais pas te dire ce que tu ne dois pas faire.

— Je ne révélerai rien à personne Alastair, vous avez ma parole, lui certifiai-je avec sincérité.

— Nous en sommes certains, Hannah, m'assura Bonnie d'une voix douce.

— Il y a quand même une chose que tu dois savoir au sujet des Galbros, reprit Alastair. Sous leur forme animale, ils ne sont pas les plus raisonnés de notre espèce, mais ce sont, sans aucun doute, les plus têtus, les plus hargneux d'entre nous. Comme c'est le cas pour chaque garou, ils sont capables de repérer les odeurs de très loin, et au risque de paraître extrêmement grossier, avec ce philtre, tu avais pour celui-ci autant d'attrait qu'une louve en chaleur.

— Il agissait comme une bête, murmurai-je comme pour moi-même.

— Exactement, Hannah, acquiesça Al. Le Galbro perd tout sens moral lorsqu'il se transforme. Il est agressif, dangereux, il ne pense plus de la même manière. Et quand il reprend apparence humaine, le plus souvent, il ne se souvient de rien de ce qu'il a fait sous sa forme animale. Toutefois, il arrive que ce soit tout le contraire qui survienne.

— Ce qui signifie ? chevrotai-je, paniquée.

— Lorsque Leith est intervenu, le Galbro s'est battu avec lui pour obtenir le droit de te posséder. Leith a gagné et le Galbro s'est enfui. La règle voudrait qu'il admette sa défaite. Or, si par malchance ton odeur était trop forte et attirante pour lui, il pourrait s'en être imprégné et chercher à te retrouver.

J'étais sidérée.

Mes yeux se perdirent sur Leith qui semblait définitivement furieux.

— Je ne le laisserai pas te faire du mal, m'affirma-t-il. Je vais veiller sur toi, je te le promets.

— Hannah, intervint une nouvelle fois Alastair avant que je ne réagisse. S'il se souvient de toi, je dis bien *si*, il ne t'approchera qu'en étant certain que Leith et toi n'êtes pas liés. Car je suppose qu'il ne risquera pas un deuxième affrontement.

Je clignai des paupières.

— « Liés » ?

— Comme un couple, précisa Leith en claquant la langue.

— Mais... nous n'en sommes pas un, fis-je remarquer.

— Soit, admit Alastair, mais le Galbro ne le sait pas. Pour lui c'est évident. Leith a gagné, ne l'oublie pas.

— Je ne suis pas certaine de comprendre ce que ça signifie. Nous devrons faire semblant ?

Leith haussa les épaules.

— Ne pourrait-on pas simplement lui expliquer que je ne veux pas de lui, qu'il s'agit d'une erreur ? suggérai-je.

— Le Galbro est obsessionnel. S'il pense que tu es seule, il te voudra.

— Nous ne sommes pas sûrs qu'il y ait un réel danger, voulut me rassurer Alastair, mais au cas où, ne remets pas ce parfum.

Bon sang ! Tout ceci était insensé, j'en avais le tournis.

Oh, je n'en avais pas l'intention !

— Il n'était peut-être pas nécessaire de me faire part de tout ceci, marmonnai-je en haussant les épaules. Je pense que j'aurais préféré ne pas savoir.

— Bien sûr que ça l'était, me contredit sèchement Leith, en se levant.

Pendant un court instant, nous nous affrontâmes du regard. Finalement, je secouai la tête et sautai sur mes pieds, passablement irritée.

— Donc, si je résume la situation : j'ai été agressée par un loup-garou obsessionnel qui voulait s'accoupler avec moi. Je note qu'il pourrait être envoûté par mon odeur, et avoir envie de me revoir. C'est merveilleux ! Évidemment, je n'ai aucune raison de m'inquiéter tant qu'il croit que Leith est mon petit ami, quand bien même il ne l'est pas, et que je ne porte pas ce maudit parfum. Tout roule alors ! Pourquoi est-ce que je me rongerais les sangs ?

Tout ceci était trop pour une simple journée, et mon dos recommençait à me faire souffrir.

— Veuillez m'excuser, je ne souhaite pas vous manquer de respect, mais j'ai besoin de réfléchir à tout ça.

Je tournai les talons sans attendre de réponse, regagnai ma chambre et me jetai sur le lit.

Comment avais-je pu me fourrer dans un tel guêpier ? Et comment une si petite goutte de parfum avait-elle pu faire autant de dégâts ?

Je pensais être furieuse, mais en réalité, je ne l'étais pas. J'étais plutôt morte de trouille et j'avais besoin de me confier. Sauf que j'avais fait une promesse, j'allais devoir me taire.

Mon téléphone me narguait sur la table de nuit. Il clignotait. J'étais certaine d'avoir un message de Sissi. Je m'en emparai pour vérifier. C'était bien elle.

```
De : Sissi
À : Moi

Alors, quoi de neuf ?
```

Je soupirai longuement, relus vingt fois ces quatre petits mots et décidai de lui répondre.

De : Moi
À : Sissi

J'ai été agressée, aujourd'hui. Je ne peux m'en prendre qu'à moi, c'est à cause du philtre d'amour que Gwen m'a offert pour mon anniversaire. J'en ai mis, et j'ai attiré un homme, un homme qui n'en était pas vraiment un. Un Galbro. Je l'ai attiré comme un pot de miel une mouche, et maintenant, il pourrait être totalement obsédé par moi.

Leith m'a protégée. Il s'est battu pour moi.

Leith est un loup-garou.

Je sais bien que tu dois croire que je suis tombée sur la tête, ou que je suis en train de te faire une bonne blague, moi-même, j'ai tant de mal à réaliser… Pourtant, je dis la vérité. C'est un loup-garou.

Toi et moi, nous avons vu des tas de films d'horreur lorsque nous étions gosses, en cachette de nos parents. Tu te souviens à quoi ils ressemblaient ? Eh bien ces monstres, ce n'est pas Leith. Leith se transforme en loup. En véritable loup.

La vie est bizarre, non ? Une toute petite chute de rien du tout dans un aéroport et pan ! *Abracadabra, simsalabim !* Mais ne t'inquiète pas pour moi, ma vieille, tout baigne. Je vais m'en sortir comme une chef.

Je suis devenue quelqu'un de particulier. Je fais désormais partie d'une poignée d'humains partageant un lourd secret. Leith

et moi sommes liés par un fil invisible, et
je ne serai plus jamais la même.
 Ton amie pour la vie,
 Hannah.

Voulez-vous envoyer, enregistrer ou supprimer ce
message ?
 Êtes-vous sûr de vouloir supprimer ce message ?
Message supprimé.

Chapitre 15

Ne te méprends pas,
je ne suis pas invulnérable.

Aujourd'hui, nous rentrions à Wick.

La chambre était plongée dans la pénombre, pas un rayon de soleil ne filtrait. Je me redressai sur les coudes et regardai par la fenêtre. Les épais nuages qui envahissaient le ciel ne laissaient guère présager une seule éclaircie.

En m'asseyant sur le lit, je constatai que mes reins ne me faisaient presque plus souffrir, le remède de Bonnie s'était avéré efficace. Toutefois, j'avais l'impression qu'un bulldozer m'était passé sur le corps. Je me levai avec précaution, m'habillai, rassemblai rapidement mes affaires, et les rangeai sans ménagement dans mon sac à dos. Juste avant de descendre, je remarquai la fiole d'*Envoûtant* toujours posée sur la commode. Je l'abandonnai ici. Elle m'avait suffisamment causé de problèmes.

Lorsque je pénétrai dans la cuisine, je n'y trouvai personne. À part moi, la maison était complètement vide. Un drop scone qui n'avait pas fini de cuire baignait dans une poêle sur la gazinière, les trois mugs sur la table étaient encore pleins, mais froids, les pots de confiture étaient grands ouverts. Visiblement, tout le monde était parti en urgence.

Je m'approchai de la baie vitrée et m'aperçus que le 4×4 de Leith et celui d'Alastair n'étaient plus garés dans la cour, et il pleuvait des cordes. Des rafales épouvantables faisaient s'envoler une quantité effroyable de brindilles de foins tandis que l'éolienne de l'abreuvoir tournait à plein régime. Qu'avait-il bien pu se passer pour qu'ils décident tous de sortir par un temps pareil ? Anxieuse, je me jetai sur mon téléphone pour appeler Leith. Il répondit au bout de deux sonneries, mais la réception était si mauvaise que je perçus la moitié de ce qu'il disait.

— T'inquiète pas, Hannah ! hurla-t-il pour couvrir le bruit de la pluie. On rentre... vaches... tempê... profile... au plus vite.

Je raccrochai, rassurer par le « On rentre les vaches ».

Comme ils avaient pris le temps de faire un feu dans la cheminée avant de partir, je fis bouillir un peu d'eau et m'installai confortablement dans un fauteuil avec une tasse de thé et un magazine. Je m'arrêtai de le feuilleter lorsque deux bips retentirent de mon portable, je venais de recevoir un message de mon père.

|Il y a un avis de tempête, tous les bateaux sont bloqués. On attend de tes nouvelles.

Je lui répondis dans la foulée.

|Je te rappelle lorsque j'en sais plus. Suis toujours au ranch. Hannah.

Au bout de deux heures, j'avais parcouru presque tous les journaux de la table basse, et commençai à tourner en rond. L'horloge affichait onze heures. J'investis la cuisine pour improviser un repas et enfilai

165

le tablier de Bonnie. J'ouvris les placards à la recherche de ce qui pouvait être préparé et trouvai un paquet de pennes, des tomates en boîtes, des condiments et diverses herbes aromatiques. J'allais concocter un plat de pâtes, la seule chose que je réussissais à peu près bien.

Quarante minutes plus tard, l'odeur de sauce au basilic embaumait tout le rez-de-chaussée. Je commençai tout juste à mettre la table lorsque j'entendis ronronner le moteur d'une voiture. Je me précipitai vers la fenêtre et vis le Range Rover de Leith se garer dans la cour. Il courut sous la pluie plus vite qu'une tornade pour se réfugier dans la maison, et me rejoignit, trempé jusqu'à l'os.

— Ça sent super bon ici ! lança-t-il joyeusement en se débarrassant de son ciré et de ses bottes.

— Merci. Al et Bonnie ne sont pas avec toi ?

— Non. Ils ne rentreront pas déjeuner.

Il se passa les doigts dans les cheveux, de grosses gouttes d'eau s'écrasèrent sur le sol.

— Qu'est-il arrivé ? demandai-je.

— Mon oncle et ma tante avaient besoin d'un coup de main pour rentrer le bétail. On ne voyait rien avec cette pluie. Je t'ai laissé un mot, tu ne l'as pas trouvé ?

J'écarquillai les yeux.

— Un mot ?

— Je l'ai déposé à côté de toi pendant que tu dormais.

J'ouvris la bouche, hébétée. Je ne l'avais pas entendu entrer dans la chambre, et, en me levant ce matin, je n'avais remarqué aucun mot sur le lit. Enfin... le problème n'était pas là. Il m'avait vu dormir !

— Je vais prendre une douche, je te retrouve dans dix minutes, m'informa-t-il l'air de rien.

— OK, pépiai-je tandis qu'il sortait de la cuisine.

Je terminai de dresser le couvert, retirai mon tablier et montai à l'étage pour lire le message en question. Comme je ne le trouvai pas en tirant les draps, je me baissai pour regarder sous le lit. Il y était.

Il pleut à verse. On est partis avec Al et Bonnie pour rentrer le bétail. Je te retrouve en fin de matinée. Leith.
P.-S. : tu es très jolie quand tu dors.

Les joues en feu, je mis le bout de papier dans la poche de mon jean et descendis pour attendre Leith dans la cuisine. Il était déjà à table, en train de lire le journal, les cheveux encore humides, retombant en boucles désordonnées sur son front.

Il était magnifique.

Je me surpris à l'admirer pendant plusieurs secondes, jusqu'à ce qu'il lève les yeux vers moi, un sourire au coin des lèvres.

— Assieds-toi, m'invita-t-il.

Puis il poussa sa chaise et alla remplir les assiettes de pâtes.

— Nous ne pourrons pas partir aujourd'hui, annonça-t-il en s'installant en face de moi.

— Pas de problème, répondis-je platement.

Mais si j'avais pu crier hourra, je l'aurais fait.

— C'est délicieux, me complimenta-t-il en goûtant à mon plat. Tu es un vrai cordon-bleu.

— Je ne cuisine pas grand-chose d'autres à part ça, avouai-je en picorant dans mon assiette.

Le manque d'appétit était plutôt simple à comprendre. D'une part, Leith m'intimidait, et d'autre part, ce qui était survenu la veille me revenait sans cesse, j'aurais voulu en parler. Ne sachant pas trop comment aborder le sujet, je lâchai la première phrase qui me vint à l'esprit.

— Que se passera-t-il lorsque je rentrerai à Paris ?

Inutile de préciser à quoi je faisais référence, je vis à ses yeux et à son visage assombri qu'il avait parfaitement saisi.

— Il ne te suivra pas.

Comment pouvait-il en être si sûr ? Je soupirai longuement.

— Écoute, s'il me piste, il finira par se rendre compte que quelque chose ne tourne pas rond. Il n'aura aucun mal à comprendre que toi et moi nous ne sommes pas un couple.

— J'en fais mon affaire, répliqua-t-il abruptement.

— Ce qui signifie ?

— Que je l'empêcherai de te nuire.

Il fit une longue pause et reprit.

— Tu n'as pas besoin de jouer un rôle. Contente-toi d'agir comme d'habitude, laisse-moi m'occuper du reste.

Je secouai le menton de droite à gauche. Plus facile à dire qu'à faire.

— Leith...

— Hannah, m'interrompit-il. Je te demande de me faire confiance, insista-t-il gravement en me sondant de ses beaux yeux verts. Tu veux bien essayer ?

Nos regards se nouèrent et je finis par hocher doucement la tête.

— Peut-on parler de toi ? murmurai-je. De ta condition de loup-garou ?

Il acquiesça.

— Je t'écoute.

— J'ai lu que les Lupi avaient un pouvoir hypnotique sur l'Homme. Comment ça se traduit exactement ? Tu es capable de nous faire faire n'importe quoi ?

Un rictus espiègle se dessina sur ses lèvres.

— Quoi ?

— Tous mes semblables ont la faculté d'agir sur le cerveau humain, comme par télépathie. Mais pour les Lupi, il y a un truc en plus.

Il se pinça l'arête du nez, gêné.

— Disons que... leur physique est toujours énormément apprécié et...

Il se racla la gorge.

— OK. Ce sont des séducteurs nés. Ils n'ont jamais besoin de faire beaucoup d'efforts pour obtenir ce qu'ils veulent.

Je tentai l'indifférence, mais sans trop de succès. Je désirai toutefois soulever un doute.

— L'as-tu déjà fait avec moi ?

Il me servit un autre de ses sourires ravageurs.

— Tu veux savoir si je t'ai séduite ? À toi de me le dire. Es-tu séduite, Hannah ?

Gênée, j'eus un geste évasif de la main.

— As-tu déjà essayé de manipuler mon esprit ? De m'embrouiller ?

— Non, mais je suis parfois tenté, avoua-t-il en me fixant intensément.

— Dans quel cas ? demandai-je, inquisitrice.

Il se pencha sur la table et écarta une mèche de mes cheveux de ma joue. Sa main me frôla, mon cœur s'emballa. Sa peau était si chaude... Je réprimai un frisson. Il plongea ses beaux yeux verts dans les miens et m'étudia sans même cligner des paupières. Ça me mit dans un état second. Totalement déstabilisée, j'éprouvai toute la puissance de son pouvoir hypnotique. J'étais totalement éblouie.

— Pour que tu aies confiance en moi, murmura-t-il.

La fourchette que j'avais dans la main tomba sur le carrelage dans un bruit métallique. Je sursautai et me baissai illico pour la ramasser. Reprenant mes esprits, je repartis aussitôt dans un cycle de questions.

— Tu effraies les chevaux. Pourquoi n'est-ce pas le cas d'Al et Bonnie ?

— Ils les nourrissent.

— Tes facultés de persuasion fonctionnent également sur les animaux apparemment. Comme avec Breath, n'est-ce pas ?

— Uniquement sur les mammifères. Mais pas aussi facilement qu'avec l'Homme.

— J'ai lu que la pleine lune n'avait aucune influence sur vous. Est-ce vrai ?

— Tout à fait. Elle ne nous gêne pas et ne nous apporte rien non plus, dit-il en souriant. Sais-tu qu'un autre mythe raconte que si tu portes une peau de loup sur toi tu peux te transformer à ton tour ?

— Mais ce n'est pas vrai, n'est-ce pas ? demandai-je naïvement.

Il pouffa de rire.

— Allez, viens. Je voudrais te montrer quelque chose.

Il poussa sa chaise, fit le tour de la table et me prit la main.

— Est-ce que tu aimes la pluie, mademoiselle je-n'arrête-pas-de-poser-des-questions ?

Je me levai.

— La pluie ?

— N'as-tu jamais eu une seule occasion de l'apprécier ?

— Si, sûrement, hésitai-je. Mais où veux-tu en venir ?

— Suis-moi, m'intima-t-il en m'attirant jusque dans l'entrée.

Il ouvrit le placard mural et se saisit d'un grand ciré jaune.

— Mets ça.

Déconcertée, je me laissai faire tandis qu'il m'aidait à l'enfiler.

Allait-on vraiment mettre le nez dehors par ce temps ?

Manifestement oui. Il se dirigea vers la malle pour en sortir une paire de bottes en plastique.

— Où va-t-on ? finis-je par demander.

Il sourit.

— Surprise.

Un quart d'heure plus tard, Leith garait son 4×4 au début d'un petit chemin rocailleux. Il coupa le contact et descendit m'ouvrir la portière. J'eus comme un choc en le voyant. Sa capuche lui cachait le haut du visage et son écharpe lui masquait la bouche et le nez. Seuls ses yeux étaient visibles. Avec la lumière extérieure, ils paraissaient plus surnaturels que d'habitude. Leith déverrouilla la boîte à gants et en sortit un pashmina qu'il enroula autour de mon cou.

— Couvre-toi bien. Ici, le vent souffle plus fort qu'au ranch.

Lorsque nous arrivâmes au bout du sentier, ma respiration se coupa tout net.

La mer du Nord était déchaînée, d'énormes vagues tourbillonnaient et finissaient par se jeter sur les rochers pour éclater en milliers de gouttelettes. En pleine mer, le ciel était si sombre que la nuit semblait être tombée à cet endroit-là. Et quelques éclairs venaient zébrer les gros nuages gris avant de claquer sur l'eau. On les voyait, mais on ne les entendait pas, c'était absolument magnifique. J'étais littéralement subjuguée par la colère noire de dame nature. Pas un oiseau dans les airs, pas un animal dans les champs, tous se cachaient de ce temps apocalyptique. Tous, sauf nous.

Une violente bourrasque souleva ma capuche et mes cheveux s'envolèrent dans la même direction que le vent. En une fraction de seconde, je me retrouvai trempée, l'eau de pluie dégoulinant sur mon visage et mon cou. Je poussai un cri de surprise et éclatai de rire. Lentement, Leith dégagea les mèches collées à mes joues, sur mes lèvres. Mon sourire s'estompa petit à petit tandis que je fixais sa tempe blessée. Il n'y avait plus rien. Plus la moindre trace de griffure. Fascinée, je levai les doigts et frôlai son front. Leith se saisit doucement mon poignet, le serra brièvement et me transperça du regard. Ses iris s'étaient teintés de points jaunes semblables à des gouttes d'or.

— Tes yeux..., chuchotai-je, ébahie.

Il me relâcha et ferma un instant les paupières. Lorsqu'il les rouvrit, ses yeux avaient retrouvé leur éclat émeraude.

— Pardonne-moi, susurra-t-il.

— Pou... pourquoi ?

— Je me contrôle mal.

Je fronçai les sourcils.

— Je ne comprends pas.

Il respira profondément.

— Toute ma vie, je me suis caché, je me suis battu pour ne pas révéler ce que je suis. Avec toi, j'ai l'impression que je peux être moi.

— Parce que c'est vrai, murmurai-je, émue.

Une étincelle traversa son regard.

— Il n'y a rien que je désire davantage que te connaître, Hannah. Passer du temps avec toi, me... laisser aller. C'est pourquoi j'ai parfois du mal à me contrôler, avoua-t-il, contrit.

Désarçonnée, je clignai des paupières.

— Je ne saisis pas. Qu'est-ce que tu ne contrôles pas ? Essaies-tu de me dire que... La couleur de tes yeux... Tu étais en train de te métamorphoser ?

Il hocha la tête.

— C'est ainsi que ça commence. Mes iris changent de teinte, deviennent jaunes...

— Comme de l'or, soufflai-je.

— Comme de l'or, répéta-t-il, troublé.

Ni l'un ni l'autre ne semblait avoir envie de bouger. Pourtant, le froid me glaçait les os. Mais j'avais encore tellement de choses à lui demander.

— Tes blessures ont complètement disparu...

Ce n'était pas une question, bien que ma phrase attendît une réponse.

— Si elles ne sont pas trop graves, je me régénère vite.

Devant mon visage hébété, il rit et poursuivit.

— Ne te méprends pas, je ne suis pas invulnérable. Si tu me coupes un membre, il ne repoussera pas. Si tu me tranches la tête, que tu me plantes un couteau dans le cœur ou que tu m'éventres, je mourrais.

Je fis la grimace.

— Par exemple, continua-t-il dans un merveilleux sourire, tout en m'abritant sous ma capuche, je suis résistant à toutes les maladies, ce qui n'est pas ton cas. Si tu restes sous la pluie comme ça, tu vas attraper la mort. Viens, on ferait bien de rentrer.

Il avait raison. J'avais tellement froid... Je tremblais comme une feuille.

Leith me conduisit à la voiture et m'invita à m'asseoir à l'intérieur. Il démarra le moteur et mit le chauffage à fond. Enfin, il fit le tour du 4×4 pour ouvrir le coffre et abaissa les sièges arrière, ce qui créa un large espace.

— Qu'est-ce que tu fabriques ? demandai-je, intriguée.

Il me tendit une couverture.

— Passe à l'arrière et retire tes vêtements.

— Mais, je... Non, protestai-je en m'empourprant.

Il fronça les sourcils, très amusé.

— Je n'en ai pas après ta vertu, mais tu es complètement trempée. Il gèle, et si tu fais le trajet comme ça, tu vas tomber malade.

Je fis la moue. Il avait raison.

J'obtempérai et me glissai par-dessus les sièges. Leith referma le coffre et attendit dehors que je me déshabille. Je retirai ciré, bottes, sweater, tee-shirt et chaussettes. Quand je m'attaquai à mon jean, il était si mouillé que j'eus un mal de chien à le faire descendre sur mes jambes. Lorsque j'y parvins, je demeurai en sous-vêtements et m'enveloppai dans l'épaisse couverture. Enfin, je tapai sur la vitre pour signifier à Leith que j'avais terminé. Il s'installa derrière le volant et retira son ciré dégoulinant pour le déposer sur le siège, côté passager.

— Reste à l'arrière, proposa-t-il. Tu seras bien plus à l'aise. Je roulerai doucement.

La situation était pour le moins embarrassante. Je me sentais aussi nue qu'un ver. Je serrai un peu plus le plaid contre moi et m'y agrippai de toutes mes forces, ignorant les regards amusés que Leith me jetait. Lorsque nous fûmes arrivés au ranch, il fit marche arrière de façon à ce que le coffre soit le plus près possible de la porte d'entrée, m'intima de ne pas bouger et pénétra dans la maison pour revenir deux minutes plus tard avec un peignoir et une paire de chaussons qu'il me tendit. Je m'habillai en vitesse, basculai mes jambes à l'extérieur, et poussai un cri de stupéfaction quand Leith passa un bras derrière mon dos et un autre sous mes genoux pour me soulever. Mortifiée, je m'accrochai à son cou et suffoquai.

Je n'eus pas le temps de me préoccuper de la sortie-de-bain qui s'ouvrait dangereusement, nous étions déjà à l'intérieur. Leith me fit glisser sur le sol, désigna l'escalier du plat de la main, et sourit malicieusement. Je ramassai mon sac de voyage en bas des marches, et filai en moins de deux jusqu'à la salle d'eau.

— Ça va mieux ? s'enquit Leith.

Il me tendit un mug de thé fumant et, à l'aide d'un tisonnier, il raviva le feu dans la cheminée devant laquelle il était agenouillé.

— Oui, merci, répondis-je en m'installant à côté de lui.

Tandis qu'il passait ses mains devant les flammes. Mes yeux se figèrent sur ses mouvements. Il avait de longs doigts aux ongles soigneusement coupés, sans égratignure ni même un seul morceau de peau sèche. La régénération devait être quelque chose de fantastique.

Je levai les cils vers son profil et observai la fine cicatrice qui lui barrait le visage. Je brûlais d'envie de savoir ce qui lui était arrivé, pourquoi elle ne s'était pas estompée comme les autres.

— D'où te vient cette marque ? me risquai-je à demander en désignant ma propre joue droite.

— Blessure de guerre, lança-t-il, feignant un sérieux absolument déroutant.

— Mais encore ?

Il pivota légèrement pour m'observer.

— Tu veux vraiment savoir ?

Je hochai la tête.

— Ce n'est pas une jolie histoire, Hannah.

— Si ça ne te dérange pas de la raconter, je veux bien la connaître.

Il m'étudia un instant sans rien dire et soupira.

— Ça remonte à loin maintenant... J'avais huit ans. Nous étions tous les trois à la maison, avec mes parents, c'était le jour de Pâques. Il faisait étonnamment beau et ma mère prenait le thé dehors pendant que je cherchai les œufs en chocolat. Mon père m'accompagnait, il me donnait des indices en douce pour que je les trouve plus facilement. On était en train de récupérer les derniers lorsque la sonnette a retenti. Ma mère s'est levée pour aller voir qui nous rendait visite, je lui ai couru après, et dans l'intervalle, mon père s'est rendu dans le cabanon pour bricoler. Elle venait juste d'ouvrir la porte d'entrée quand je suis arrivé. Un Crinos se tenait derrière la grille. Il a sauté par-dessus la haie, et il a brutalement poussé ma mère à l'intérieur. En une fraction de seconde, poursuivit-il, il s'est métamorphosé et s'est jeté sur elle. Il l'a égorgée sous mes yeux, ne lui laissant aucune chance de survivre. Elle s'est vidée de son sang devant moi. Elle est morte en quelques secondes.

J'étouffai un cri d'horreur dans le creux de mes mains.

— J'ai été pris d'une rage incontrôlable, j'ai fondu sur lui. Le Crinos m'a attrapé par la gorge et m'a secoué comme une poupée de chiffon. Je pensais qu'il allait me faire subir le même sort que ma mère, mais à la place, il a posé une de ses griffes sur ma joue et l'a enfoncée aussi profondément que possible. Il m'a tranché la peau comme un boucher l'aurait fait avec un morceau de viande, puis il m'a abandonné sur le sol. Je saignais abondamment et, avant de perdre connaissance, j'eus le temps de voir mon père arriver sous la forme d'un loup. Il a réussi à tuer le Crinos, mais il était trop tard. Ma mère était morte.

J'étais au bord des larmes. Comment une telle barbarie pouvait-elle exister ? Comment Leith n'était-il pas devenu fou, ensuite ? J'avais envie de le prendre dans mes bras, de le serrer fort contre moi, mais ses narines frémissaient, sa mâchoire semblait serrée dans un étau, et je n'osai pas. Quand il poursuivit, je tremblais presque.

— Je me suis réveillé deux jours plus tard. Comme je n'avais encore jamais muté, la régénérescence a été lente et incomplète. J'étais sérieusement amoché et la blessure s'était gravement infectée. Bonnie m'a soigné. C'est grâce à elle que je ne suis pas complètement défiguré aujourd'hui, ajouta-t-il en frôlant sa cicatrice. Dix jours plus tard, le choc a provoqué ma première transformation. Six ans trop tôt. Je suis devenu un homme alors que j'avais à peine huit ans.

Indisciplinées, les larmes que j'avais tenté de retenir coulaient sur mes joues sans discontinuer. J'aurais dû être forte, le soutenir, mais au lieu de ça, je m'effondrai comme la misérable petite humaine que j'étais. Il prit un mouchoir en papier d'une boîte derrière nous et me le tendit. Je me mouchai bruyamment et m'essuyai vivement mes yeux.

— Ne pleure pas, Hannah, chuchota-t-il en me caressant doucement les cheveux.

— Pourquoi... pourquoi a-t-il tué ta mère ? reniflai-je.

Ses traits s'assombrirent plus encore.

— Je préférerais ne pas en parler.

Je n'insistai pas. Il m'en avait déjà beaucoup dit.

Je séchai mes dernières larmes, contemplai le profil tourmenté de Leith, et tendis les doigts pour frôler l'affreux héritage de son passé. Il posa sa main sur la mienne et la pressa fort sur sa joue. Enfin, il attira ma tête contre son épaule et enroula son bras autour de moi.

Nous restâmes ainsi d'interminables minutes à regarder le bois crépiter dans la cheminée. Il n'y avait plus rien à dire. J'étais ébranlée, touchée, meurtrie au plus profond de moi. Pourquoi aurais-je dû nier l'évidence plus longtemps ? Je n'avais plus envie de me mentir, ni même de me retenir. Wick ou Paris, ça m'était égal. Tous les raisonnements du monde n'y auraient rien changé. J'étais totalement et passionnément amoureuse de Leith Sutherland.

Chapitre 16

Il y a quelque chose dont vous voudriez me parler ?

— Ça va ? me demanda Leith en voyant ma mine déconfite.

Non.

Je rentrais chez moi.

Le Range Rover venait juste de s'arrêter dans la cour du manoir.

— Oui, répondis-je quand même et d'une toute petite voix.

Il frôla ma joue du bout des doigts, s'empara de ma main et la serra doucement.

Nous sortîmes du véhicule sous la pluie, commençâmes à décharger le coffre, et levâmes les yeux sur mes parents qui couraient pour se réfugier dans leur voiture.

— Nous allons récupérer maman chez l'ophtalmo, nous cria mon père.

— Leith ! reprit ma mère. Nous aimerions te garder à dîner, ce soir. Tu es d'accord ?

Leith lui sourit.

— Avec grand plaisir, madame Jorion.

Nous regagnâmes la maison sans tarder et rejoignîmes Mathy dans la cuisine. Comme nous n'avions rien mangé sur le bateau, nos estomacs criaient famine. Mathy sortit une tourte aux pommes du four, alors, sans manière, nous nous jetâmes dessus pour l'engloutir. Elle était délicieuse. Le ventre plein, Leith se leva et épousseta son pantalon.

— Tu t'en vas déjà ? demandai-je, au bord de la déception.

Il secoua la tête, un éclat calculateur dans le regard.

— Pas encore. Tu me fais faire le tour du propriétaire ? On en profitera pour monter tes valises.

Je voyais parfaitement où il voulait en venir, mais j'acceptai sans l'ombre d'une hésitation.

Il connaissait le niveau du bas, avec les deux salons, la salle à manger et la cuisine, mais il n'avait encore jamais vu l'incroyable bibliothèque de mon grand-père. C'est pourquoi je lui proposai de monter directement. Il s'empara de mon sac à dos au pied des marches et me suivit.

Je poussai la porte de la salle de lecture et révélai une pièce chaleureuse dans laquelle mes parents adoraient se prélasser avec un bon bouquin. Les étagères, très anciennes, couvraient les deux plus grands pans de mur et contenaient une quantité inimaginable de livres. Impressionné, Leith s'en approcha pour les observer.

— La majorité des ouvrages appartenaient à mon arrière-grand-père, l'informai-je. Il était féru d'histoire, d'art et d'archéologie. Mais il aimait aussi beaucoup l'astronomie et les mathématiques.

— Certaines reliures sont magnifiques, fit-il remarquer en caressant le dos d'une épaisse encyclopédie. Tu dois apprécier passer du temps ici, non ?

— Pas vraiment, avouai-je. En fait, tous ces livres m'impressionnent. Lorsque j'en prends un, je me sens coupable, comme si tous les autres me hurlaient : « Pourquoi pas moi ? Pourquoi pas moi ? »

Il secoua la tête en riant.

— Mais tu lis quand même ?

— Évidemment, mais pas ici.

Intéressé, il haussa un sourcil.

— Où ça, dans ce cas ?

Je le sentais venir à des kilomètres. Je soupirai.

— Ma chambre.

Il m'offrit un large sourire.

— Montre-moi.

Ne trouvant rien à ajouter, j'obtempérai en me félicitant intérieurement d'avoir pensé à faire mon lit avant de partir sur les Orcades. Je poussai la porte et lui montrai mon antre. À ma grande stupéfaction, au lieu d'y déposer mon sac et de ne faire qu'y jeter un œil, il y pénétra carrément pour en faire le tour. Puis il s'assit sur le matelas, tout naturellement.

— Tu n'entres pas ? roucoula-t-il littéralement.

Je me résignai, embarrassée.

J'utilisais cette pièce depuis mon enfance. Cet endroit avait vu passer un bon nombre de pleurs, de joie et de moments intimes, alors Leith, installé sur mon lit, c'était vraiment bizarre et déroutant.

Je refermai derrière moi et m'appuyai aussitôt contre le battant, histoire de rester à une distance raisonnable de lui.

— C'est charmant et inattendu dans une chambre de jeune femme, nota-t-il en observant ma collection de chevaux et poneys miniatures.

Puis son regard se posa sur la table de chevet où il remarqua le livre que j'avais acheté à Gwen. Il s'allongea à moitié pour le récupérer et l'ouvrit directement à la fin, à la recherche du glossaire.

— Voyons voir, grogna-t-il en tournant les pages jusqu'à « loups-garous ». Oh ! s'exclama-t-il après avoir parcouru quelques lignes. Il y en a, des choses intéressantes.

Il se racla la gorge et lut à voix haute.

— *Qu'il soit sous sa forme humaine ou sous celle du loup, le Lupus est toujours un être d'une grande beauté. Ses yeux, d'un vert lumineux, changent de couleur lorsqu'il se transforme. Le Lupus exerce sur l'être humain un pouvoir de séduction proche de l'hypnose.* Hum... un être d'une très grande beauté, hein ? citat-il innocemment. Avec un pouvoir de séduction proche de l'hypnose ? Tu remarqueras, ce n'est pas moi qui le dis !

— Frimeur ! lui lançai-je, amusée.

— Eh bien, quoi ? fit-il mine d'être choqué.

— Comme si tu ne le savais pas !

Il referma le livre en le claquant si fort que je sursautai. Il le remit précisément à sa place et se leva souplement pour marcher dans ma direction. Lentement. Trop lentement pour que je ne me sente pas en danger dans l'exiguïté de cette pièce. Il avançait, à pas de velours, le regard perçant, le sourire lourd de sens, on aurait dit un prédateur.

Paniquée, je retins ma respiration. Il posa les mains sur la porte, de façon à m'encercler, et s'inclina. J'étais prise au piège, mais sans la moindre envie de fuir.

Leith me dominait d'au moins une tête et demie, m'obligeant à lever la mienne au maximum pour le fixer franchement. Son regard incandescent était figé sur moi et, peu à peu, son sourire s'estompa. Son visage n'était plus qu'à quelques centimètres du mien, je sentais son souffle chaud sur ma bouche. Mes lèvres s'entrouvrirent, les siennes tremblèrent imperceptiblement. J'étais sûre qu'il allait m'embrasser. Sûre et certaine. Je voulais fermer les yeux, mais ne parvins pas à me soustraire aux siens, j'étais éblouie, prête à faire tout ce qu'il me demanderait. C'était effrayant comme sentiment, mais je n'y pouvais rien. Puis, de la manière la plus inattendue qui soit, Leith récita :

— *Un pouvoir de séduction proche de l'hypnose...* À présent, je ne pourrai plus dire que je ne l'ai pas fait avec toi, chuchota-t-il en se redressant.

Il me contempla encore quelques secondes, et s'éloigna.

Hébétée, j'exhalai tout l'air contenu dans mes poumons.

J'étais tellement ébranlée et sous le choc que je sentis un sanglot monter dans ma gorge, je l'étouffai de justesse. Immobile devant la fenêtre, Leith regardait dehors. J'allais tout simplement sortir d'ici quand il s'adressa à moi et manqua me faire tomber à la renverse.

— Je voudrais être ton petit ami. Acceptes-tu ?

— Qu... quoi ? hoquetai-je, éberluée.

Il fit volte-face pour m'observer attentivement.

— Je voudrais être ton petit ami. Acceptes-tu ?

Définitivement désarçonnée, je pris appui sur la poignée de la porte avant de me diriger vers l'unique chaise pour m'asseoir. J'étais tellement soufflée que je ne savais quoi répondre.

— C'est en tant que tel que je veux que tes parents apprennent à me connaître, s'expliqua-t-il simplement.

— Mon petit ami ?

— J'en serais très honoré. Mais peut-être que toi, tu..., s'inquiéta-t-il en fronçant les sourcils.

Comment aurais-je pu dire non ? Au plus profond de moi, il n'y avait rien que je désirais avec autant de force.

— Non ! Si ! Si, bien sûr, c'est juste que je... tu... c'est si...

Il s'approcha et s'agenouilla devant moi avant de prendre ma main pour en embrasser doucement la paume. Ça me fit tout drôle.

— C'est bien la première fois que tu ne sais plus quoi dire, fit-il remarquer, les yeux pétillants, les lèvres rieuses.

Je ris avec lui et m'apprêtai à lui répondre lorsque nous entendîmes une portière claquer dans la cour. Mes parents venaient de rentrer avec Elaine. Brisant ce merveilleux moment, Leith se leva à contrecœur. Dans le couloir, il passa son bras autour de mon cou, comme une évidence. Tout ceci était si... inattendu. Je ne pouvais m'empêcher de sourire bêtement.

Ma mère fut la première à entrer dans la maison et comme Leith n'avait pas décidé de relâcher son étreinte, elle nous vit descendre, ainsi. J'étais rouge de confusion. Elle secoua la tête avec un petit rictus d'amusement, puis elle s'éloigna dans le salon. Lorsque mon père passa la porte avec Elaine, je me dégageai brusquement du bras de Leith pour rejoindre ma grand-mère et l'embrasser. La vérité étant que je ne voulais pas qu'il nous voie comme ça. Il aurait peut-être aussi bien réagi que ma mère, mais je n'en étais pas complètement sûre, et comme on m'avait toujours dit de ne jamais tenter le diable...

— Leith, l'interpella-t-il, alors que nous étions tous installés dans le grand salon. Ma mère nous a raconté que tu fréquentais l'université de St Andrews. Tu y étudies l'histoire de l'art, c'est ça ?

— Non, pas exactement, expliqua ce dernier. Je travaille sur les variations de l'Humanité à travers les arts visuels. Plus précisément, la vision que l'Homme a de sa propre évolution et comment il l'a retranscrit. Mais en effet, le département auquel j'appartiens est celui d'histoire de l'art.

— Et tu penses que tout ceci te permettra de faire quoi, par la suite ? demanda mon père, inquisiteur.

Je fronçai les sourcils. Aurais-je noté une pointe de sarcasme dans sa voix ?

— Papa, protestai-je. Leith entrera en deuxième année à la rentrée, comment veux-tu qu'il sache exactement de quoi sera fait son avenir professionnel ?

— Lorsque j'ai commencé mes études d'architecture, je savais exactement ce que je voulais faire ensuite, répliqua-t-il en me prenant de haut.

— Ton père a raison, renchérit calmement Leith. Je pense comme lui qu'il est inutile d'entreprendre quelque chose sans avoir un but. Un poste de professeur d'université me plairait bien, monsieur. L'Humanité est en perpétuelle évolution, quoi de plus naturel que de désirer en partager la connaissance ?

Je fus surprise qu'une réponse aussi évasive convienne à mon père. Mais celui-ci sembla satisfait et n'insista pas davantage.

— Que font tes parents ? continua-t-il à l'interroger.

Je serrai les dents. Il donnait vaguement l'impression d'être en train de s'assurer que Leith était un bon parti pour moi. Bon sang ! Il mettait carrément la charrue avant les bœufs.

— Mon père est exploitant pétrolier, monsieur. Comme vous le savez, Wick en possède quelques gisements.

— Tu veux dire qu'il travaille sur une exploitation pétrolière ? le reprit mon père.

— Non, monsieur, pas directement. Il en est le propriétaire.

— Oh..., bredouilla mon père, interloqué, en levant brièvement les yeux vers Elaine. J'avais cru comprendre qu'il s'occupait de la maintenance du phare de Noss Head.

Je fulminais de l'intérieur. Pourquoi avoir posé la question dans ce cas ?

Leith sourit, visiblement très amusé du petit effet de cette révélation.

— C'est une passion, ma famille s'en charge depuis toujours.

— Ah... Très bien.

Mon père paraissait si confus qu'il rebondit d'une pirouette habile sur le sujet précédent.

— Parle-moi de ton université. Elle est réputée pour accueillir des étudiants étrangers, il semblerait ?

— Oui, monsieur. Ceux du monde entier. Les disciplines sont très vastes, elles passent de l'art à la médecine, de la chimie à la théologie, du management aux mathématiques. Les choix sont nombreux.

— Les cours débutent à quelle période ? se manifesta ma mère, visiblement très intéressée.

Je tournai brusquement la tête vers elle. Qu'est-ce que ça pouvait bien lui faire de connaître la date de rentrée universitaire de Leith ?

— Vers le quinze octobre, madame. En tout cas me concernant.

— Les premières années également ? demanda-t-elle encore.

Là, je devins carrément suspicieuse. Je la dévisageai avec insistance, lui faisant comprendre qu'une explication serait la bienvenue, mais elle m'ignora.

— Tout dépend du cursus.

Je jetai un œil à Elaine, elle était enfoncée dans son fauteuil et écoutait la conversation sans montrer l'envie d'intervenir. Mes parents avaient-ils l'intention de m'envoyer faire mes études en Écosse ?

— Je vous prie de m'excuser, dit Leith en se levant. Comme vous me l'avez proposé, je serai avec vous pour dîner ce soir. Toutefois, je dois d'abord faire un saut chez moi. Vers quelle heure désirez-vous que je revienne ?

— Dix-neuf heures trente, répondit ma mère, tout sourire.

Je plissai les yeux. Leith était quelqu'un de bien trop intelligent pour ne pas s'être rendu compte que quelque chose clochait. Je bondis sur mes pieds pour le raccompagner. Il m'arrêta aussitôt.

— Il pleut encore, reste à l'intérieur, je connais le chemin, murmura-t-il avec un regard qui semblait vouloir dire : « Discute avec ton père et ta mère, maintenant. »

— Il y a quelque chose dont vous aimeriez me parler ? lançai-je sèchement à mes parents lorsqu'il fut parti.

Ma mère croisa les mains sur son giron, embarrassée.

— Oui, Hannah. Voilà. Nous avons tous pris la décision qu'Elaine n'irait pas en maison de retraite.

Ce qui fut un réel soulagement, mais avant même qu'elle en dise davantage, j'avais deviné ce qui allait suivre. C'était tellement évident.

— Nous restons à Wick, poursuivit-elle. Dans un premier temps, uniquement toi et moi. Ton père nous rejoindra plus tard. Nous ne vendons pas l'appartement, il fera plusieurs allers-retours par mois pour les besoins du cabinet.

— Et ton travail au lycée ?

— J'ai pris mes dispositions. Je serai remplacée sans problème et on m'a fait une offre comme professeur de français, ici.

— Déjà ! m'écriai-je. Mais depuis quand avez-vous pris cette décision ?

— Peu de temps avant ton anniversaire, avoua-t-elle, visiblement gênée.

— Je vois. Et vous m'en parlez seulement maintenant ?

Il y avait quand même de quoi être irrité.

— Il était inutile de t'informer avant que nous ayons tout organisé, intervint mon père.

Je haussai les épaules.

— Qu'en penses-tu ? s'enquit Elaine qui n'avait encore rien dit jusque-là.

— Je suis d'accord, acquiesçai-je néanmoins, totalement sûre de moi.

— Vraiment ? s'étonna ma mère avec un petit sourire. Je suis surprise que tu sois si accommodante. Tu n'étais pas dans cet état d'esprit en arrivant ici, en début de mois.

— Oh, Paris me manquera, maman, lui certifiai-je, mais Elaine est très importante à mes yeux.

Sur quoi je me levai pour aller l'embrasser tendrement.

— Et pour l'université ? demandai-je.

— Eh bien, tu pourras choisir celle qui te convient, évidemment, me rassura mon père. Mais tu dois prendre une décision au plus vite, nous n'avons plus beaucoup de temps pour t'inscrire quelque part.

— St Andrews ? suggéra ma mère avec un clin d'œil espiègle.

Je me mordis les lèvres pour éviter de rire nerveusement.

— Je vais y réfléchir, répondis-je, essayant de paraître la plus détachée possible.

Maman me scruta avec perplexité, mais elle n'insista pas. Elle sourit et passa son bras autour de mes épaules.

— Nous avons une surprise pour toi, *sweetheart*.

— Ah ?

Papa plongea la main dans sa poche et en sortit le porte-clefs qu'ils m'avaient offert pour mon anniversaire. Des clefs y étaient accrochées.

— Nom d'un..., soufflai-je, béate. La voiture est ici ?

— Dans le garage, confirma-t-il.

— Mais... mais... depuis quand ?

— Quelques jours avant ton anniversaire. Nous sommes allés la chercher à Helmsdale avec ta grand-mère. Maintenant que nous sommes sûrs de rester ici, nous pouvons te remettre les clés.

J'ouvris de grands yeux éberlués.

— Mais, je... je croyais qu'elle était à Paris ! Vous êtes absolument incroyables !

— Nous en avons bel et bien conscience, s'esclaffa ma mère. La prochaine étape, c'est le permis de conduire. Nous nous sommes renseignés, nous avons déjà quelques dates à te proposer, pour les cours.

Je n'en revenais pas.

— Bon. Ce n'est pas tout, annonça-t-elle en se levant, mais nous avons un invité de marque ce soir. Le premier petit ami d'Hannah. Tout doit être parfait !

Aussitôt, ma joie d'avoir Leith à la maison se transforma en angoisse intenable. J'avais oublié mon père...

— Maman, qui t'a dit qu'il était mon petit ami ? grinçai-je.

— Ce n'est pas le cas ? Je me serais donc trompée ? me railla-t-elle en battant des cils.

Je jetai un coup d'œil à mon père, il était tout rouge, les mâchoires tellement crispées qu'elles semblaient sur le point de se briser. Il tapota nerveusement les doigts sur ses cuisses en levant les paupières vers moi.

— Papa ?

— Ce n'est pas à moi qu'on pose la question, jeune fille. C'est ton petit ami, oui ou non ?

— Ne t'occupe pas de lui, intervint Elaine en souriant. Il vient juste de se rendre compte qu'il n'est plus le seul homme de ta vie, mon ange. Allez, Paul, accompagne-moi dans ma chambre, s'il te plaît, et laisse ta fille digérer toutes ces nouvelles.

Mon père obéit en grommelant dans sa barbe, se leva de son fauteuil et cala son bras sous celui d'Elaine. Quand ils passèrent devant moi, il s'arrêta pour me toiser, les paupières plissées.

— Il a l'air très bien, dit-il en plissant le front. Mais s'il se rate avec toi, moi, je ne le raterai pas.

Sur ce, il sortit de la pièce avec Elaine.

Je considérai ma mère en haussant les épaules et écarquillant les yeux, au bord du fou rire. Amusée, elle s'était plantée devant moi, les bras croisés sur la poitrine, le regard inquisiteur.

— Quoi ? lui demandai-je.

— Tu n'as toujours pas répondu à ma question.

— Oh, allez, maman ! Tu n'as même pas besoin que j'y réponde, ton idée est déjà toute faite !

— Je n'ai pourtant pas le sentiment de faire fausse route, affirma-t-elle, moqueuse. C'est un beau garçon, plein de charme, je comprends qu'il te plaise.

Il n'est sans doute pas étranger au fait que tu ne sembles ni irritée ni angoissée d'abandonner Paris, n'est-ce pas ?

Toujours silencieuse, je secouai le menton de droite à gauche, les joues cramoisies. Sans un mot de plus, elle m'embrassa affectueusement la joue et quitta le salon.

Chapitre 17

Bon sang, j'ai l'impression d'avoir de nouveau treize ans !

De : Moi
À : Sissi

J'ai deux grandes nouvelles à t'annoncer. Commençons par la première, celle qui te fera le moins plaisir, je suppose.

Mes parents m'ont appris que nous resterions vivre à Wick pour nous occuper d'Elaine. C'est mieux pour elle. Je sais, c'est une décision difficile, mais personne n'avait vraiment le choix.

Et moi ? Bah, je prends les choses plutôt bien. Ce qui m'amène à la deuxième grande nouvelle…

Je suis très officiellement la petite copine de Leith Sutherland ! Il a fait sa demande cet après-midi. À l'ancienne. « Je voudrais être ton petit ami. Acceptes-tu ? » J'ai failli mourir en l'entendant, et j'ai dit oui !

C'est incroyable tout ce qui arrive.

D'ailleurs, la journée ne se termine pas comme ça… ma mère a invité Leith à dîner ce soir.

J'avoue, je suis carrément paniquée. Je ne sais pas comment me comporter, je n'ai jamais emmené un seul mec à la maison. Sans compter que Leith n'a pas scellé sa demande par un baiser. OK, nous avons été interrompus, il n'empêche que… j'ai les jetons. Voilà.

Bon sang, j'ai l'impression d'avoir de nouveau treize ans !

Donc, Sissi les bons tuyaux, si tu avais l'obligeance de me répondre avant qu'il arrive, c'est-à-dire à dix-neuf heures trente, je t'en serais très, très reconnaissante !

Hannah.

Je jetai mon portable sur le lit en souriant et commençai à me détacher les cheveux. Ma venue à Wick avait sérieusement dû bouleverser les projets de la Divine Providence pour que mon destin en soit ainsi marqué. Il était évident que si j'étais restée à Paris, rien de tout ça ne serait arrivé. Paris… tout me semblait déjà tellement loin alors que ça faisait à peine plus d'un mois.

Mon téléphone bipa. Message de Sissi.

De : Sissi
À : Moi

HAAAAAAAAAAAAHHHHHHHHHHHHHH ! Hannah a un petit ami ! Hannah a un petit ami !

Excuse-moi, c'est l'émotion, j'ai du mal à le croire… Une demande à l'ancienne, tu dis ? Mais qui fait ça de nos jours, nom d'un chien ? Ce type est vraiment bizarre. Mignon, mais bizarre.

Bref, puisque tu attends un ou deux conseils de ma part, dans la mesure où, Cyril, je lui ai sauté dessus, je te recom-

```
manderais bien de faire la même chose, mais
c'est sans espoir, hein ? Alors, débrouille-
toi, ma vieille, moi, je veux juste connaître
la suite, et rapidos !
  Sissi.

  P.-S. : Mince, j'en aurais presque zappé
l'autre nouvelle. Elle ne me fait pas plai-
sir, c'est sûr. Tu vas me manquer…
```

Mon cœur se serra en lisant la dernière phrase.

```
De : Moi
À : Sissi

Toi aussi, Sissi… Toi aussi.
Je dois y aller, Leith va arriver d'une
minute à l'autre et je n'ai toujours pas pris
ma douche.
Des bises.
Hannah.
```

Il était pile dix-neuf heures trente lorsque Leith
sonna à la porte, j'avais juste eu le temps de m'habiller
en sortant de la salle de bains, mes cheveux étaient
encore mouillés. Je descendis les marches d'escalier
avec une lenteur exacerbée, inspirai profondément et
pénétrai dans la salle à manger. Elle était vide, mais
la table me laissa pantoise. À en croire la déco, on
aurait juré qu'on fêtait quelque chose de particulier :
couverts en argent, service en cristal, assiettes en por-
celaine… Tout ça pour Leith… J'avais envie de courir
me cacher, tout à coup.
  Trop tard, je n'étais plus seule.

Je fis volte-face, Leith m'observait depuis l'encadrement de la porte. Sa beauté inhumaine me coupa le souffle. Il s'était habillé d'un pantalon beige lui serrant les cuisses, ainsi que d'un pull marine col en V d'où dépassait une chemise blanche, ouverte de deux boutons. Les boucles de ses cheveux, d'un brun foncé, lui retombaient naturellement sur le front et lui donnaient presque un air angélique. Mais son regard n'était pas celui d'un ange, loin de là. Il était transcendant, transperçant, incandescent, voire indécent. Il en disait clairement davantage que le simple « Bonsoir, je suis content de te voir ». Troublée, j'étais en train de fondre comme neige au soleil.

Bon sang, il ressemblait à une gravure de mode, alors que moi, je portais mon vieux jean, un tee-shirt et des Converse !

— Salut, pépiai-je.

Il avança paisiblement, prit mes mains entre ses paumes et inclina la tête pour m'embrasser sur le front, si légèrement, que je perçus à peine son baiser, toutefois, je fus comme électrocutée. Je n'osais même pas imaginer l'état dans lequel je serais le jour où il déciderait de poser sa bouche sur la mienne. Un cas avéré de combustion spontanée ?

Il effleura la mèche de cheveux humide qui s'était échappée de ma barrette et sourit.

— Si jolie. Et tu sens merveilleusement bon.

Venant de lui, c'était un vrai compliment. Je me sentis rougir jusqu'aux oreilles.

— Merci. Meilleur qu'*Envoûtant ?* le raillai-je.

Un éclat brilla dans ses yeux.

— Je devrais réussir à me contrôler devant tes parents, si c'est ce que tu veux savoir.

Je me composai une mine boudeuse.

— Quel dommage...

Leith baissa la tête vers moi, les paupières mi-closes.

— Je ne te savais pas si provocatrice, fit-il calmement remarquer, le regard noué au mien.

Je déglutis avec tant de difficulté que forcément, il s'en rendit compte.

— C'est de la violette, lâchai-je abruptement pour faire bonne figure.

Il plissa le front.

— Pardon ?

— Mon parfum. C'est de la violette.

— D'accord... articula-t-il en se redressant, le sourcil droit levé. Si tu le dis.

— J'espère que vous avez faim ! s'exclama Mathy en pénétrant dans la salle à manger avec mes parents et Elaine.

— Une faim de loup, lui assurai-je.

Quand je réalisai l'énormité de ma réflexion, mon regard se posa sur Leith. Le visage fendu d'un sourire carnassier, il inclina la tête et approcha ses lèvres de mon oreille tandis que nous prenions place à table :

— Bientôt, je te prouverai que tu n'as aucune espèce d'idée de ce que tu racontes.

— Madame Jorion, j'ai passé un moment très agréable, la remercia Leith qui était sur le point de partir.

— J'en suis ravie ! Reviens à la maison quand tu voudras, tu es le bienvenu.

Il serra la main à mon père et salua chaleureusement Mathy et Elaine avant que nous ne sortions tous les deux dans la cour. Silencieusement, nous avançâmes jusque vers son 4×4.

— Tes parents sont fabuleux, dit-il enfin.

Ce repas s'était aussi bien déroulé que je l'avais espéré. Ma famille appréciait Leith, particulièrement Elaine qui n'avait cessé de lui offrir ses plus beaux sourires. Mon père s'était montré bien moins inquisiteur et ma mère était tout simplement tombée sous le charme. Oui, ç'avait été une merveilleuse soirée.

— Je les adore, renchéris-je.

— Je prendrai beaucoup de plaisir à les revoir.

— Et eux à te recevoir, affirmai-je.

Le silence s'installa insidieusement entre nous. Leith me dévisageait avec tant d'intensité que je ne savais plus trop comment me comporter. Mon cœur battait la chamade. Alors je baissai la tête et mes yeux se posèrent sur mes chaussures. Une sale habitude. Bon sang... J'avais tellement envie qu'il m'embrasse. C'était même douloureux. Une boule de feu prenait forme dans mon estomac et me brûlait les entrailles.

— Je vais y aller, chuchota-t-il.

La flamme en moi se réfrigéra instantanément. Il partait ? Comme ça ?

— Je te téléphonerai demain, promit-il.

— Pas de problème, acquiesçai-je d'une voix que je voulus désinvolte et sans vraiment lever le menton.

C'est alors qu'il plaça ses doigts sous ma mâchoire et la souleva délicatement pour que je croise son regard. Impossible, la façon dont il m'observait me transperçait jusqu'à l'âme. Le souffle court, je fermai les paupières et entrouvris les lèvres. Lorsque je sentis sa bouche chaude et douce se poser tendrement sur mon front et y demeurer quelques secondes, je faillis fondre en larmes. Ce n'était pas ce que je voulais.

— À bientôt, murmura-t-il.

Je fus incapable de faire un geste quand il tourna les talons pour monter dans sa voiture, et pas davantage quand il démarra et fit demi-tour pour rejoindre la route.

Le cœur serré, je le regardai s'éloigner dans la nuit avec un goût amer : celui de ne pas avoir eu le courage de l'embrasser moi-même.

Chapitre 18

Tu te proposes pour être mon guide ?

De : Moi
À : Sissi

J'ai le cerveau complètement retourné à force de réfléchir.

Je viens tout juste de raccrocher avec Leith. Je ne l'ai pas revu depuis ce fameux dîner avec mes parents, ça fait déjà deux semaines. Bon sang, que lui arrive-t-il ? Il me demande d'être sa petite amie et il disparaît !

J'ai voulu savoir quand il comptait revenir de ce voyage avec son père, il m'a répondu : « Peut-être la semaine prochaine. » Puis il a ajouté : « Nous savons que tu restes à Wick, maintenant, nous aurons tout le temps de nous voir. J'ai plusieurs choses à régler, je ne peux pas faire autrement. Essaie de comprendre... »

Qu'est-ce que je suis supposée répondre à ça ? Pourquoi fait-il tant de mystères ? Pourquoi ne m'a-t-il pas embrassée ? Qu'est-ce qui cloche avec moi ?

Aujourd'hui, je lui ai avoué pour la première fois qu'il me manquait, ça n'a pas eu l'air de l'émouvoir outre mesure. Il m'a dit

196

qu'il me rappellerait ce soir, c'est tout.
Mais le fera-t-il vraiment ? Rien n'est moins
sûr. Ses coups de fil se sont tellement espacés depuis la semaine dernière… Je ne comprends plus rien.

Je suis certaine qu'il regrette.

C'est ma première histoire d'amour, bon
sang ! Elle n'est même pas consommée que ça
tourne au cauchemar. Je suis sur les nerfs,
déroutée, tout ceci n'a aucun sens.

Je t'ai toujours dit que je faisais fuir
les mecs. Tu vois, j'en ai encore la preuve.
Je ne dois vraiment pas être faite pour ça.

Bref…

J'ai commencé mes cours de conduite. Mes
parents ont préféré que je passe par une
auto-école plutôt que d'apprendre avec eux,
si bien que logiquement, dans quinze jours,
si je m'en tire bien et que j'obtiens mon
code rapidos, j'aurais mon permis en poche.

Oh, je suis motivée, je cravache sec. Je
veux pouvoir bouger du manoir librement. J'en
ai marre d'être coincée ici à attendre un
petit ami fantôme.

Ah ! J'allais oublier. Ce soir, j'ai décidé
de sortir. J'ai rencontré Davis sur le port,
il m'a proposé de l'accompagner chez Finighan
avec Suzy. Ils sont ensemble maintenant.

Je le laisse.

Ton amie désespérée,

Hannah.

***

Le pub d'Ed. Finighan était aussi bondé que la dernière fois, pas une seule table n'était libre.

Suzy nous attendait au comptoir, assise sur un tabouret de bar, une chope à la main. Elle nous fit signe d'avancer. Davis s'approcha et lui embrassa doucement les lèvres.

J'avais beau être sortie pour me changer les idées, je me renfrognai en les voyant roucouler. Si Davis et elle étaient heureux, ce n'était pas le cas de tout le monde. Je m'installai à côté de Suzy et contrôlai une dernière fois mon téléphone portable. J'espérai y trouver un message de Leith. Rien. Exaspérée, je finis par l'éteindre complètement avant de commander une brune. Je crus Davis sur le point de s'étouffer.

— C'est une blague ?

Je lui fis signe que non.

Alors soit, ce n'était pas la meilleure solution pour me vider la tête et oublier mes soucis, mais c'était la seule qui me venait à l'esprit. Sans compter que chez Finighan, il n'y avait pas grand-chose d'autres à faire que boire de la bière.

— Il n'y a que les imbéciles qui ne changent pas d'avis, ajoutai-je platement.

Il abaissa les paupières et me dévisagea bizarrement.

— Il y a de l'eau dans le gaz ?

J'arquai un sourcil.

— À quel sujet ?

Il claqua la langue contre son palais.

— Allez, à d'autres. Il paraît que toi et Sutherland avez fini par vous entendre.

Je fis des yeux tout ronds.

— Qui t'a raconté ?

Davis haussa les épaules d'un air détaché.

— Tu as dit à Sissi qu'il t'avait invitée sur les îles Orcades, le soir de ton anniversaire. Elle en a parlé quand je l'ai accompagnée à l'aéroport avec Maisie. J'en ai déduit que vous deviez être ensemble.

— Ah...

C'était tout ce que je trouvai à dire.

— « Ah » quoi ? T'es avec lui ou pas ?

Étant donné la situation, je n'étais pas sûre de pouvoir affirmer quoi que ce soit, c'est pourquoi j'optai pour l'honnêteté.

— Je ne sais pas.

— Comment ça, tu ne sais pas ?

Je ne répondis rien, il fronça les sourcils.

— OK. Je ne vais pas me mêler de ce qui ne me regarde pas, mais si tu veux mon avis, ce type est bien trop bizarre pour toi.

— Il n'est pas bizarre, juste… différent, chuchotai-je.

— Tu vois, tu le reconnais toi-même !

Sur ces entrefaites, le barman me servit ma bière. Je n'avais pas particulièrement soif – et encore moins d'alcool –, mais je bus d'une traite plus du quart de mon verre. Fatalement, je fus secouée d'un frisson de dégoût. Davis et Suzy rirent devant mon visage mortifié, mais le barman lui, semblait plutôt ennuyé. Il se pencha vers moi.

— Il y a un problème avec la bière ?

Je levai les cils, il était carrément mignon. Athlétique, blond, les cheveux longs, les traits fins et de grands yeux verts tirant sur le kaki. Il avait des allures de chanteur de rock.

— Non. Je n'ai pas l'habitude d'en boire, me justifiai-je, gênée.

— Tu n'aurais peut-être pas dû commencer par quelque chose d'aussi fort. De préférence, choisis une bière un peu plus fruitée, conseilla-t-il.

Dans la foulée, il prit ma chope et la vida dans l'évier.

— Tiens, essaie plutôt ça, dit-il avec un large sourire, en me tendant un autre verre.

Le liquide était un peu plus clair et l'odeur de malt nettement moins prononcée que précédemment. Je trempai mes lèvres dans la mousse délicate, le résultat était surprenant. L'alcool avait un goût subtil de fruits rouges, doux et sucré.

— J'aime bien, annonçai-je.

Son visage s'illumina.

— Ravi que ça te plaise.

Je lui rendis franchement son sourire, et lorsque je tournai la tête vers Davis et Suzy, ils m'observaient, complètement éberlués.

Je plissai le front.

— Quoi ?

— Si tu voyais ta tronche ! s'esclaffa Suzy. De la bière ou du barman, on se demande ce qui te fait le plus d'effet !

Je piquai un fard en regardant le type en question. Occupé à servir un client, il ne semblait pas avoir entendu. Suzy secoua le menton et recula sur le tabouret, de façon à ce que son dos repose tout contre Davis. Il enroula ses bras autour d'elle et lui caressa doucement la taille, du bout des doigts. Suzy ferma les yeux de contentement, quant à moi, je ne sus réprimer un pincement au cœur. Leith aussi avait eu des gestes tendres à mon égard – bien que timides –, mais finalement, à quoi cela avait-il servi, à part me faire ronger mon frein ? Il m'avait littéralement charmée, éblouie, avant de me laisser à mes stupides rêveries d'adolescentes. Pour ça, j'étais en colère. Très en colère contre lui. J'avais décidé de baisser les armes après avoir décrété que je ne voulais pas souffrir, et au bout du compte, j'étais déjà en train de m'en mordre les doigts. Encore heureux que notre relation soit restée suffisamment superficielle et que je n'aie pas à me souvenir de moments torrides. Mais pitoyablement, je me voilais la face. Pas besoin d'avoir passé le cap du rapprochement physique pour qu'un millier d'épingles s'enfoncent dans mon cœur. Bon sang, ça faisait un mal de chien !

Je vidai le reste de mon verre et, tel un homme désespéré d'être seul au monde, je le tendis au barman pour qu'il le remplisse. Il le fit sans dire quoi que ce soit, mais me resservit son sourire éblouissant. N'importe quelle fille aurait pu en tomber à la renverse.

Mes joues commençaient sérieusement à me chauffer et la tête à me tourner. Toutefois, je me sentais pousser des ailes. Je me penchai vers Davis et Suzy pour leur soutirer quelques renseignements.

— Le barman, il n'était pas là la dernière fois qu'on est venus, non ?

— Non, me confirma Davis. Il a été embauché il y a quelque temps. Il est anglais, je crois.

Je m'emparai de mon verre et bus encore plusieurs gorgées.

— Tu devrais y aller mollo avec la bière, Hannah, m'avertit-il en fronçant les sourcils.

— T'inquiète pas, répliquai-je, éméchée, je ne vais pas vomir sur ta chemise !

— Laisse-la tranquille, s'interposa Suzy en l'attirant à elle.

Les joues en feu et l'esprit plus tout à fait clair, je me tournai vers le type derrière moi, un grand brun d'une quarantaine d'années.

— Vous avez une clope ?

Il me dévisagea quelques secondes avant de s'attarder sur le reste de mon corps. Finalement, il sortit une blonde d'un paquet et me l'offrit.

— Vous ne pouvez pas fumer à l'intérieur.

— Je sais, dis-je d'une voix rauque. On sort ?

Il acquiesça et descendit de son tabouret pour m'accompagner à l'extérieur.

— Hannah, où vas-tu ? s'inquiéta Davis.

— Fumer ! lui lançai-je en souriant bêtement.

Ses yeux s'arrondirent de surprise.

— Mais... tu ne fumes pas.

— C'est pourquoi j'ai envie d'essayer !

Il mata le type à côté de moi d'un sale œil.

— Je ne pense pas qu'elle va sortir avec vous, l'avertit Davis en le retenant par le bras.

L'homme leva les sourcils en riant du nez, avant de se dégager brusquement.

— Davis, sois pas rabat-joie, hein, intervins-je. Que veux-tu qu'il m'arrive ? Je serai à cinq mètres, à peine.

Mon ami ne semblait pas très coopératif face à mon désir de découverte, mais tant pis, j'avais juste envie de m'amuser, et l'alcool me donnait des ailes. J'attrapai mon verre de bière et saisis l'homme par le coude pour l'inviter à me suivre. Je jetai un dernier regard à Davis qui s'était appuyé contre le bar et ne me lâchait pas des yeux, avant de sortir. Je lui fis un petit coucou, et refermai la porte derrière moi.

— Tu n'es pas du coin, affirma l'inconnu en allumant le bout de ma cigarette.

Ma bière à la main, j'aspirai une grande bouffée, et m'étouffai en un quart de seconde. Je toussai si fort que mon nouvel ami dut me taper dans le dos pour que je me remette.

L'effet fut tellement répugnant et mon haleine, infâme, que je me jurai de ne plus recommencer.

— Pouah ! Mais comment tu fais pour aimer ça ?

Il rit grassement.

— C'est parce que tu t'y prends mal. Regarde, dit-il en portant sa clope à ses lèvres. Tu aspires une petite bouffée et tu rejettes la fumée. Réessaie.

Je haussai un sourcil et relevai le défi. Le résultat ne fut pas plus confluant. Je détestai ça.

— Tu es sexy quand tu fumes, chuchota l'homme en se rapprochant de moi.

Je levai les yeux vers lui. Sans moufter, je le laissai se saisir de ma cigarette encore rougeoyante pour la jeter par terre.

— Tu es vraiment très, très, mignonne, insista-t-il en effleurant ma joue. Ça te dirait de bouger d'ici ?

Sa proposition me fit l'effet d'un électrochoc. Qu'est-ce que j'étais en train de faire ? Il était hors de question que j'aille quelque part avec ce type !

— Non, j'ai froid maintenant, je préférerais rentrer à l'intérieur.

Il enroula un bras autour de mes épaules.

— Viens, ma mignonne, je vais te réchauffer, moi.

Je fis un pas en arrière pour me dégager et tendis la main vers la porte. L'homme m'attrapa par le coude et me serra contre son torse.

— Petite allumeuse... Ne pars pas comme ça. Je suis certain que tu aimerais apprendre à me connaître un peu mieux.

Allumeuse ? Bon sang, j'en avais tout l'air ! Mais maintenant que j'étais complètement lucide, j'allais vite me remettre sur les rails.

— Non, je ne crois pas. Lâchez-moi, s'il vous plaît.

— Relax, laisse-toi aller.

Il s'inclina, m'obligeant à reculer la tête au maximum pour qu'il ne me touche pas. Il resserra son étreinte et passa une main derrière ma nuque pour m'immobiliser. Je m'apprêtai à lui envoyer un bon coup de pied dans le tibia quand une voix masculine s'éleva.

— Lâche-la, mec, ça vaut mieux !

Il s'agissait du barman. Le regard menaçant, il attendait clairement que le type me fiche la paix. Contre toute attente, c'est exactement ce que fit ce dernier. Il renifla, se passa une main sous le nez et disparut dans une ruelle en râlant.

— Merci..., soufflai-je. C'était vraiment idiot de ma part.

Le beau blond plissa les paupières.

— C'est le moins qu'on puisse dire.

Je baissai la tête, honteuse. Je n'aurais jamais dû me mettre dans une telle situation. Je me sentais vraiment, vraiment stupide.

— Tu as eu de la chance que je sorte les caisses vides à ce moment-là, fit-il remarquer en désignant la venelle d'où il venait. Tu aurais pu avoir des ennuis.

J'étais mortifiée.

— Allez, rentre à l'intérieur, m'invita-t-il en ouvrant la porte principale. Ton ami ne semblait pas très glorieux de te savoir dehors.

Dans mes petits souliers, j'entrai avec lui.

— La demoiselle avait froid, expliqua-t-il à Davis comme si rien ne s'était passé. Un thé et ça ira mieux.

Il tourna vers moi un visage cordial auquel je répondis par un regard reconnaissant. Je n'avais aucune envie de donner des précisions à Davis.

— Tout va bien ? demanda ce dernier, soupçonneux.

— Très bien, mentis-je en me frottant les bras. Je suis gelée.

Je me rassis au bar et lui offris un sourire crispé. Davis m'observa un moment sans rien dire, puis il finit par pivoter vers Suzy lorsque le barman me servit un mug fumant que j'attrapai aussitôt.

— Merci.

J'avalai quelques gorgées et me sentis mieux. Après la quantité de bière que j'avais absorbée sans vraiment en avoir envie, le thé me sembla être le meilleur réconfort au monde.

— Tu ne bois jamais d'alcool, n'est-ce pas ? devina le barman en souriant.

— Non.

Il secoua le menton de gauche à droite.

— D'où viens-tu ?

— Je suis française. Paris.

Il fronça les sourcils.

— Tu n'as pas une once d'accent.

— C'est parce que mes parents sont tous les deux écossais. Ils sont nés par ici.

— Tu es en vacances à Wick ?

— C'était le cas au début de l'été. Finalement, nous nous y installons définitivement.

Son visage s'éclaira.

— Comme ça, sur un coup de tête ?

— Non, pas vraiment. Nous allons prendre soin de ma grand-mère.

— OK. OK. Je ne voulais pas être indiscret, s'excusa-t-il.

Je lui souris.

— Et toi ? Tu es anglais, n'est-ce pas ?

Il acquiesça.

— C'est ça. Je bourlingue pas mal et j'ai décidé de rester quelque temps ici.

— Ah oui ? Wick te plaît ?

— Ouais. C'est bien moins grand que Londres, mais tout aussi fascinant, et on gagne en tranquillité, se moqua-t-il.

Je ris avec lui, c'était exactement ce que je ressentais vis-à-vis de Paris.

— Tu as déjà visité le coin ?

Un vif intérêt passa dans ses yeux.

— Non, pas vraiment, pourquoi ? Tu te proposes pour être mon guide ?

Bêtement, je rougis.

— Eh bien... Pourquoi pas, lançai-je sans vraiment réfléchir.

Il eut l'air surpris. Moi aussi.

— Sérieusement ?

Bon. Faire marche arrière aurait été délicat. D'autant que je n'en avais pas vraiment envie.

— Tout à fait. Je viens ici depuis l'âge de... attends... un mois ! Je connais des tas d'endroits.

Il m'offrit un sourire du tonnerre.

— J'en serais ravi... ?

— Hannah, répondis-je.

— Hannah... Moi, c'est Phillip.

Nous pouffâmes de rire lorsque nous nous exclamâmes simultanément « Enchanté ». Il chercha un crayon dans un tiroir et griffonna son numéro de téléphone sur un bout de papier avant de me le tendre. Je le glissai dans ma poche et lui donnai le mien.

— Je t'appellerai à l'occasion, alors, décida-t-il, jovial.

— N'hésite pas.

Sur ce, il se détourna pour servir d'autres clients, lorsque je me concentrai sur Davis, il m'observait, un sourcil en l'air.

— Du coup, je ne me suis pas trompé. Il doit vraiment y avoir de l'eau dans le gaz entre Sutherland et toi, hein ?

J'ouvris la bouche pour dire quelque chose, mais finalement, je m'en abstins. J'aurais pu me sentir coupable, mais je ne l'étais pas. Non. J'étais juste pitoyable. Ce qui m'avait poussée à agir ainsi, c'était la tristesse. J'avais voulu prendre ma revanche, montrer à Leith que je n'allais pas l'attendre indéfiniment. Sauf qu'il y avait un problème majeur : Leith n'était pas là pour le voir...

Oui, j'étais parfaitement ridicule.

— T'en fais pas, tête rouge, me taquina Davis en m'ébouriffant les cheveux. Je ne dirai rien à personne !

Je m'efforçai de lui sourire et, sans un mot, je me dirigeai vers les toilettes.

Devant le miroir, les mains à plat sur le lavabo et les yeux baissés, je me laissai aller à pleurer pour la première fois depuis que Leith était parti.

Je me sentais seule, trahie, et aussi vide qu'après une immense défaite.

Leith m'avait menti. Il m'avait demandé d'être sa petite amie uniquement pour me protéger de mon agresseur et pas parce qu'il en avait réellement envie, j'en étais à présent intimement convaincue, et il n'était pas là pour me prouver le contraire.

Quant à la défaite... c'était celle de la désillusion.

La désillusion d'avoir cru trouver un si grand amour.

Chapitre 19

Je sais très bien ce que j'ai vu.
Des étincelles ont jailli de ses yeux.

Encore un matin ensoleillé. Le temps jouait avec mes nerfs. La météo n'était pas solidaire de mon état d'esprit et ça m'irritait. J'avais passé une nuit épouvantable. Leith n'avait pas quitté mes songes un seul instant.

Les paupières boursouflées, je jetai un œil à mon réveil.

Huit heures moins le quart. J'étais en retard.

Mon cours de conduite commençait dans à peine trente minutes. Je sautai dans mon pantalon sans même prendre le temps d'aller sous la douche et courus rejoindre Mathy. Elle m'attendait déjà dans la voiture.

En descendant l'escalier, j'allumai mon téléphone. Sans trop y croire, je vérifiai si, par hasard, mon petit ami fantôme m'avait laissé un message pendant que j'étais au pub. Rien. Évidemment.

Je n'étais plus seulement triste, j'étais très en colère, à présent. Comment avait-il pu me prendre pour une imbécile à ce point ? Je me demandais même pour quelle raison il s'était donné la peine de m'appeler régulièrement la première semaine de son absence.

— Sûrement pour que j'aie l'attitude d'une femelle éprise et que le Galbro me fiche la paix ! Comme c'est charitable !

— Qu'est-ce que tu dis, Hannah ? cria ma mère depuis la cuisine.

— Rien, rien..., maugréai-je. À plus tard !

Énervée, je jetai furieusement mon smartphone dans mon sac et claquai violemment la porte derrière moi.

Je sortis de l'auto-école un peu avant midi et décidai de rendre visite à Gwen pour éventuellement déjeuner avec elle. Le magasin fermait dans un quart d'heure. Je me réjouissais de la voir. Nous éviterions les sujets qui fâchent – les conversations impliquant Leith Sutherland –, et nous nous concentrerions sur les thèmes qu'elle affectionnait. Elle n'aurait qu'à me parler vampires, j'étais presque certaine qu'elle saurait me redonner le sourire.

Lorsque j'arrivai devant Simsalabim, les éclairages de la vitrine étaient déjà éteints. Je poussai la porte à tout hasard, elle n'était pas verrouillée. Alors, j'ouvris en grand, faisant tinter les tubes en laiton d'un carillon chinois. De l'encens brûlait sur le comptoir et la boutique était plongée dans la pénombre. J'avançai de quelques pas et ratissai des yeux le fond du magasin. Personne.

— Gwen ? appelai-je. C'est Hannah.

Quelques secondes plus tard, j'entendis un craquement provenant de la réserve, puis Gwen passa la tête à travers les rideaux de perles.

— Hé, Hannah ! s'exclama-t-elle, faussement surprise – j'en aurais mis ma main au feu. Qu'est-ce que tu fais là ?

— Salut, Gwen. Je viens de terminer mes cours de conduite et je me suis dit qu'on pourrait déjeuner ensemble.

— Ah.

Ah ? On ne s'était pas vues depuis deux semaines, je m'attendais à ce qu'elle soit un peu plus contente de me voir.

— Tu as peut-être déjà prévu quelque chose ? avançai-je.

Elle se gratta la tête. Gwen semblait tendue. Difficile de ne pas le remarquer.

— Euh, oui... non, en fait je... Tu voulais me voir pour un truc en particulier ?

Je plissai les paupières.

— Pas particulièrement, une simple visite. Je tombe mal ?

Elle jeta rapidement un œil derrière elle.

— Qu'est-ce qui ne va pas ? finis-je par demander.

Elle se composa un air sincèrement navré.

— Je suis désolée, Hannah, je ne peux pas te parler maintenant. Normalement j'aurais dû fermer la boutique, mais j'ai oublié de bloquer la porte.

— Ah.

— Excuse-moi, c'est juste que je suis assez occupée et que...

— Pas de problème, l'interrompis-je, agacée qu'elle cherche à se justifier par tous les moyens. À une prochaine fois, dans ce cas. Quand tu auras plus de temps...

Vexée, je tournai les talons, décidée à ne plus remettre les pieds ici sans y avoir été invitée. J'avais à peine fait un pas lorsque j'entendis Gwen soupirer derrière moi.

— Hannah, ne pars pas. Pardonne-moi... Je n'ai jamais été très douée pour le mensonge.

Je fis volte-face, les sourcils froncés.

— De quoi veux-tu parler ?

— Viens, m'intima-t-elle. C'est du grand n'importe quoi cette situation.

Je la suivis dans l'arrière-boutique, et lorsqu'elle tira le rideau, mon cœur bondit violemment dans ma poitrine. Leith était tranquillement assis sur le rocking-chair rouge de Gwen. Quand j'entrai, il se leva calmement et je cessai de respirer.

Deux semaines que je ne l'avais pas vu, que je n'avais quasiment pas de nouvelles, ne sachant pas où il était passé exactement ni ce qu'il faisait, que j'étais furieuse, blessée, et aucun son, aucun mot ne sortit de ma bouche. Je devais être blanche comme un linge. Toute la colère que je ressentais le matin même se transforma en angoisse. Pourquoi ne m'avait-il pas dit qu'il était rentré ?

— Leith, je suis désolée, s'excusa Gwen, confuse. Je ne sais pas raconter de bobards et...

Sans me quitter des yeux, il leva la main pour la faire taire, un sourire triste au coin des lèvres.

— Ne t'inquiète pas, Gwen, la rassura-t-il d'une voix grave et calme.

Le sentiment de trahison qui m'avait étreinte la veille s'amplifia davantage. Non pas à cause de Gwen, mais à cause de *lui*. Pourquoi s'était-il caché ? Pourquoi avoir été lâche au point d'impliquer Gwen et ne pas m'avoir dit la vérité, tout simplement : qu'il ne voulait plus me voir ? Mais était-il vraiment parti quelque part, ou avait-il trouvé une excuse bidon pour m'éviter ? Pourquoi tout ce bla-bla sur les îles Orcades si c'était pour me traiter de cette manière ? Un millier de questions se bousculaient dans ma tête et je n'étais pas sûre d'avoir une seule réponse.

— Je... je vais vous laisser, bredouilla Gwen en s'éclipsant de la pièce.

Nous entendîmes le carillon, une porte claquer, elle était sortie.

J'observai Leith un long moment pour essayer de trouver une explication dans ses yeux, mais son regard était indéchiffrable.

— Pourquoi ne m'as-tu pas dit que tu étais rentré ? finis-je par demander calmement.

Les traits inexpressifs, il continuait de me dévisager. Bon Dieu, j'avais envie de partir en courant ! À la place, je levai davantage la tête et tâchai de garder le peu de dignité qu'il me restait.

— Pourquoi as-tu disparu, comme ça ?

Toujours pas de réponse. Je faiblis.

— Je... j'ai fait quelque chose de mal ?

J'aurais voulu éviter les tremblements dans ma voix, mais j'en fus incapable. Comme il n'amorçait pas un mouvement, ne proférait pas un son, un ridicule sanglot franchit mes lèvres. Je l'étouffai du dos de la main.

— Hannah, non, tu n'as rien fait de mal, dit-il enfin. J'avais besoin de régler une situation, de m'assurer que tu...

Ses mots s'étranglèrent. Il poussa un profond soupir et s'approcha pour me prendre par les épaules. Ses doigts me brûlaient à travers mes vêtements, j'aurais préféré qu'il ne me touche pas, pour autant, je ne fis pas un geste pour me dégager.

— Je suis rentré depuis plus d'une semaine, avoua-t-il, contrit.

— Je... comm... pour... tu... ? bafouillai-je sans pouvoir aligner une phrase correctement.

— Je te demande pardon si je t'ai fait de la peine. J'avais besoin d'être seul pour me concentrer et... Je voulais être certain que tu étais en sécurité.

Je clignai des cils.

— En sécurité ?

Il écrasa les doigts sur ses paupières et retint sa respiration quelques secondes.

— Lorsque je suis rentré voir mon père, le soir où j'ai dîné chez toi, Al m'a téléphoné. Ils ont reçu une visite du Galbro.

Je portai une main tremblante à mes lèvres.

— Oh, mon Dieu... Ils n'ont rien ?

— Non, ils vont bien. Ils n'étaient pas là lorsqu'il s'est rendu au ranch, mais à leur retour, ils ont senti son odeur dans la maison.

— Il me cherchait ?

Il acquiesça tristement.

— Je craignais qu'il te piste, qu'il te trouve, qu'il te surveille. Il fallait que je sois certain que tu ne courais aucun risque.

— En t'éloignant de moi ? demandai-je, sceptique.

— Oui. Je suis d'abord reparti sur les îles Orcades pour le retrouver, savoir ce qu'il y faisait, d'où il venait. Aucun des Lupi vivant sur les îles n'avait jamais vu de garous de sa race dans les parages. Sa présence avait forcément une cause précise, mais je n'ai rien trouvé de concluant, alors je suis revenu.

— Pourquoi ne m'as-tu pas avertie ? Je me suis sentie si...

Une grosse boule s'installa dans ma gorge et m'empêcha de finir ma phrase.

— Parce que j'avais besoin de comprendre ce qui se passait autour de toi, que tu te comportes normalement. Je devais rester discret et vérifier que le Galbro ne tenterait pas de s'approcher lorsque tu serais seule.

J'étais déconcertée. Je n'avais pas été particulièrement anxieuse ces deux dernières semaines, le souvenir de cette créature ne m'avait pas hantée, mais maintenant, tout me tombait dessus lourdement.

— Il est ici ? voulus-je savoir.

Leith secoua la tête.

— Je ne l'ai pas repéré, mais j'ai un mauvais pressentiment. Je n'ai pas l'impression qu'il va abandonner comme ça.

— Si... si tu ne l'as pas vu dans les parages, c'est qu'il n'y est pas, non ?

— J'aimerais en être certain, Hannah, mais ce n'est pas le cas. Je n'ai jamais eu affaire à quelqu'un comme lui. Sa subite apparition dans le coin me dérange, je la trouve douteuse.

— Douteuse ? Pourquoi ?

— Je pense qu'il devait déjà être là pour une bonne raison avant de s'en prendre à toi.

— D'accord, mais laquelle ?

Son visage se referma presque instantanément.

— Je ne peux pas en parler.

Je fronçai les sourcils.

— Tu ne peux pas parce que tu n'es pas sûr de ce que tu crois, ou parce que tu préfères ne pas m'effrayer ? persistai-je, le scrutant avec une intensité aiguë.

— Je ne *veux* pas en parler, conclut-il fermement.

Je n'insistai pas. Il ne me dirait rien.

Je me mordis les lèvres, me grattai le front et gardai les yeux rivés au plancher.

— Pourquoi m'as-tu demandé d'être ta petite amie ? Pour que je me comporte comme si nous étions ensemble ? Que le Galbro le pense et qu'il me fiche la paix ?

Je fermai les paupières et sentis ses doigts chauds se glisser sous mon menton qu'il souleva lentement.

— Hannah, regarde-moi, chuchota-t-il.

Tremblante, j'ouvris les yeux, les siens, parsemés de gouttes d'or, y plongèrent aussitôt.

— C'est ce que tu crois ?

Sa voix était rauque et douce, j'en frissonnai.

— Je... je me pose la question.

Nerveusement, il sourit en soufflant par le nez, puis il lâcha ma mâchoire et recula.

— Alors c'est que j'ai vraiment raté quelque chose, engagea-t-il tristement, car je n'ai jamais été plus sincère de toute ma vie avec quelqu'un.

Il leva les doigts pour toucher ma joue et se ravisa afin de m'observer silencieusement. Au bout de quelques secondes, il gronda et passa une main derrière ma nuque pour m'attirer brusquement contre lui. Il m'encercla de ses bras forts et posa son menton sur ma tête tout en me caressant les cheveux.

— Hannah, pourras-tu seulement me pardonner ?

Je percevais le parfum de son eau de toilette mélangée à sa propre odeur, je sentais la chaleur anormalement élevée de son corps, appuyée contre son torse, j'entendais les battements frénétiques de son cœur. J'en fus bouleversée. Désemparée. Toute ma colère était retombée pour faire place à un sentiment si puissant que j'en tremblai. J'avais l'impression d'avoir été privée de nourriture pendant deux semaines et que, d'un coup, on m'alimentait abondamment. C'était presque trop. Je fermai les yeux et réprimai un sanglot.

J'étais tellement perturbée que je n'entendis pas Gwen entrer dans la boutique. Elle toussota en pénétrant dans la pièce et sourit de satisfaction en nous voyant serrés l'un contre l'autre.

— Je suis désolée, s'excusa-t-elle encore. Je n'aime pas ces situations...

— Tout va bien, lui assurai-je en me détachement lentement de Leith.

Elle eut un rictus crispé et s'assit sur la petite table basse rectangulaire. Là, elle s'empara de la boule de relaxation qui y traînait et la fit nerveusement rouler entre ses mains.

— Tu es donc au courant pour Leith, définis-je en m'installant à côté d'elle tandis qu'elle me faisait de la place.

En avais-je vraiment douté ?

— Oui, depuis longtemps.

— Gwen était à la fenêtre de sa chambre lorsque le Crinos a tué ma mère, expliqua Leith. Elle n'a pas vu la scène, mais elle l'a aperçu sous sa forme animale quand il s'élançait dans la maison.

Gwen soupira.

— Je te demande sincèrement pardon pour ce stupide philtre. Je voulais juste te donner un coup de pouce... pour Leith, murmura-t-elle.

— Elle n'en avait pas besoin, fit calmement remarquer Leith.

— Je le sais, à présent, admit-elle en baissant les cils.

Je lui pris la main pour la réconforter, elle me sourit.

— Je vais devoir partir, annonça subitement Leith.

Je me levai simultanément.

— Mathy doit venir te chercher, n'est-ce pas ?

J'opinai.

— Dans ce cas, je te retrouve chez toi, plus tard dans l'après-midi. Si tu veux bien..., hésita-t-il.

Je n'aurais manqué aucun rendez-vous avec lui, même le plus petit qui soit. Je lui souris.

— Oui. Je serai là.

Il s'approcha de moi, me serra contre lui à m'en étouffer et disparut. Gwen soupira profondément et se mordit les lèvres.

— Je suis désolée...

Je secouai la tête.

— Tu ne pouvais pas savoir.

Elle haussa les épaules. Elle pensait tout le contraire.

— J'ai agi comme une imbécile. Je voulais tellement que vous soyez ensemble... Tu m'as plu tout de suite. Tu semblais si incrédule, je trouvais ça amusant. À partir du moment où j'ai compris que tu ne laissais pas mon meilleur ami indifférent, j'ai forcé le destin. Vous étiez faits l'un pour l'autre.

Gwen pouffa soudain de rire.

— Tu es allée jusqu'à croire cette histoire de programmateur sur le phare !

— Tu es au courant pour le phare ! m'étouffai-je.

Un sourire en coin fleurit sur ses lèvres.

— On me raconte toujours tout, mam'selle !

Puis je fronçai les sourcils.

— Je n'ai absolument pas avalé les sornettes de Leith, Gwen. Je sais très bien ce que j'ai vu. Des étincelles ont jailli de ses yeux.

Gwen cessa de rire.

— Et c'est toi qui as raison.

— De quoi s'agissait-il ?

— Du *mór-aotrom*.

— Du quoi ?

Gwen soupira.

— Littéralement, ça signifie « grande lumière ». C'est un phénomène guidé par l'Esprit et que les garous vivent une fois dans leur vie. Seul un sentiment d'une rare profondeur et d'une sincérité absolue peut le provoquer. Mais pas n'importe quel sentiment.

— Lequel ?

Gwen sourit paresseusement.

— L'amour, Hannah. Le véritable amour.

Tout mon sang reflua dans mes tempes.

— Pourquoi crois-tu que Leith s'acharne à veiller sur toi, ainsi ? Que ses yeux brillent à chaque fois qu'il te regarde ? Qu'il ait eu envie de te présenter deux des personnes les plus importantes de sa vie ? Tu penses sincèrement qu'il fait ça avec tout le monde ? Il ne peut plus se passer de toi, chérie. Tu es son âme sœur !

— Son âme sœur ? répétai-je, médusée.

— Oh, oui. Crois-moi sur parole. Je l'ai toujours su. Le *mór-aotrom* n'a fait que le confirmer. Il n'agit qu'entre deux âmes sœurs.

Je battis des cils, la gorge sèche.

J'avais le cerveau en ébullition. Rien de ce qu'on avait pu me décrire, ou de ce que j'avais pu lire, même dans la plus extraordinaire des histoires d'amour, n'était comme nous deux.

— Gwen ?

— Oui ?

— Je dois m'en aller, annonçai-je avec une voix de robot.

— Tu rentres directement chez toi ? s'assura Gwen, amusée.

J'acquiesçai sans dire un mot, sortis mon téléphone portable pour appeler Mathy et, tel un automate, je me levai pour partir.

Le carillon chinois tinta derrière moi.

Dans ma tête aussi.

Longtemps.

Chapitre 20

Tu le sais déjà, Hannah...

Leith me retrouva chez moi un peu moins de deux heures plus tard.

Je remis de l'ordre dans ma coiffure, renfilai mes chaussures, respirai un bon coup, et descendis le rejoindre dans le salon.

Il était arrivé depuis à peine dix minutes que ma mère lui parlait déjà de St Andrews.

— Et tu crois qu'elle s'y plairait ? sembla-t-elle s'inquiéter.

— Oui, je le pense, lui certifia-t-il. C'est une ville accueillante et dynamique.

— Ça pourrait être sympa que tu y ailles, Hannah, anticipa-t-elle en me voyant entrer. Tu connaîtrais quelqu'un, au moins.

— Je n'ai encore rien décidé.

— Ça presse, trésor.

Je soupirai discrètement.

— Je sais, je sais... Je te promets d'y réfléchir.

Sauf que pour l'heure, j'avais d'autres chats à fouetter que penser à cette fichue fac. Je voulais parler avec Leith. Seul à seul.

— On va quelque part ? lui proposai-je alors.

Les yeux brillants d'impatience, il opina.

J'embrassai ma mère, m'emparai de ma parka et sortis de la maison avec Leith.

— Où aimerais-tu aller ? demanda ce dernier en m'ouvrant la portière du Range Rover.

— Un endroit tranquille. On pourrait marcher un peu.

— *Sinclair Castle* ?

J'acquiesçai silencieusement.

J'attachai ma ceinture de sécurité et attendis qu'il démarre. Mais il ne le fit pas immédiatement. La main posée sur la clef de contact, il sembla hésiter.

— Leith ?

Il plongea ses prunelles dans les miennes et, d'un coup, je ne savais plus où j'étais.

— Doutes-tu vraiment de moi, Hannah ?

J'avais été meurtrie. J'avais eu mal. J'avais été déçue. Je fus incapable de lui répondre.

Il releva mon menton et me fixa quelques secondes avec une expression de colère à peine contenue. Comme je restais silencieuse, il démarra et, jusqu'à ce que nous arrivions au chemin de *Sinclair Castle*, il ne desserra pas les lèvres.

Le soleil était encore haut dans le ciel. Il faisait beau, il n'y avait pas trop de vent, c'était une journée, idéale pour une balade sur les falaises. Leith sortit de la voiture et en fit le tour pour m'ouvrir. J'eus à peine le temps de le remercier qu'il avançait déjà d'un pas vif en direction des ruines.

Pendant quelques secondes, je restai immobile, le cœur douloureux. Puis je poussai un long soupir résigné et le rejoignis presque en courant.

Le château de Sinclair n'était qu'à quinze minutes à peine de l'endroit où nous nous étions garés, un quart d'heure pendant lequel ni lui ni moi n'avions décroché un mot. À quelques mètres du monument, Leith s'arrêta pour ramasser plusieurs cailloux, les mit dans ses poches et continua à avancer jusqu'entre les deux tours du *Sinclair and Girnigoe Castle*. Quand nous fûmes tout au bord de la falaise, il s'empara d'une des pierres et la lança dans la mer, si loin, que je ne la vis pas s'enfoncer dans l'eau. Il fit rouler une deuxième entre ses doigts et la jeta avec encore plus de rage que la première. Puis il m'en tendit une.

Je l'observai, décontenancée.

— Lance-la, dit-il enfin.

— Euh... c'est un rituel ?

Il ne put se retenir de rire.

— Non. Montre-moi ce que tu sais faire.

— Pas grand-chose, je peux te l'assurer.

Je fronçai les sourcils, levai le bras droit derrière la tête et catapultai la pierre aussi loin que possible. Elle alla pitoyablement s'écraser en contrebas, sur les rochers s'enfonçant dans la mer.

Cette fois-ci, il rit carrément aux éclats.

— Ce n'est pas équitable, bougonnai-je.

— Tu parles !

Subitement, il m'attrapa par la taille et cala mon dos contre son torse avant de m'étreindre fermement. Mon cœur se mit à battre la chamade. Je me sentais tellement fragile, enveloppée dans ses bras. S'il l'avait voulu, il aurait pu me casser en deux d'une simple pression. Je fermai les yeux un instant et me laissai aller. Il était si chaud... En quelques secondes, il chassa toutes mes rancœurs, brisa toutes mes craintes. Ma tristesse, anéantie. Mes doutes, disparus.

— Tu étais ici la deuxième fois que je t'ai vue, me rappela-t-il d'une voix douce en désignant l'eau couleur métal qui ondulait face à nous. Derrière toi, le soleil illuminait tes cheveux. On les aurait crus en feu. Je n'avais jamais rien contemplé de plus magnifique. Ce jour-là, j'ai maudit Davis d'être avec toi et d'avoir une telle chance.

Il soupira profondément et caressa mes boucles.

Le paysage ne m'était jamais apparu si beau. Les herbes hautes autour de nous s'étaient habillées de fleurs sauvages de toutes les couleurs, et la mer était si calme, le ciel si bleu. Nous étions seuls au monde.

— Parle-moi du *mór-aotrom*, demandai-je soudain.

Je sentis la pression de sa main se raffermir contre la mienne.

— Que veux-tu savoir ?

— De quoi s'agit-il, précisément ?

— C'est une particularité qui n'existe que chez les garous de ma race. L'Esprit révèle notre âme à une autre, les unissant pour l'éternité.

Puis il m'offrit un regard tendre.

— L'Esprit est en perpétuelle connexion avec notre corps. C'est lui qui nous guide, qui nous élève en tant que garou, et qui contrôle nos émois les plus profonds. Depuis toujours. C'est grâce à lui que nous savons maîtriser nos plus violentes réactions. C'est lui qui nous permet de continuer à penser en humain lorsque nous sommes sous la forme d'un animal, et que nous ne sommes pas pris par une frénésie bestiale. Toutefois...

Je levai les yeux.

— Oui ?

— Le *mór-aotrom* est imprévisible. Il nous terrasse. Il sait avant nous ce que nous désirons au plus profond de notre être.

Je baissai un instant la tête. J'avais peur qu'il lise en moi comme dans un livre ouvert, qu'il voie combien j'étais désespérément amoureuse de lui, combien c'était nouveau pour moi, et combien j'étais affolée de me mettre à nu devant lui. L'air que je respirais était plus pur avec lui, les couleurs plus chatoyantes, la vie plus enivrante. C'était effrayant.

Je levai les cils, en proie à une émotion extraordinaire.

— L'as-tu ressenti ? murmurai-je, même si j'en connaissais la réponse.

— Tu le sais déjà, Hannah, souffla-t-il en me caressant du regard.

Puis il tendit la main pour me frôler la joue.

— J'aimerais te voir, Leith...

Ses yeux s'arrondirent.

— Pardon ?

— Je veux te voir tel que tu es. Comme un loup.

Il fronça les sourcils, déconcerté.

— Tu m'as déjà vu, ici.

Je secouai lentement la tête.

— Ce n'est pas pareil.

— Hannah…, protesta-t-il.

— Montre-moi…

— Pourquoi est-ce si important, tout à coup ?

— S'il te plaît…

Il jeta un œil alentour afin de vérifier que nous étions seuls. Sur le coup, je pensais avoir gagné.

— Tu ne peux pas me regarder me métamorphoser, tu t'évanouirais aussitôt.

— Je fermerai les paupières dès que je me sentirai mal, lui assurai-je.

— Ça ne suffira pas.

— Alors je m'éloignerai.

Il claqua la langue sur son palais.

— Ce n'est pas une bonne idée.

— Pourquoi ?

— Pour des tas de raisons.

Il fit une pause volontaire et sourit avec espièglerie.

— Notamment parce que je ne peux raisonnablement pas me retrouver nu devant toi. Tu t'évanouirais une seconde fois, ajouta-t-il le plus sérieusement du monde.

Je manquai m'étrangler.

— Hannah, dit-il en reprenant un ton grave. Je te le montrerai, je te le promets. Un jour. Mais pas maintenant.

Arborant une moue boudeuse, je décidai de me résigner, au moins pour l'unique raison qu'il avait citée. Savait-on jamais…

— Tu as intérêt à tenir ta promesse, le prévins-je.

Il sourit et m'ébouriffa les cheveux.

— Je n'y manquerai pas. Est-ce que tu as faim ?

— Oui, répondis-je.

Aux ronronnements qu'émettait mon estomac, il était inutile de nier l'évidence. Je n'avais rien mangé depuis la veille au soir.

— Je connais un pub, pas très loin d'ici, ils servent d'excellents desserts, dit-il comme s'il avait lu dans mes pensées.

Je rêvais d'une pâtisserie.

— J'en salive d'avance !

Il fit mine de hausser un sourcil dubitatif.

— Fais quand même gaffe aux sièges...

Pff...

Nous rejoignîmes la voiture et atteignîmes le pub dix minutes plus tard.

Je commandai une part de *carrot cake*, du thé au jasmin, et Leith, un gâteau au chocolat baignant dans une crème anglaise qui me donna un frisson de dégoût. Je détestais ça.

— Ça va mieux ? s'inquiéta-t-il lorsque j'eus tout terminé.

Je posai les mains sur mon ventre et poussai un soupir de bien-être.

— Je suis repue !

Il s'empara de la théière et me servit une autre tasse.

— Leith, tu m'as vraiment filée la semaine dernière ?

Un sourire irrésistible fendit son visage, un ceux qui me faisaient instantanément oublier de quoi on parlait.

— En quelque sorte, avoua-t-il, mutin. Je tenais d'ailleurs à te dire que tu conduis très bien.

— Merci.

Je me tus quelques secondes, perturbée, avant de continuer.

— Comment as-tu pu me suivre sans que je m'en rende compte ?

— Je suis un garou, répondit-il comme si ça suffisait à tout expliquer. Tiens, il y a un truc que j'aimerais savoir moi aussi.

Je levai la main pour l'inviter à poser sa question. Ses prunelles inquisitrices se teintèrent de quelques taches dorées tandis que ses mâchoires se crispaient sensiblement.

— Comment va Burns ? Il est venu te chercher, hier soir.

Je haussai les épaules.

— Davis va bien.

— Qu'avez-vous fait ?

Je fis mine d'être surprise.

— Oh, tu ne nous as pas suivis ?

— Non.

Le ton employé était un peu trop tranchant pour que je ne remarque pas son mécontentement.

— Pour quelle raison ?

Je le fixai droit dans les yeux. Il ne répondit pas.

— Parce que tu étais jaloux ! m'exclamai-je, sans pouvoir cacher ma satisfaction.

— Peut-être, finit-il par se renfrogner.

C'était délicieux !

— Peut-être ?

Il marmonna quelque chose que je ne compris pas dans sa barbe.

— C'est pour ça que tu ne nous as pas suivis. Tu enrageais ! Ah ! m'esclaffai-je. C'est trop bon !

Il fronça les sourcils, passablement irrité.

— Trop bon de me savoir jaloux ?

— Oui ! Merveilleux de savoir que je t'ai manqué un peu.

Les traits de son visage se détendirent presque aussitôt.

— Tu m'as énormément manqué, Hannah.

Ce que ça faisait du bien de se l'entendre dire !

Nous nous observâmes un instant, puis Leith reprit la parole.

— Donc, qu'avez-vous fait ? demanda-t-il pour la deuxième fois.

— Nous sommes allés chez Finighan avec Suzie. La petite amie de Davis, précisai-je.

— Tu as à ce point adoré ta dernière soirée là-bas que tu y es retournée ? me jeta-t-il, caustique.

J'en restai comme deux ronds de flan. Mais puisqu'il le prenait sur ce ton...

— Ça valait mieux que de poireauter à t'attendre comme une idiote.

Ma colère le surprit tellement qu'il se radoucit aussitôt.

— As-tu passé un bon moment ?

Ma pensée alla immédiatement à l'épisode de l'homme avec qui j'avais fumé ma première cigarette dans un état d'ivresse mineure. Je n'étais pas convaincue de devoir en parler à Leith, pour autant, je me mis à jouer nerveusement avec ma petite cuillère. Grave erreur...

Ses yeux se plissèrent et s'assombrirent.

— Quoi ?

Je plaquai un sourire crispé sur mon visage.

— Rien.

Ça ne prit pas, hélas.

— Il y a eu un problème ?

— Non, pas du tout, lui assurai-je en me mordant les lèvres.

Et mes doigts, ces traîtres, gratouillèrent mon front. Leith abaissa les paupières.

— Tu es en train de me mentir.

À quoi bon ? Je soupirai.

— Écoute, ça va, pas de souci majeur.

Il pencha la tête de côté.

— Pas de souci majeur ? Est-ce que je peux en juger par moi-même ?

Ses pupilles commençaient à s'élargir.

— Ce n'est pas important, prétendis-je en haussant les épaules.

— Hannah, gronda-t-il sourdement. Tu m'expliques ou je vais voir Burns pour en savoir davantage ?

Il en était capable, c'est pourquoi je me résignai à lui raconter ce qui s'était passé, veillant à employer un ton désinvolte. En vain, Leith était dans une colère noire.

— Et c'est ça que tu appelles, « rien » ? Hannah, la moindre chose compte. Le Galbro qui t'a agressée peut être n'importe qui ! Je te l'ai déjà dit. Bon sang !

Je le regardai, abasourdie. Pas une seule seconde, il ne m'était venu à l'esprit que cet homme ait pu être cette créature.

— Je... je suis désolée, balbutiai-je. Je n'aurais pas cru que...

Il soupira.

— À quoi ressemblait-il ?

Je n'allais pas pouvoir répondre à ça précisément, j'étais complètement désorientée par l'alcool à ce moment-là, je me rappelai trop peu de détails de son physique.

— Il était bien plus âgé que moi, quarante ans, je pense, brun et... grand.

— Que t'a-t-il dit, exactement ?

— Je... je ne me souviens pas précisément, mais... il voulait qu'on... que nous... il voulait que je le suive.

Il blêmit.

— Très bien, s'énerva-t-il. À compter d'aujourd'hui, il est hors de question que tu restes seule.

— Mais...

— Quand tu ne seras pas avec tes parents, tu seras avec moi, insista-t-il avec le plus grand sérieux.

J'écarquillai les yeux. Il plaisantait ?

— Mais... mais comment veux-tu être avec moi, tout le temps ? Chaque matin j'ai des cours de conduite, et puis j'ai... j'ai une vie, Leith. J'ai besoin de moments d'intimité.

Ce n'était pas qu'être souvent avec lui m'aurait vraiment dérangée, mais tout de même...

— Tu en auras quand tu seras avec ta famille, décida-t-il en ignorant mes protestations.

Mes narines frémirent, j'étais en train de bouillir.

— Tu ne t'es pas posé autant de questions ces deux dernières semaines, grinçai-je.

— Je viendrai te chercher pour tes cours, et ensuite, je te ramènerai chez toi, annonça-t-il calmement en croisant les bras sur sa poitrine.

— Sûrement pas ! ripostai-je, à bout de nerfs. Si tu avais été là, il n'y aurait pas eu de problème. Tu ne peux pas investir mon espace de cette manière, je n'ai pas besoin d'un chien de garde !

Leith leva un sourcil.

J'eus une bouffée de chaleur en réalisant ce que je venais de dire.

— Enfin je... Écoute, Leith, je suis sincèrement désolée pour ce qui s'est passé. Ce n'est pas la peine de prendre des mesures aussi drastiques. Je n'étais pas vraiment moi-même ce soir-là. J'ai agi de manière irréfléchie parce que... parce que tu me manquais.

Il se tut un long moment avant de reprendre la parole, le regard transperçant.

— Je ne changerai pas d'avis, Hannah.

— Leith...

— Ne sous-estime pas celui qui t'a agressée, m'interrompit-il. Tu es beaucoup plus vulnérable que tu ne le penses.

Comme j'étais furieuse et qu'il n'y avait manifestement plus rien à ajouter, il se leva pour payer l'addition.

En entrant dans ce pub, je ne m'attendais pas à ce que nous ayons notre première dispute. J'étais tellement contrariée que je n'ouvris pas la bouche de tout le trajet du retour.

Devant le manoir, j'ouvris la portière du 4×4 à la hâte.

— Hannah, murmura-t-il, avant que je mette un pied dehors. Fais attention à toi. On se voit demain.

Il passa son bras autour de ma taille et m'attira doucement à lui. Ma respiration se bloqua lorsque son autre main se cala derrière ma nuque. Leith s'inclina à peine. Il me fit lentement courber la tête et déposa un baiser brûlant sur le sommet de mon front. Mon front !

Je m'astreignis à ne pas le repousser violemment, tellement j'étais agacée. Frustrée. Enragée.

Je sortis de la voiture en claquant furieusement la portière et ne me retournai pas jusqu'à ce que je sois à l'intérieur de la maison.

Chapitre 21

Les yeux grands ouverts,
j'oubliai de respirer.

> |Hello ! J'ai lu ton dernier mail que ce matin. Ça
> va mieux ?

Je sursautai en entendant mon téléphone biper.
Groggy, je tâtonnai sur la table de nuit et m'en emparai pour regarder l'heure.

Tout juste neuf heures. J'aurais aimé dormir encore
un peu.

Je soupirai, me redressai, et répondis à Sissi.

> |Bof.
> |Ah... Toujours pas de nouvelles de Leith ?
> |Si, je l'ai vu hier.
> |Ah ! Vous avez pu vous expliquer ?
> |Trop long à raconter, je passe par mail.
> |OK. J'attends.

Convaincue que lui parler me ferait le plus grand
bien, je décidai de vider mon sac comme ça venait.
Tant pis pour le dialogue de sourds.

```
De : Moi
À : Sissi
```

Donc, Leith est rentré, hier. Je suis contente. Il semblerait même qu'il me considère bel et bien comme sa petite amie. Youhou…

Pff…

Je suis furieuse.

Soit, je reconnais que j'ai fait n'importe quoi, mais est-il obligé d'agir comme si j'étais une gamine écervelée ? Il pourrait être plus compréhensif, moins sûr de lui, moins autoritaire, moins… Arg ! Il ne va pas me suivre partout quand même ?

Il me rend nerveuse.

Et puis, pourquoi ne m'embrasse-t-il pas ? Il n'a franchement pas besoin de me traiter comme si j'étais une petite chose précieuse, ou un sanctuaire qu'il ne faut pas offenser, quoi ! Je ne demande pas la lune. Un baiser, un minuscule baiser.

C'est quoi son problème ? Je n'en sais fichtrement rien et ça me met hors de moi. Je n'ai pas beaucoup d'expérience, mais il me semble que n'importe quel mec aurait envie d'embrasser son âme sœur s'il en avait une, non ?

Eh bien non. Pas Leith. Et pourquoi pas lui, nom d'un chien ?

Je dus attendre dix bonnes minutes avant qu'elle réponde.

```
De : Moi
À : Sissi
```

Euh… pourquoi n'ai-je pas compris un traître mot de ce que tu racontes ? C'est quoi cette histoire d'âme sœur ? Et pourquoi voudrait-il te suivre partout ? Et encore, en quoi as-tu fait n'importe quoi ? Manifestement, j'ai dû rater un wagon...

Tu t'expliques ?

Je soupirai longuement. Évidemment qu'elle n'avait rien compris...

De : Moi
À : Sissi

Désolée, je suis de mauvais poil. Mais Leith est juste hyper autoritaire et il ne m'a toujours pas embrassée. Je suis sortie avant-hier soir. J'ai un peu trop bu, et essayé ma première cigarette, aussi. Un gars s'est fait pressant avec moi... Leith s'est inquiété, il pense que maintenant, il ne faut plus me lâcher d'une semelle. Voilà c'est tout. Bref. Je coupe, je dois me préparer, j'ai une leçon de conduite à onze heures.

Lorsque je descendis vers dix heures, douchée, habillée et coiffée, Mathy était déjà dans la cuisine, en train de faire du thé et du café. J'avais un peu plus d'une heure devant moi avant de partir.

— Bonjour, ma chérie, tu es matinale.

— Bonjour, Mathy, répondis-je en faisant claquer une bise sur sa joue.

Je m'installai à table et attrapai un bol pour y verser mes céréales. Sans appétit, j'avalai mollement mon petit déjeuner. J'étais en train de débarrasser lorsque la sonnette de la porte d'entrée retentit. Mathy me

lança un regard interrogatif et alla ouvrir pendant que
je commençais à faire la vaisselle.

— Hannah, dit-elle en revenant. C'est pour toi.

Je me retournai et écarquillai les yeux en voyant
Leith derrière elle. Il avait l'air en pleine forme, frais
et bien disposé alors que j'étais encore fatiguée et
d'une humeur exécrable. Pourquoi était-il ici ?

— Bonjour, me salua-t-il joyeusement.

— Qu'est-ce que tu fais là ? grommelai-je.

— Je viens te chercher pour ton cours de conduite.
Comme prévu.

— On avait dit que…

— Que je viendrais, m'interrompit-il calmement.

Irritée, je jetai le torchon sur la table et lui lançai
un regard noir.

— Tu es insupportable !

Il me servit son merveilleux sourire en coin, mais cette
fois, je n'avais pas l'intention de lui faciliter la tâche.

— Tu t'es déplacé pour rien. Mathy a prévu de m'y
emmener.

Cette dernière, manifestement embarrassée par la
situation, astiquait nerveusement le plan de travail
déjà parfaitement propre.

— Mathy, roucoula Leith en souriant de plus belle.

Elle leva la tête pour le regarder.

— Je suis certain que ça vous arrangerait que je
dépose Hannah. Il y a tant à faire dans une si grande
maison, je me trompe ?

Il lui montrait ses belles dents blanches, et Mathy,
bien évidemment, tomba droit dans le panneau.

— J'ai effectivement des tas de choses prévues.

Puis elle se concentra sur moi, me faisant des yeux
de cocker.

— OK, ça va, ça va, grinçai-je. Je monte me brosser
les dents et on se casse !

Un quart d'heure plus tard, je jetai mon sac à dos
sous la boîte à gant, et grimpai dans le 4×4 en claquant la porte aussi fort que je le pus.

— Attache ta ceinture, m'intima Leith calmement.

Et si je n'avais pas envie de la mettre ?

Les narines frémissantes, je tirai sur la sangle et me raidis sur mon siège. Je n'avais pas l'intention de desserrer les mâchoires jusqu'à ce que je sois sortie de cette fichue voiture.

— Tu vas bouder encore longtemps ? s'amusa Leith au bout de dix minutes.

Je lui lançai un regard courroucé.

— Pan ! Là, je suis mort !

Mais qu'est-ce qui pouvait le rendre tellement hilare ? J'étais furieuse contre lui. Il aurait dû se faire tout petit au contraire.

Lorsque le Range Rover s'arrêta enfin devant l'auto-école, Leith éteignit le moteur et se tourna vers moi.

— Peux-tu demander à Mathy de venir te récupérer ? Je dois m'absenter pour le reste de la journée.

Je hochai la tête et, sans dire un mot, je posai la main sur la portière pour dégager vite fait de cette bagnole. Mais quelque chose se passa. Quelque chose que je n'avais pas escompté ce matin-là en me levant.

Leith retira brusquement mes doigts de la poignée et m'attira avec force contre lui. Là, il me transperça du regard. Mon cœur battait à tout rompre, enflammant toute ma cage thoracique.

— Hannah…, gronda-t-il.

Puis il posa avidement ses lèvres sur les miennes.

Les yeux grands ouverts, j'oubliai de respirer.

Son baiser me donna le vertige. Sa bouche prenait possession de la mienne avec une passion brûlante. Sa main m'agrippait la nuque. J'avais attendu ce moment si longtemps, je l'avais convoité si fort. Je m'abandonnai et laissai mes doigts glisser dans ses cheveux. Je le désirais tellement. Je le dévorais. Haletant, il se détacha lentement et posa son front sur le mien. Je reculai la tête pour le contempler. Ses yeux couleur émeraude rayonnaient plus intensément que jamais. Il prit mon visage en coupe entre ses mains et m'embrassa une nouvelle fois, doucement, tendrement. J'étais fiévreuse, mon sang bouillonnait dans mes veines, et je vibrais. Je ne voulais pas que ça cesse.

— Hannah…, murmura-t-il en me caressant du regard. Tu me rends fou.

Les joues en feu, je battis des cils.

Il se pencha et, de ses lèvres, frôla la naissance de mon oreille, jusqu'à l'arrondi de mon menton.

J'eus un long frisson. Il rit et attira ma tête contre lui afin d'embrasser mes cheveux et d'en inhaler l'odeur.

— Va-t'en vite, sinon je ne réponds plus de rien, m'avertit-il, aussi fébrile que moi.

Je n'avais ni l'envie ni le courage de partir de cette voiture. Tout ce que j'avais désiré depuis des semaines venait de s'y produire. Alors, il se pencha pour ouvrir lui-même la portière. Je me mordis les lèvres, m'emparai de ma besace, lui donnai un dernier baiser, et sortis à contrecœur.

**

Je m'apprêtai à téléphoner à Mathy pour qu'elle vienne me chercher lorsque mon smartphone retentit dans mon sac. Je fouillai à l'intérieur et décrochai sur un numéro inconnu.

— Allô ?

— Salut, Hannah, c'est Phillip, le barman du Finighan, tu te souviens ?

Mon visage se fendit d'un grand sourire.

— Oui, bien sûr. Bonjour, Philip !

— Je ne te dérange pas ?

— Non, pas du tout. Je sors à l'instant d'un cours de conduite.

— Oh, tu es en ville ?

— Oui, pourquoi ?

— Eh bien, je t'appelais pour te demander si tu accepterais de me faire visiter le centre de Wick. Comme tu y es déjà... ce serait l'occasion. Si tu as le temps.

— Le centre-ville ? répétai-je, étonnée.

— Euh oui. Tu as bien proposé d'être mon guide ?

— Oui, oui, bien entendu, c'est juste que je ne pensais pas au centre-ville.

— Il n'y a rien à voir ?

Je réfléchis rapidement avant de répondre.

— Il y a bien le vieux Wick et aussi *The Wick Heritage Center*.

— Pour moi, ce sera parfait. Tu as du temps, alors ?

Leith m'avait dit qu'il ne serait pas là pour le reste de la journée. Je n'avais aucune obligation et je lui devais bien ça.

— Oui, tu aimerais qu'on se retrouve où ?

— Devant *McAllan's store*, sur High Street. À douze heures quarante-cinq ?

— J'y serai.

Il était déjà midi vingt, j'avais tout juste le temps d'arriver.

Pour être honnête, je ne savais pas trop en quoi j'allais pouvoir être utile à Phillip. Contrairement à mon père, je n'étais pas spécialiste de l'architecture médiévale, quant au musée, il était essentiellement dédié à l'histoire locale de Wick et à la pêche – pas franchement mon domaine de compétence, non plus. Je tâcherais de faire de mon mieux.

Moulé dans un jean étroit, une chemise ample, les cheveux noués en queue-de-cheval, Philip attendait devant le magasin de bricolage. Je secouai la main pour me manifester, il m'accueillit avec un visage radieux. Par réflexe, j'approchai pour lui faire la bise. Il parut tellement surpris qu'il se pétrifia presque.

— Désolée, marmonnai-je, gênée. Habitude française.

Finalement, il me sourit.

236

— Pas de problème.

— Bon, par quoi tu veux commencer ? m'enquis-je. La ville médiévale ?

— Impeccable.

Je lui fis visiter les petites ruelles de Wick et, comme j'avais quelques restes de nombreuses excursions urbaines en famille, je tentai de lui parler avec le vocabulaire que mon père aurait utilisé lui-même pour décrire les habitations. Philip s'avéra être un touriste très curieux, il ne perdit pas une miette des informations que je lui délivrai. Mais la vieille ville n'était pas très vaste et nous en fîmes rapidement le tour. Quand il se mit à pleuvoir, nous nous réfugiâmes au musée où nous demeurâmes plus de deux heures, le temps que la pluie s'arrête. Lorsque nous en sortîmes, il faisait un grand soleil et mon estomac criait famine. Philip sourit et désigna une sandwicherie au coin de la rue.

— On prend quelque chose et on va s'installer sur le port ?

J'acceptai avec joie.

Nous arrivâmes sur l'embarcadère et décidâmes de nous asseoir à même le quai, les jambes au-dessus de l'eau.

— Qu'est-ce qui t'a poussé à venir à Wick ? Qu'est-ce qui t'y a mené ? demandai-je.

— Les rorquals.

J'ouvris de grands yeux.

— Sérieusement ?

Il hocha la tête.

— J'adore les cétacés. Je plonge et je les photographie, c'est ma passion.

— Tu plonges dans cette eau glacée ? notai-je, admirative.

Un sourire en coin se dessina sur ses lèvres.

— Il suffit d'avoir le bon équipement.

— Mais tu as un bateau, ici ?

— Non. Je loue les services d'un pêcheur qui prête son rafiot pour l'occasion. Lorsqu'on travaillait en binôme avec Mary, je pouvais filmer. Désormais, je suis tout seul, je me contente de prendre des photos.

— Mary ?

— Mon ancienne petite amie.

Son visage s'assombrit le temps d'un instant.

— Nous avons rompu un peu avant que je ne m'installe à Wick.

— Je suis désolée, murmurai-je, faute de mieux.

Il haussa les épaules, fataliste.

— Bah, c'est la vie.

Je croquai dans mon sandwich et bus une gorgée d'eau avant de changer de sujet.

— Quel âge as-tu, Phillip ?

— Vingt et un ans, tout juste, et toi ?

— Dix-huit, depuis peu.

Il eut l'air surpris.

— Je te donnais un peu plus que ça.

— Eh bien, non, m'amusai-je. Je suis toujours dans les jupes de ma mère !

— Et toi, tu as un petit ami ?

J'eus un instant d'hésitation avant de répondre, car hier encore je n'en étais plus vraiment sûre.

— Oui.

— Ici, à Wick ?

J'acquiesçai en souriant.

— Depuis longtemps ? Car tu m'as dit être parisienne, fit-il remarquer.

— Non, c'est tout récent, avouai-je en repensant à l'intense baiser que nous avions partagé, Leith et moi, quelques heures plus tôt.

— Tu n'aimes pas ton sandwich ? s'enquit-il soudain en voyant que je n'en avais pas mangé la moitié.

— Si, mais j'en ai assez. Tu veux le finir ? proposai-je.

Je lui tendis mon panini tomates-mozzarella, il le termina avec autant d'appétit que s'il ne venait pas d'en engloutir un juste avant.

— Tu as dit que vous vous installiez ici avec tes parents. Qu'as-tu prévu de faire ?

— L'université. Probablement St Andrews.

Il approuva en dodelinant de la tête.

— C'est très réputé.

— Il semblerait. Et toi, tu as arrêté tes études il y a longtemps ?

— Houla ! Attends voir... J'avais seize ans. Jusqu'à l'âge de dix-huit ans, j'ai fait des petits boulots à droite et à gauche, puis je suis parti un an en Islande comme commis sur un bateau. L'équipage étudiait les baleines à bosse, comme j'étais très attiré par les cétacés, j'ai tenté l'aventure. J'y ai tout appris. Je suis devenu accro.

Je reculai sensiblement le buste pour l'observer.

— Comme ça, tu cuisines ?

— Hum, un peu... Non, plutôt bien en fait. Il paraît.

Il exhala de l'air avec son nez et se passa la main dans les cheveux.

— Si je t'invitais à dîner, tu accepterais ?

Je le trouvai sympa, bien élevé, pas pressant, et il n'y avait pas grand-chose qui m'en empêchait.

— Pourquoi pas, répondis-je. On mettra ça au point.

Nous parlâmes encore de tout et de rien pendant un très long moment, puis je levai les yeux au ciel et réalisai que le soleil était déjà en train d'amorcer sa descente.

— Mais quelle heure est-il ? me demandai-je en fouillant dans mon sac pour vérifier sur mon portable.

— Dix-sept heures, répondit Philip avant que je l'atteigne.

— Bon sang, je n'ai pas vu le temps passer ! Mes parents doivent s'inquiéter. Je n'ai prévenu personne que je ne rentrai pas tout de suite.

Je sortis mon smartphone, je n'avais plus une once de batterie.

— Mince..., grommelai-je.

— Je te prête le mien ? proposa Philip.

J'acceptai, m'emparai de son GSM et m'éloignai pour appeler à la maison.

— Hannah, *sweetheart*, répondit ma mère, amusée. Tu as été kidnappée par le moniteur de l'auto-école ?

— Je suis vraiment désolée de ne pas avoir téléphoné plus tôt maman. Ça m'est sorti de la tête. Je suis restée en ville avec un ami et nous avons mangé tard dans l'après-midi.

— Ce n'est pas grave. Nous ne nous sommes pas inquiétés, en revanche, Leith...

— Leith ?

— Il vient tout juste de partir de la maison où il pensait te trouver. Nous lui avons dit que tu n'étais pas encore rentrée et que tu faisais sûrement du shopping. Il t'a appelée sur ton portable, mais ça ne répondait pas. Tu devrais lui passer un coup de fil, il n'avait pas l'air dans ses baskets.

— Merci, 'man. Je fais ça tout de suite, grommelai-je.

Je raccrochai et, anxieuse, je composai le numéro de Leith.

— Nom de Dieu ! jura-t-il quand il décrocha. Mais où es-tu passée ? J'ai essayé de te joindre tout l'après-midi !

— Je suis encore en ville.

— Je n'arrêtais pas de tomber sur ta messagerie, pesta-t-il de plus belle, et quand j'arrive chez tes parents, ils me disent qu'ils n'ont aucune nouvelle. Bon sang, Hannah ! Je me suis fait un sang d'encre.

Je sentis mes joues s'enflammer.

— Je n'avais plus de batterie.

Il soupira profondément.

— Ton numéro était caché, tu ne m'appelles pas avec ton portable ?

— Non. C'est celui d'un ami. Écoute, je suis désolée de t'avoir inquiété. Je vais rappeler ma mère pour qu'elle vienne me chercher.

— Laisse tomber, grommela-t-il. Je suis à la boutique, je te récupère et je te ramène chez toi. Où es-tu exactement ?

— Sur le port.

— Dans dix minutes.

Puis il raccrocha.

Les épaules affaissées, je revins vers Philip.

— On vient me chercher dans une dizaine de minutes.

Il fronça les sourcils.

— Ah... Très bien. Tu es toute pâle. Tu n'as pas d'ennui au moins ?

— Non, lui assurai-je en m'efforçant de sourire, mais tout le monde s'est inquiété.

Et accessoirement, Leith m'avait mise dans tous mes états.

— Ce sont tes parents viennent te chercher ?

— Non, mon petit ami.

Il acquiesça d'un hochement de menton.

— Ça marche. Je vais te laisser, dans ce cas. On se recontacte comme prévu ?

— Avec plaisir.

— Je suis vraiment content d'avoir passé l'après-midi avec toi, conclut-il en souriant.

— Moi aussi, Phillip, à bientôt.

Je fis demi-tour et avançai jusqu'au début du quai pour attendre Leith qui arriva à peine deux minutes plus tard. Il arrêta la voiture à deux pas et sortit pour m'ouvrir la portière.

Lorsque je fus installée, il s'assit derrière le volant et se tourna vers moi tandis que je finissais tout juste de boucler ma ceinture.

— J'étais fou d'inquiétude, m'avoua-t-il encore en levant sur moi des yeux brasillants.

— Je suis désolée, m'excusai-je une nouvelle fois.

Rasséréné, il s'inclina et effleura mes lèvres des siennes.

Mon épine dorsale fut parcourue d'un long frisson alors que sa bouche était exceptionnellement chaude. Il sourit, frôla ma joue du bout des doigts et remit derrière mon oreille une mèche de mes cheveux échappée de ma barrette.

— Si jolie...

C'était tellement bon.

— Est-ce que tu veux sortir, ce soir ? Restau, ciné... le genre de choses qu'on fait avec son petit ami, quoi

Un large sourire étira mes lèvres.

— J'adorerais.

— Parfait ! Je t'emmène au restau français sur Wick Bay et ensuite, on improvise, décida-t-il.

J'étais ravie.

Ces derniers jours avaient été si rudes pour moi que je reçus ce nouveau bonheur avec joie. Il démarra, s'engagea sur la double voie. Je soupirai de bien-être.

Oh oui. J'étais bien.

Chapitre 22

*La mer était calme
et le vent soufflait à peine.*

Quand Leith revint me chercher, à vingt heures précises, je n'avais pas terminé de me préparer. Mes cheveux étaient encore mouillés, et je ne savais toujours pas quoi porter. Je me fis une longue natte, enfilai la robe que j'avais mise lors du vernissage de Stéphanie, ainsi que ma paire de ballerines, et comme je n'avais absolument plus le temps pour un éventuel maquillage, je m'emparai d'un gilet et descendis tel que j'étais.

Leith attendait dans la cuisine avec Elaine et Mathy. Mon cœur s'arrêta lorsque je le vis. Il avait troqué son jean contre un costume chocolat et une chemise beige entrouverte sur le cou. Il était à couper le souffle. Je me sentis presque ridicule avec ma tenue et ma coiffure d'adolescente. Toutefois, quand je passai la porte, il m'enveloppa d'un regard appréciateur laissant présager qu'il n'avait pas la même opinion que moi.

— Tu es magnifique, murmura-t-il à mon oreille.

Il fit glisser ses lèvres sur mon cou et mordilla ma peau suffisamment furtivement pour que Mathy ne le voie pas faire. Mes genoux me lâchèrent instantanément. Leith me retint de justesse par la taille.

— Pauvre petite chose, chuchota-t-il, un éclat malicieux dans les yeux. Si fragile et si facilement impressionnable.

Il sourit, m'aida à enfiler ma veste, et vingt minutes plus tard, nous nous trouvâmes devant le restaurant le plus prisé de Wick.

Leith avait réservé la table la plus en retrait, à l'écart des regards indiscrets. Nous nous installâmes, choisîmes nos plats, et nous lançâmes dans une discussion animée sur l'université de St Andrews et tous les avantages que celle-ci représentait. Pendant que nous bavardions, on nous servit des mets tous aussi succulents, délicats et inventifs, les uns que les autres, je n'en laissai pas une miette. Si bien qu'à la fin du repas, mon ventre était sur le point d'exploser.

— Tu ne m'as jamais vraiment parlé de ton père, fis-je remarquer alors qu'il venait de me poser mille et une questions sur ma famille. Comment est-il ?

Le regard de Leith se ternit légèrement.

— On ne se voit pas beaucoup. C'est un homme très occupé.

— Ça a toujours été ainsi ?

Il secoua tristement la tête.

— Non. Avant la mort de ma mère, nous étions très proches. Nous faisions des tas de trucs ensemble. Après le drame, il s'est réfugié dans le travail. Il était anéanti et bosser était tout ce qu'il était capable de faire.

— Qui s'est occupé de toi ?

— Mon père avait engagé une nourrice. Mais pas au début puisque Bonnie est restée plusieurs mois à la maison. Ma première transformation avait été si brutale que j'avais des accès de violence terribles. J'ai d'ailleurs blessé Bonnie à plusieurs reprises dans ces moments, toutefois, elle a toujours su me calmer. J'ai été déscolarisé pendant pratiquement un an.

— Et ton père, que faisait-il ?

— Il fuyait, répondit-il, acide. Il partait des semaines entières en voyage d'affaires.

— N'en avez-vous jamais parlé ?

— Il nous est très difficile de communiquer sans nous heurter violemment à nos idées. Il est de la vieille école. Il ne supporte pas que je puisse ne pas penser comme lui, et moi, je ne tolère pas qu'il soit si obtus. On ne s'est jamais vraiment compris. Mais j'ai ma vie maintenant, et lui, la sienne.

— C'est triste...

— C'est ainsi.

— J'aimerais beaucoup le rencontrer.

Il plissa le front d'étonnement.

— Avec ce que je viens de te raconter ?

J'acquiesçai en souriant.

— Quelqu'un qui a conçu un homme aussi fantastique que toi ne peut être foncièrement mauvais.

— Il ne l'est pas, Hannah, il est juste têtu et égocentrique.

— Je pense pouvoir m'en accommoder, lui assurai-je.

Ses yeux brillèrent d'un éclat indescriptible.

— Je ne crois pas que ce soit une bonne idée de te le présenter.

— Tu crains une dispute devant moi ?

— Non.

— Alors, quoi ? insistai-je.

Il plissa les paupières.

— Je ne sais pas comment te le dire sans te blesser.

Je fronçai les sourcils.

— Je ne comprends pas.

Ses mâchoires se crispèrent.

— Il n'envisage pas que je puisse être avec une Humaine. C'est inconcevable pour lui.

J'étais tellement stupéfaite, que pendant quelques secondes, je ne sus quoi dire.

— Pour quelle raison ? finis-je par articuler.

— Il est vieux jeu.

En définitive, il craignait le mélange des espèces.

— Peut-être changera-t-il d'avis en me connaissant mieux ? persistai-je sans trop y croire.

Il m'offrit l'ébauche d'un sourire.

— J'en doute, même si tu as une capacité d'envoûtement absolument étonnante.

Dubitative, j'arquai les sourcils.

— D'envoûtement ? Tu sais de qui tu parles ?

— Oh oui, Hannah. Tu m'as envoûté.

Je levai les yeux au ciel.

— C'est le monde à l'envers.

Il rit doucement.

— Moi, c'est dans mes gènes. Pour toi, c'est plus inattendu, susurra-t-il en caressant délicatement ma joue.

Je m'emparai de mon verre d'eau et le terminai d'une traite.

— Dans ce cas, il me sera facile d'amadouer ton père...

Il fronça les sourcils.

— Est-ce si important pour toi, de le rencontrer ?

— Tu trouves ça bizarre ?

— Définitivement.

— Je ne connais personne de ta famille à part Al et Bonnie. J'aimerais que tu acceptes de me le présenter.

Il me considéra avec attention.

— J'accepte tout ce qui te fera plaisir, Hannah, mais je t'aurais prévenue.

— Tu ne peux pas savoir à l'avance, fis-je remarquer avec tact.

— J'ai bien peur que si, *honey*, affirma-t-il tendrement en accrochant mon regard.

— *Honey* ? relevai-je, surprise.

Il s'arma d'un sourire mutin.

— Parce que tes lèvres sont aussi sucrées que du miel.

La serveuse arriva sur ces entrefaites pour débarrasser les assiettes à dessert.

— Désirez-vous un thé ? Un café ?

Je secouai la tête, Leith en fit de même.

— Seulement l'addition, s'il vous plaît, demanda Leith.

En le voyant sortir une American Express Gold, je restai bouche bée. Comment un étudiant pouvait-il en posséder une ? Je ne me considérais pas la plus à plaindre niveau argent de poche, mais aucun banquier ne m'aurait décemment proposé ce type de carte de crédit ! Et à tout bien y réfléchir, si aucun prix n'était affiché sur le menu qu'on m'avait mis entre les mains, j'avais malgré tout conscience que les tarifs pratiqués dans ce restaurant étaient loin d'être ceux d'un fast-food. Leith ne rechigna pourtant pas lorsqu'il consulta l'addition. Je me demandai même s'il avait seulement jeté un œil au montant. Il se contenta de régler en laissant un copieux pourboire sur la table.

— On y va ? m'intima-t-il.

J'acquiesçai et récupérai ma veste sur le dossier de la chaise. Il m'aida à l'enfiler et étreignit tendrement mes épaules pour m'escorter à l'extérieur.

Dehors, je levai le menton. Dans le ciel, la lune dessinait une fine ligne éclatante et incurvée, tandis que les lampadaires éclairaient joliment la baie. Et au loin, on entendait le doux bruissement des vagues. La mer était calme et le vent soufflait à peine. La nuit était belle.

— On pourrait marcher un peu, proposai-je.

Il acquiesça et me guida en direction de la jetée. Accrochée à son bras, je percevais l'incroyable chaleur qu'il dégageait et me sentis davantage en sécurité. Je collai ma joue contre son épaule et souris aux anges. Nous nous arrêtâmes là où le quai formait un virage en équerre qui continuait sur encore une bonne dizaine de mètres. Leith se tourna vers moi et descendit les mains autour de ma taille pour m'étreindre un peu plus. Je le regardai et calai mes doigts derrière sa nuque pour l'inviter à incliner son visage vers le mien, puis je me levai sur la pointe des pieds pour embrasser tout doucement son menton. Il sourit.

Je m'enhardis, et fis pleuvoir une multitude de petits baisers le long de son cou, sur le sommet de son thorax, et me félicitai intérieurement lorsque je sentis sa respiration s'accélérer subtilement.

— Hannah…

Subitement, il me souleva du sol comme si j'étais aussi légère qu'une plume et me colla contre lui. J'étais si proche que je percevais les battements de son cœur contre ma poitrine. Puis, affamé, il plaqua ses lèvres sur les miennes pour m'embrasser fougueusement.

— Tu es une sorcière, audacieuse et inconsciente ! finit-il par rugir en me reposant doucement. Si je n'étais pas quelqu'un de raisonnable, je te kidnapperai séance tenante pour un coin encore plus tranquille et duquel tu ne pourrais pas t'enfuir.

Je ris en cachant mon visage contre son épaule. Qu'il le fasse, je ne chercherais sûrement pas à me carapater.

Leith me serra contre lui, et ne bougea plus, comme pour calmer le feu ardent qui brûlait en nous. Les paupières closes, je me laissai aller, et savourai la chaleur de son corps, l'odeur si particulière de sa peau. Nous restâmes ainsi pendant un très long moment, écoutant le bruit de l'eau caressant les rochers qui habillaient la jetée. J'aurais donné n'importe quoi pour que cet instant s'éternise, grisée par ce sentiment d'être seuls au monde. Rien que tous les deux.

Hélas, nous ne l'étions pas.

Leith avait senti quelqu'un.

— Que se passe-t-il ? m'enquis-je.

— Tais-toi…, chuchota-t-il.

Il desserra son étreinte et scruta les quais.

Je me détachai et regardai autour de moi. Je ne voyais rien d'autre que l'obscurité de la nuit et les lumières de la ville.

— Partons, grinça-t-il entre ses dents en m'intimant d'avancer.

— Qu'est-ce qui ne va pas ?

Brusquement, une forme humaine surgit de nulle part, à une dizaine de mètres devant nous. Je poussai un cri de surprise tandis que Leith me faisait glisser derrière son dos. La silhouette s'approcha de quelques pas et, dans la faible lueur du lampadaire, je le reconnus. Le Galbro. Ses oreilles allongées, son museau incomplet, son visage à demi couvert de poils, ses crocs, ses grands bras, ses griffes. Mon sang se figea, la peur s'infiltra par tous les pores de ma peau et mon cœur battait si fort que je me crus sur le point de défaillir. D'un mouvement rude, Leith me poussa pour m'éloigner. Le choc fut si brutal que je perdis l'équilibre et allais m'écraser sur le béton. J'eus le sentiment de ne plus jamais pouvoir me relever. Au milieu de la digue, entourée d'eau et sans aucun moyen de m'échapper pour chercher du secours, je regardai Leith, impuissante, tenter de faire barrage entre moi et le Galbro.

Sous mes yeux, se déroula alors une scène d'une sauvagerie inouïe, bien plus violente que celle que j'avais vue sur les îles Orcades. Leith ne se changea pas en loup, mais sa colère sembla se muer en fureur. Sans sommation, il s'élança sur le Galbro pour l'empoigner par les cheveux avant de lui cogner rageusement le visage, et à plusieurs reprises, contre les rochers. Dans un quasi-rugissement, la bête réussit à se relever et à sauter à la gorge de Leith pour le harponner de longues secondes, bien décidée à en finir. Leith se débattit férocement, gronda, et parvint à le repousser avec puissance. Son cou, son costume, sa chemise étaient maculés de sang. Je hurlai. Si fort, que mon cri fit écho autour de nous, immobilisant le Galbro. Son regard se fixa sur moi quelques secondes, il cria à la lune, et sans raison apparente, il s'enfuit en direction de la ville.

Leith était incapable de le pourchasser, il tourna vers moi, haletant et désorienté. Affolée, je me relevai d'un bond pour le rejoindre. Il tomba à genoux, tête baissée, avant de s'allonger sur le dos, la respiration sifflante.

— Leith..., murmurai-je avec effroi en voyant l'étendue de ses blessures.

Prise de panique, des larmes plein les yeux, je regardai autour de moi sans savoir quoi faire.

— Leith... Oh, mon Dieu...

— F-f-froid...

Je me ressaisis, retirai ma parka avec des gestes désordonnés et le couvris. Finalement, je me défis de mon chandail et l'appliquai aussi fort que possible sur son cou. Leith s'était couché sur le sol, en chien de fusil, tremblant de tous ses membres.

— Je vais appeler de l'aide, murmurai-je, je...

Je m'interrompis, soulagée, lorsque des sirènes retentirent, et qu'une voiture de police s'arrêta à l'entrée de la jetée.

— Nous allons te conduire à l'hôpital, sanglotai-je.

— Non..., haleta-t-il avec une voix qui ne semblait pas être la sienne. Pas l'hôpital. Je... je ne peux pas.

— Leith, il le faut. Tu... tu... il faut qu'on te soigne, plaidai-je, les larmes ruisselant de plus belle sur mes joues.

— Pas l'hôpital... impossible. Promets-moi... Promets-moi.

J'étais désespérée, mais je lui faisais confiance. Il avait probablement de bonnes raisons, même si elles me paraissaient totalement insensées. Je levai les yeux vers les deux policiers qui se dirigeaient droit sur nous. De là où ils étaient, j'avais conscience qu'ils ne nous voyaient pas encore, mais je devais faire vite. J'observai les rochers qui flanquaient la jetée. Ils étaient légèrement en pente, je pourrais peut-être y dissimuler le corps de Leith.

— Aide-moi, soufflai-je en tentant de le relever un peu.

Leith rampa difficilement jusque vers la berge tandis que je le tirai de toutes mes forces. Il se cala entre deux grosses pierres, en boule, grelottant encore plus fort.

— Hannah…, murmura-t-il.

— Reste calme, je… je vais trouver une solution.

De lui ou de moi, je ne savais pas qui j'essayais de rassurer.

Je fouillai dans sa veste et en ressortis les clefs de sa voiture.

— Je reviens, promis-je.

Je n'avais plus le temps de m'attarder, les trois policiers étaient tout proches et dirigeaient leurs lampes sur nous. Je me levai rapidement, séchai mes larmes et essuyai mes mains ensanglantées sur ma robe noire avant d'aller à leur rencontre en titubant.

— Mademoiselle, tout va bien ? demanda le plus grand des deux. On nous a signalé des cris et un homme qui partait en courant.

Je hochai la tête.

— Avez-vous été agressée ?

Il ne me fallut pas deux secondes pour trouver une explication.

— Oui. Non… Mon petit ami, il a essayé de… et je… je ne voulais pas.

— Vous êtes blessée ? m'interrogea le deuxième qui arborait une épaisse moustache blonde.

Je le fis signe que non.

— Il serait quand même judicieux que vous voyiez un médecin.

Je mis les bras autour de moi en tremblant.

— Je vais bien. Je veux juste rentrer chez moi.

Je décidai d'avancer droit devant, ignorant les trois policiers qui m'emboîtèrent immédiatement le pas. Ils attendirent que nous atteignions le quai pour me retenir.

— Comment vous appelez-vous ?

— Hannah Jorion, répondis-je sans avoir l'intention de mentir.

— Que s'est-il passé ?

— Nous nous sommes disputés et... je l'ai giflé.

Le plus grand des deux fronça les sourcils.

— Vous a-t-il frappée ?

— Non.

Il me considéra d'un air sceptique.

— Quel est son nom ?

Je fis un geste évasif de la main.

— Je ne veux pas vous le dire. J'aimerais rentrer chez moi.

— Nous préférerions que vous nous suiviez, insista l'autre.

Consciente que le temps pressait, et que je perdais mon self-control, je me ressaisis et me tins bien droite.

— Suis-je obligée de le faire ?

L'officier moustachu plissa les yeux.

— Non.

Je fis mine de soupirer profondément.

— Écoutez. Je... J'ai besoin d'être seule, de prendre une douche et d'oublier tout ça.

— Comme vous voudrez. Où habitez-vous ?

— Sur la route de Milton.

— Vous êtes véhiculée ?

J'acquiesçai. Ici, personne ne demanderait à voir mes papiers, je le savais.

— Nous allons vous suivre jusque chez vous pour plus de sécurité.

Je voulais protester, mais ç'aurait paru bizarre. Je m'en abstins et les laissai m'accompagner jusqu'au 4×4. Fébrilement, je grimpai dans le Range Rover et démarrai. J'atteignis le manoir en roulant prudemment, me faisant violence pour respecter les limites de vitesse. Je m'arrêtai dans le chemin d'accès, bien avant la cour, et descendis du véhicule. Les policiers en firent de même.

— Merci de m'avoir escortée. Si ça ne vous ennuie pas, je ne tiens pas à mettre ma famille au courant. Je préfère que vous ne m'accompagniez pas à la porte.

Contre toute attente, ils opinèrent et me recommandèrent d'être prudente.

— Si vous rencontrez le moindre problème, composez le 999.

— Je n'y manquerai pas et vous remercie.

J'attendis qu'ils fassent demi-tour, leur fis un signe de la main, et patientai encore dix minutes avant de repartir en direction de Wick. Je longeai le quai et vérifiai que les policiers n'étaient pas revenus sur les lieux. Ce n'était pas le cas. Alors je me garai tout près de la jetée, me saisis de la lampe de poche dans la boîte à gants, du plaid sur le siège arrière, et sortis en courant pour retrouver Leith. Il n'avait pas bougé, recroquevillé sur lui-même, mais toujours conscient.

— Leith, c'est moi...

Il gémit.

— Mon père..., réussit-il à dire d'une voix presque inaudible.

Hélas, je n'avais aucun moyen de le joindre.

— Donne-moi son numéro.

Mais Leith ne répondit pas, il tremblait comme une feuille.

Je ne paniquai pas, j'avais celui de Gwen et je savais qu'elle pourrait nous venir en aide. Je le composai et attendis qu'elle décroche.

— Allô ?

Je pris ma respiration pour éviter de sangloter, mais n'y parvins pas. Je fondis en larmes.

— C'est Leith, il est blessé.

— Dis-moi où vous êtes, m'intima calmement Gwen.

— Au bout de la jetée. Il a perdu beaucoup de sang et...

Ma voix se cassa, je pleurai de plus belle.

— J'y serai dans dix minutes.

— Leith, chuchotai-je en lui caressant les cheveux. Ça va aller...

Il posa sur moi un regard trouble. Son teint était d'une pâleur de craie, et la veste que j'avais coincée sous son cou, gorgée de sang. Je retins un sanglot et dépliai la couverture sur lui.

— Gwen arrive. On va te sortir de là, murmurai-je en reniflant.

Il leva une main tremblante pour s'emparer de la mienne et la serra furtivement comme pour me dire de ne pas m'inquiéter. Mais j'étais transie de peur.

Il ne nous fallut pas attendre longtemps avant que Gwen nous rejoigne. Quand elle le vit, elle devint blême.

— Leith, merde..., jura-t-elle. Tu peux te mettre debout ?

— Non, il est trop faible, répondis-je à sa place. Il a perdu tellement de sang...

— Est-ce que tu peux te lever ? insista-t-elle en ignorant mes protestations.

— Oui..., murmura-t-il.

Gwen se baissa et l'aida à se redresser.

— Hannah, tiens-toi de l'autre côté et soutiens-le, m'ordonna-t-elle.

Je m'exécutai et glissai son bras droit sur mon épaule. Il était lourd, nous escaladâmes les rochers et avançâmes avec difficulté jusqu'à la voiture.

— Je conduis, décida Gwen lorsque nous l'eûmes installé à l'arrière du 4×4, emmitouflé sous la couverture, la tête posée sur mes genoux.

Incapable de calmer les saccades de ma respiration, je m'empêchai néanmoins de pleurer et lui caressai doucement les cheveux.

— Ne t'inquiète pas..., chuchota-t-il. Je vais... me remettre.

— C'est trop tard, murmurai-je pendant que mes yeux s'embrumaient de nouveau de larmes.

— Le père de Leith saura quoi faire, m'assura Gwen.

— Pourquoi ne l'emmenons-nous pas à l'hôpital ?

Gwen me jeta un regard furtif dans le rétroviseur.

— C'est très simple, Hannah, son groupe sanguin est inconnu au bataillon. De quelle manière penses-tu qu'on pourrait expliquer ça ?

J'acquiesçai et fermai les paupières en me mordant les lèvres. Je sentais monter en moi des vagues d'angoisse que je ne parvenais pas à contrôler, terrifiée à l'idée qu'il ne survive pas.

À peine dix minutes plus tard, la voiture s'arrêta devant une énorme bâtisse en pierres grises. Gwen avança jusqu'à la grille et sortit pour appuyer sur l'interphone vidéo. Les vantaux du portail automatique s'écartèrent presque aussitôt et Gwen s'engouffra dans la cour.

— Nous sommes arrivés, murmurai-je à Leith en baissant la tête vers lui.

Pas un mot, pas un geste.

— Gwen ! m'écriai-je, paniquée. Il a perdu connaissance !

Gwen descendit et m'ouvrit. Tandis que je m'extrayais fébrilement du véhicule, M. Sutherland, un homme d'une quarantaine d'années aussi grand et brun que Leith, apparut. Il s'engouffra à l'intérieur et prit son fils dans ses bras comme s'il s'était agi d'un fétu de paille pour l'emmener jusqu'à la maison. Je les suivis en titubant, sanglotant plus que je n'aurais cru possible de le faire. Deux minutes plus tard, nous pénétrâmes dans une chambre où Leith fut doucement déposé sur un lit.

— Va me chercher de l'eau chaude et des serviettes propres, ordonna M. Sutherland à Gwen.

Elle s'exécuta. Il déchira la veste et la chemise de son fils aussi facilement qu'une feuille de papier et exposa son torse. Je poussai un cri de terreur en voyant l'étendue de la blessure de Leith. Le Galbro lui avait arraché un morceau entier de chair. Une plaie béante s'étirait de la base de son cou à la naissance de sa clavicule, et le sang qui s'en écoulait abondamment imbibait déjà les draps.

— Rendez-vous utile au lieu de pleurnicher ! me jeta le père de Leith en me fusillant du regard. Allez chercher le téléphone qui est dans l'entrée et prenez le calepin qui se trouve à côté.

Je n'attendis pas qu'il me le dise deux fois et sortis en trombe avant de descendre les escaliers. J'attrapai le combiné, le carnet d'adresses, et remontai aussitôt. M. Sutherland s'en empara et se tourna calmement vers Gwen qui venait d'entrer.

— Nettoie sa plaie au mieux. Je vais faire venir Bonnie. Leith pourrait ne pas survivre.

À ces mots, mes jambes se mirent à flageoler et je dus me retenir à la commode à côté du lit pour ne pas tomber. Avec sang-froid, Gwen trempa un linge blanc dans la grande bassine d'eau bouillante, l'essora, et s'inclina sur Leith.

— J'ai besoin de ton aide, me dit-elle. Humidifie les serviettes au fur et à mesure, s'il te plaît.

Je n'avais pas son cran. Je tremblais comme une feuille et manquais de défaillir à tout instant.

J'essayais de me convaincre, qu'il ne mourrait pas, qu'il était bien trop solide, mais je n'y parvenais pas. La peur qui me dominait était plus forte que tout. Je demeurai immobile, incapable de faire le moindre geste.

— Hannah ! J'ai besoin de toi, me pressa Gwen.

Je me ressaisis, obtempérai, et trempai la première serviette dans l'eau. Au bout de quelques minutes, M. Sutherland réapparut et poussa doucement Gwen pour appliquer deux larges feuilles séchées sur la plaie de Leith. Là, il lui banda le cou, veillant à ne pas serrer trop fort.

— Bonnie arrive aussi vite qu'elle peut, dit-il à Gwen.

Mes yeux se posèrent sur le visage de Leith. Toujours inconscient, il transpirait, son front dégoulinait de sueur, et il tremblait. Le cœur meurtri, je ramassai les linges sales et la bassine pour changer l'eau. Je pouvais au moins faire ça sans risquer de m'évanouir.

— Où est la salle de bains ? demandai-je en me tournant vers M. Sutherland.

— La porte à côté de la chambre, à gauche, me répondit-il sans m'accorder le moindre regard.

Et pourquoi l'aurait-il fait ? En quoi l'aurais-je mérité ?

Par ma faute, celui que j'aimais se retrouvait entre la vie et la mort. J'étais anéantie.

Leith était fait de chair et de sang. Il n'avait pas menti, il n'était pas invulnérable.

J'aurais voulu lutter à sa place, me sacrifier pour lui. S'il devait ne pas survivre, je refusais de le voir partir sans avoir donné tout ce que je pouvais pour tenter de le sauver, même la plus petite chose, aussi futile soit elle.

Sans un mot, je sortis.

Chapitre 23

Qui êtes-vous ?

Lorsque je regagnai la chambre, M. Sutherland et Gwen étaient assis de part et d'autre de Leith. Ils le regardaient respirer avec difficulté, luttant contre la douleur et la fièvre.

Je déposai la bassine sur la commode à côté du lit et attrapai l'unique chaise de la pièce pour m'installer près de Leith, à côté de Gwen. Je trempai une compresse dans l'eau fraîche et entrepris de nettoyer les traces de sang séché sur son torse nu. Puis, je l'épongeai délicatement et le recouvris du drap. Ses cheveux, humides de transpiration, lui collaient au front. Je les repoussai et tamponnai un linge sur son visage. Il était si pâle... Sa peau blafarde tranchait avec le rouge presque violacé de la cicatrice lui barrant la joue droite. Penchée sur lui, j'humectai ses lèvres sèches tandis qu'un spasme de douleur secouait ses épaules. Malgré moi, je laissai échapper une larme qui s'écrasa sur la bouche de Leith. Il ne réagit pas. Il sombrait dans un sommeil dont j'avais peur qu'il ne se réveille jamais.

— Qui êtes-vous ?

Je levai la tête, M. Sutherland m'observait en fronçant les sourcils.

— Hannah, murmurai-je, les yeux humides.

— Hannah, répéta-t-il avant de me considérer avant attention. Qui êtes-vous pour mon fils ?

Dans un instant de panique, je cherchai le regard de Gwen qui ouvrit la bouche pour répondre à ma place avant de se raviser. Je retins ma respiration. Ça n'aurait pas dû se passer comme ça. C'est Leith qui aurait dû me présenter à son père, lui seul aurait su amener les choses avec ménagement. Mais il ne pouvait pas me soutenir comme nous l'avions imaginé tous les deux. Je sentais mes dernières forces m'abandonner. Cet homme était exactement comme son fils me l'avait décrit : froid et hostile à mon égard.

— Sa petite amie, monsieur, avouai-je d'une voix éteinte.

Ses yeux couleur émeraude me transperçaient.

— Et en tant que *petite amie*, êtes-vous capable de m'expliquer ce qui s'est passé ?

Une boule d'angoisse se bloqua ma gorge et me fit hoqueter. Je déglutis douloureusement et décidai de commencer par le début. Je mentionnai le philtre d'amour, mais sans préciser qui me l'avait donné. Toutefois, il jeta un œil désapprobateur à Gwen qui baissa la tête, honteuse. Je lui parlai de la première agression à *Skara Brae*, la manière dont Leith s'était battu pour me défendre et son aveu sur sa condition de loup-garou. Je repassai sur l'absence de Leith pendant laquelle il avait tenté de pister le monstre sur les îles Orcades, je lui fis part de ses craintes de le voir revenir, de ses doutes parce qu'il pensait que le désir du Galbro n'était qu'un prétexte venant s'ajouter à la véritable raison de sa présence dans les environs. Je parlai de l'homme avec qui j'avais fumé ma première cigarette chez Finighan et enfin, je lui donnai tous les détails de l'attaque de ce soir. Il m'écouta sans sourciller. Seules ses mâchoires crispées et la lueur farouche de son regard trahissaient sa colère. Puis j'eus un geste de recul lorsque je terminai mon récit. Il me semblait être sur le point d'exploser et se jeter sur moi pour m'étrangler. Or, il se contenta de décroiser ses longues jambes et de se frotter les yeux avant de me répondre.

— Mon fils est un idiot, commenta-t-il froidement alors que je retenais ma respiration. Et vous, vous êtes l'Humaine la plus stupide qu'il m'ait été donné de rencontrer.

Il gronda et montra Leith du doigt avant de reprendre.

— Vous n'avez pas mesuré les conséquences de vos actes, vous avez préféré encourir le risque de vous faire tuer et vous jeter dans ses bras au lieu de vous éloigner de lui. Je vous tiens pour responsable de ce qui s'est passé ce soir.

Je n'en avais pas moins attendu. Mais au fur et à mesure qu'il me disait mes quatre vérités, j'avais laissé échapper des larmes de culpabilité et de colère. Je ne pouvais que lui donner raison. À aucun moment je n'avais imaginé que Leith risquerait sa vie en voulant être avec moi. J'aurais dû m'éloigner de lui dès que le Galbro était apparu. Il ne serait pas mourant, aujourd'hui.

M. Sutherland se leva de sa chaise, effleura du bout des doigts la joue de son fils et quitta la pièce.

Gwen se pencha sur Leith pour l'embrasser sur le front, posa une main compatissante sur mon épaule et rejoignit M. Sutherland.

Je restai assise, seule avec Leith et l'observai longtemps, espérant une toute petite réaction de sa part. Mais rien ne se produisit. Absolument rien.

— Pardon... Pardon, murmurai-je avant de m'effondrer sur sa poitrine, en larmes.

Je pleurai tout mon saoul, et finis par m'endormir.

Je me réveillai au petit matin en sursaut lorsque je sentis qu'on me caressait les cheveux. Je relevai brusquement la tête pour regarder Leith, pensant qu'il s'agissait de lui. Mais il était toujours inconscient. Puis le visage de sa tante se pencha sur le mien.

— Bonnie ! sanglotai-je en me jetant dans ses bras.

— Chut, chut, mon petit, ça va aller, tenta-t-elle de m'apaiser en me tapotant le dos. Calme-toi, maintenant. Tu veux bien me laisser un moment ? Je dois examiner Leith.

— Non ! tonnai-je sans même m'en rendre compte. Je reste.

Ma voix était ferme et sans détour. Bonnie n'osa pas s'opposer.

— D'accord. Mais j'ai besoin de concentration. Ne me dérange pas.

J'acquiesçai et m'installai sur le fauteuil au fond de la chambre.

Bonnie s'approcha de son neveu. Elle commença par toucher son front du dos de sa main, puis elle sentit l'odeur de sa peau, écouta sa respiration à même ses lèvres entrouvertes, examina l'arrière de ses oreilles, et goûta même le sang qui perlait de la gaze autour de son cou. Puis, lentement, elle souleva la bande. J'eus un haut-le-cœur violent. La blessure était encore à vif et, lorsque Bonnie retira les feuilles séchées, des lambeaux de chair se détachèrent.

— Hannah, veux-tu aller chercher un bol d'eau chaude et un autre vide, s'il te plaît ?

J'hésitai un instant. Je n'avais pas envie de le quitter, pas même quelques minutes, mais Bonnie attendait que j'obéisse sans discuter. Je sortis à contrecœur et rejoignis le rez-de-chaussée à la recherche de la cuisine. La voix d'Alastair retentit.

— Comment oses-tu dire des choses pareilles ? Dix ans ne t'ont pas suffi. Tu es toujours aussi têtu, hein ?

— En effet, Alastair. Ce que je pense de toi et de tes idées ridicules reste inchangé. Si je vous ai fait venir toi et ta femme, c'est pour mon fils. Et uniquement pour lui, parce que seule Bonnie est capable de le soigner. S'il n'est pas trop tard...

— Tu es impossible, Jeremiah, toutes ces années ne t'ont pas permis de te remettre en question.

— Ce qui s'est passé hier prouve encore une fois que j'ai raison et tu le sais, Alastair, répliqua le père de Leith.

— Tu n'as toujours rien compris, n'est-ce pas ? gronda Alastair. Tout ceci devrait te donner l'envie de te battre, au contraire. Pas de te soumettre ! Tu n'es qu'un lâche !

— Je t'interdis de m'insulter sous mon propre toit ! rugit Jeremiah Sutherland. Regarde un peu cette maison sinistre et vide, et dis-moi où me battre m'a conduit à part briser ma famille, ma vie et celle de mon fils !

Il y eut un long silence, puis, sans que j'aie besoin de me manifester, Alastair s'adressa à moi.

— Entre, Hannah, approche, n'aie aucune crainte, il ne s'agit que d'une vieille querelle entre frères.

Je pénétrai timidement dans la cuisine. Le père de Leith était debout devant la porte-fenêtre, quand il me vit, il l'ouvrit et sortit en la claquant.

— Bah, ne t'inquiète pas, voulut me rassurer Alastair en s'avançant, pour me serrer dans ses bras. C'est un vieux bougon, il a toujours été ainsi.

Je lui fis un sourire crispé.

— Je suis venue récupérer des récipients pour Bonnie. Où puis-je en trouver ?

Il fouilla dans un placard mural et se saisit de deux grands bols. J'en remplis un d'eau très chaude et retournai auprès de Bonnie.

Tandis que j'attendais patiemment sur le fauteuil, elle sortit de son cabas un sachet comportant plusieurs objets. Elle s'empara d'abord d'un pochon d'herbes séchées qu'elle versa dans le bol vide. Elle l'humidifia et pilonna le tout pour en faire une bouillie épaisse. À l'aide d'une spatule, elle appliqua la mixture à même la plaie de Leith et la recouvrit entièrement. Enfin, elle y saupoudra une poudre blanche ressemblant à de l'argile, et laissa la blessure à l'air libre.

— La préparation doit sécher, m'expliqua-t-elle. Ensuite je la retirerai et recommencerai plusieurs fois, jusqu'à ce que la plaie se referme.

Je posai les yeux sur lui. Il était parfaitement immobile et respirait encore avec difficulté. Toutefois, il ne saignait plus.

— Va-t-il s'en sortir, Bonnie ? demandai-je d'une voix chevrotante. Pourquoi ne se régénère-t-il pas ?

Elle attrapa la chaise près du lit et vint s'asseoir en face de moi. Ses mains chaudes englobèrent les miennes.

— Certaines lésions sont bien trop profondes pour qu'elles puissent se soigner d'elles-mêmes et Leith a perdu une grande quantité de sang. Quand un loup-garou est blessé alors qu'il n'est pas sous sa forme animale, il est beaucoup plus faible. Sa puissance demeure impressionnante, mais son corps ne combat pas les agressions de la même manière.

Elle soupira profondément en l'observant brièvement.

— Il a l'air de s'être stabilisé, mais je ne saurais prédire avec assurance la suite des événements.

— Mais pourquoi n'a-t-il pas fait le choix de muter ? me révoltai-je.

— Peut-être voulait-il t'épargner de perdre connaissance une nouvelle fois ? supposa-t-elle.

— C'est ridicule !

— Tu te sens coupable, Hannah, mais tu n'y es pour rien. Leith savait ce qu'il faisait. Il est jeune, mais il a de l'expérience. Il a voulu te protéger.

— Si je n'avais pas été là, si je n'avais pas été avec lui...

— Mais tu es là, Hannah, et Leith ne supporterait pas qu'il t'arrive quoi que ce soit. Accepte-le et ne te jette pas la pierre. Tu dois être forte, à présent. Il va avoir besoin de toi.

Elle baissa les yeux sur mes doigts que j'entrecroisais nerveusement, et m'attira contre elle pour me serrer dans ses bras.

— Ma chérie, tu es couverte de sang. Tu devrais te laver et te changer. Tes parents savent-ils que tu es ici ?

Je secouai le menton.

— Je n'ai prévenu personne.

— Alors, fais-le. Ils doivent être inquiets. Ensuite, tu pourrais peut-être les retrouver et...

— Non ! l'interrompis-je brutalement. Je ne partirai pas d'ici.

Elle sourit faiblement.

— Comme tu voudras, mais ne fais pas attendre ta famille

Je hochai la tête et acceptai de sortir de la chambre pour leur téléphoner. Mon mobile était resté en silencieux, j'avais plus d'une dizaine d'appels en absence. Bonnie avait raison, ils devaient être morts d'inquiétude. Je composai le numéro sans même me demander ce que j'allais bien pouvoir leur raconter.

— Allô ? répondit Mathy.

— C'est Hannah.

— Mon Dieu, Hannah, tout le monde est sens dessus dessous. Tout va bien ?

— Oui, Mathy. Je peux parler à maman, s'il te plaît ?

Je n'attendis pas deux secondes avant que ma mère s'empare du combiné.

— Hannah ? dit-elle d'une voix angoissée. Mais que s'est-il passé ? Il est presque dix heures, personne dans ta chambre, ton lit n'était même pas défait, l'auto-école a appelé pour nous informer que tu ne t'étais pas présentée à ton cours à neuf heures et impossible de te joindre au téléph...

— Je vais bien, maman.

Il y eut un court silence, puis ma mère se fâcha.

— Tu as vraiment intérêt de t'expliquer, Hannah. Pourquoi n'es-tu pas rentrée ?

— Je suis chez Leith. Nous... nous avons eu... un accident hier soir, mentis-je à moitié.

Mais d'une certaine façon, c'en était un.

— Quoi ? Mon Dieu, Hannah, tu n'as rien ? criat-elle, définitivement affolée.

— Non, non, maman. Je t'ai dit que j'allais bien, mais ce n'est pas le cas de Leith, lui annonçai-je en retenant un sanglot.

— Il est à l'hôpital ? Que vous est-il arrivé ? Qu'est-ce qu'il a exactement ?

En téléphonant à mes parents, je m'attendais à devoir répondre à une foule de questions. Je cherchai une explication rapide et qui susciterait un minimum d'autres interrogations.

— Nous avons été percutés par un chauffard. Leith est encore inconscient, il a subi un traumatisme crânien. Toute sa famille est auprès de lui, inventai-je en espérant être convaincante.

— Seigneur... Pouvons-nous faire quelque chose ? Veux-tu qu'on te rejoigne ?

— Non, non ! m'exclamai-je hâtivement. Les visites sont limitées et ça ferait trop de monde. Maman, excuse-moi auprès de l'auto-école, je n'irai pas non plus au cours de demain. Je suppose que passer mon permis peut attendre quelques jours de plus.

— Oui, oui, je suppose aussi. Tu penses rentrer quand, exactement ?

— Je ne sais pas, marmonnai-je. Dès que je saurai que Leith va mieux. Je vais rester chez les Sutherland pour être tout près au cas où il se réveillerait. Si ça ne vous dérange pas, papa et toi...

Elle soupira.

— Non, bien sûr que non.

— Je vais demander à Gwen si elle peut venir récupérer quelques affaires pour moi à la maison. Tu pourrais lui préparer un sac ?

— Évidemment.

— Maman ?

— Oui ?

— Je t'aime.

— Moi aussi, *sweetheart*. Transmets nos encouragements à la famille de Leith.

Je détestais avoir à raconter des bobards à mes parents. Ils avaient confiance en moi. Je raccrochai, le cœur lourd, et attendis dans la chambre de Leith que Gwen revienne avec des affaires de rechange et fis ce que Bonnie m'avait conseillé. J'allais m'enfermer dans la salle de bains.

Lorsque je vis ma tête, je pris peur. Mon front était recouvert de sang que j'avais dû étaler en me frottant à plusieurs reprises. Il y en avait aussi sur mes avant-bras et sur mon décolleté. Mes yeux, à force de pleurer, étaient plus rouges et gonflés que ceux d'un boxeur en fin de match. Deux énormes cernes violacés s'étaient installés et deux rides profondes marquaient l'espace de peau entre mes sourcils que je ne cessai de froncer. J'avais mal au crâne depuis que Bonnie m'avait réveillée. J'étais pâlotte, les veines de mes tempes ressortaient horriblement, mes cheveux ressemblaient à ceux d'un épouvantail, et de les mordre en permanence, mes lèvres étaient devenues écarlates. J'étais affreuse et éreintée.

Je fis couler de l'eau, me déshabillai et me glissai dans la baignoire. La sensation fut bien plus agréable que je ne l'aurais imaginé. Un sentiment de tiédeur m'emplit et détendit tous mes muscles, anesthésiant presque entièrement mon esprit torturé. Je fermai les paupières et, un court instant, j'oubliai tout.

Longtemps après, lorsque je regagnai la chambre, je trouvai Jeremiah Sutherland aux côtés de son fils. Quand il me vit, il sortit sans un mot. Ma présence l'horripilait au plus haut point.

Mais presque une semaine plus tard, j'étais toujours là.

266

Leith n'avait pas repris connaissance, cependant son état s'était nettement amélioré. L'incroyable patrimoine génétique des garous et les soins prodigués par Bonnie avaient empêché que la blessure ne s'infecte. La plaie ne saignait plus et semblait enfin vouloir se refermer d'elle-même. Toutefois, pour que le sang de Leith se renouvelle de lui-même, il faudrait encore du temps. Il avait d'ailleurs le teint particulièrement blême, faisant ressortir anormalement ses veines. D'après Bonnie, lorsqu'un loup-garou subissait des lésions aussi importantes que celles de Leith, pour permettre à la régénérescence de faire son travail, l'organisme se refroidissait, rendant sa peau extrêmement pâle. Pour autant, je ne remarquai pas de nette différence puisque sa température abaissée avoisinait les trente-six degrés au lieu des quarante et un ou quarante-deux habituels. Leith était à peine plus froid que moi.

Bien que Bonnie fût extrêmement encourageante sur l'état de santé de son neveu, je perdais littéralement patience. Chaque jour et chaque nuit, je guettais sur son visage un signe, un battement de cil, un spasme musculaire. Je fixais ardemment ses mains et ses jambes dans l'espoir qu'il les bouge, mais Leith restait désespérément immobile, aussi inerte qu'une statue. Toutes ses fonctions vitales semblaient suspendues. Seule sa respiration, désormais plus régulière, trahissait le fait qu'il n'était pas mort.

Quant à moi, je n'avais quasiment rien dans le ventre depuis six jours, à part de l'eau et quelques biscuits que j'avais eu beaucoup de mal à avaler. Je devais compter à peine une vingtaine d'heures de sommeil passées sur la chaise à côté de Leith. Seul l'espoir de le voir se réveiller, et sûrement les nerfs aussi, me permettait de tenir debout. Je tournai en rond comme un lion en cage. Après avoir détaillé les moindres recoins de cette chambre pourtant immense, j'avais le sentiment d'être enfermée dans une minuscule boîte. Or, je ne me résignais pas à sortir. Il l'aurait fallu, néanmoins, ne fût-ce que pour ma santé mentale. Mais à quoi bon ? Mon esprit était entièrement obnubilé par Leith, et j'avais peur qu'il se réveille en mon absence. Cependant, devant ma détermination, ma mère aussi perdait patience. Chaque jour, elle appelait pour savoir quand j'allais enfin accepter de rentrer à la maison, et chaque jour, je lui rétorquais la même chose : quand Leith aurait repris connaissance. Les seuls moments où j'aurais pu avoir envie de m'enfuir d'ici étaient quand je croisais Jeremiah et qu'il me jetait des coups d'œil courroucés. Il ne comprenait pas pourquoi j'étais encore chez lui, et je l'avais entendu plusieurs fois se disputer avec Alastair à ce sujet. Je m'en fichais comme d'une guigne, personne n'aurait pu me forcer à quitter cette maison. Même pas trois loups-garous en furie. Mais l'attente du réveil de Leith devenait insupportable, il me manquait horriblement et je désespérais de revoir un jour son magnifique regard émeraude.

Puis, enfin, le matin du septième jour, alors que je m'étais endormie sur la chaise, la tête posée sur le torse de Leith, je fus tirée du sommeil par une secousse brutale. Il venait de tousser.

— Leith ! m'écriai-je, n'osant y croire.

Il porta une main à sa gorge et ouvrit la bouche comme pour prendre une énorme goulée d'air, mais ses yeux restèrent clos. J'allais sortir prévenir les membres de sa famille, et me ravisai. J'avais trop peur qu'il se réveille totalement et qu'il se découvre seul dans cette immense pièce.

Silencieusement, je lui touchai le front et plongeai un linge dans le broc sur la table de nuit pour le tamponner délicatement sur ses lèvres. Il les entrouvrit tandis que je faisais couler quelques gouttes d'eau. Il sortit la langue pour les lécher et toussa encore.

— Chut, chut, murmurai-je, pour l'apaiser.

Il cligna plusieurs fois des paupières. Mes joues étaient déjà inondées de larmes alors que je n'avais pas pleuré depuis des jours. Leith me regardait, hagard. Je n'étais pas certaine qu'il me reconnaisse, mais je m'en moquai. Il s'était enfin réveillé. Rien d'autre ne comptait. Mon cœur, qui fonctionnait au ralenti depuis une semaine, se mit à battre la chamade, revigoré par la seule vision de ces deux magnifiques yeux verts qui m'observaient.

J'étais revenue à la vie.

Chapitre 24

Tu es mon ange gardien.

```
De : Moi
À : Sissi
```

Salut, ma vieille,

Je t'écris en direct de la salle de bains des Sutherland.

Pardon de ne pas t'avoir donné de nouvelles plus vite. Tu connais la situation, mes parents t'ont avertie. Leith va mieux. Depuis qu'il a repris connaissance, il se remet de manière impressionnante. Chaque jour, son appétit grandit et lui donne davantage de forces, bien qu'il évite encore de se lever. Je suis tellement soulagée… Tu imagines à quel point.

Le point noir, c'est Jeremiah Sutherland. Il ne me porte pas vraiment dans son cœur. Depuis le soir de l'accident, il ne m'a pas adressé la parole une seule fois. Mais maintenant que son fils va mieux, il semble de meilleure humeur et ne me regarde plus de manière aussi hostile. Autant considérer ça comme une avancée. Je l'ai même vu décrocher un sourire, pourtant, j'aurais juré que c'était une faculté qu'il ne possédait pas…

Lui et Alastair ont régulièrement des disputes extrêmement violentes. Tu n'imagines pas ce qu'ils peuvent se dire. Je ne sais pas trop pourquoi ils se sont déchirés un jour, mais crois-moi, quand ils hurlent, tu n'as pas envie de traîner dans les parages... Et souvent, ils se fritent à cause de moi. Certainement parce que ma tête ne revient pas à Jeremiah et que je squatte sa maison depuis presque deux semaines...

Passé ce détail, tout va bien. Leith insiste pour que je partage chacun de ses repas afin de reprendre du poids. Le stress et le manque d'appétit m'ont rendue aussi maigrichonne qu'une gamine de treize ans. Je n'ai rien contre les ados, mais là, je ne ressemble à rien...

Enfin bref, mes parents sont ravis que Leith se rétablisse. Tu penses... Ils vont pouvoir récupérer leur fille ! D'ailleurs, Elaine m'a passé un coup de fil. Elle veut absolument me parler.

Je rentre chez moi aujourd'hui.

J'ai le cafard.

Ton amie fidèle,

Hannah.

Et au fait irrévocable de ne pas vouloir quitter Leith s'ajoutait la crainte notoire de sortir à l'extérieur. Après la première agression du Galbro sur les îles Orcades, j'avais plutôt pris la situation avec légèreté, mais cette fois, j'étais bel et bien terrorisée à l'idée de retomber nez à nez avec lui.

Al s'était trompé à son sujet, que je sois libre ou non lui importait peu. Il me désirait, quoi qu'il arrive. Il n'avait peur de rien. C'était un être féroce, incontrôlable et guidé par un esprit tueur.

Je rangeai mon smartphone, terminai de me laver les dents et rejoignis Leith dans sa chambre.

— Mais, tu t'es levé tout seul ? m'exclamai-je en le voyant debout.

Torse nu, il portait un jean qu'il ne s'était pas donné la peine de boutonner complètement. Je réprimai un sourire en coin. Il était bien trop sexy pour un convalescent.

— Marre d'être couché, grommela-t-il.

— Tu n'as pas trop la tête qui tourne ? m'enquis-je.

Il baissa les cils, s'immobilisa, et me détailla de la tête aux pieds. Je piquai un fard aussi sec. Il s'approcha et me prit par la taille pour m'attirer à lui. Son corps avait retrouvé une chaleur presque brûlante. Je fermai les paupières et posai mon oreille contre sa poitrine pour écouter les battements de son cœur. Ils étaient calmes et rassurants.

— Tu sembles si fatiguée, fit-il remarquer en passant son pouce sur ma joue et sous mes yeux. Tu as besoin de repos.

Je profitai de cette constatation pour lui annoncer, à contrecœur, que j'allais devoir rentrer chez moi, aujourd'hui.

— C'est normal, approuva-t-il. Tes parents doivent trouver le temps long.

J'acquiesçai avec une moue boudeuse.

— J'aimerais mieux rester ici avec toi.

— Veux-tu que je t'accompagne ?

Je haussai un sourcil.

— Sûrement pas ! Tu as encore plus besoin de repos que moi. Tu viens juste de te lever.

— Je déteste devoir admettre que tu as raison, grogna-t-il en retournant s'asseoir sur le lit.

— Comment va ta blessure, ce matin ? demandai-je en m'installant près de lui.

Il toucha machinalement le large pansement collé à son cou.

— Bien. Ce n'est pas douloureux, mais ça tire un peu.

J'avais encore tellement de mal à réaliser qu'elle s'était refermée d'elle-même, sans nécessiter aucun point de suture.

— J'ai eu tellement peur pour toi, Leith, murmurai-je, les yeux baissés sur mes doigts.

Il s'inclina et baisa doucement mon front. Un frôlement d'ailes de papillon.

— Je t'avais dit que je n'étais pas un superhéros, plaisanta-t-il.

— Oui, mais tu es un héros quand même. Tu m'as sauvé la vie à deux reprises. Combien de fois encore cette situation va-t-elle se répéter ? Jusqu'à ce que tu meures ? ne pus-je m'empêcher de siffler, une pointe de colère dans la voix.

Il me fit taire en levant l'index.

— Chut, Hannah... Pas maintenant.

Puis il m'attira à lui, collant ma poitrine à son torse. Il s'inclina et goûta à ma peau, doucement. Je frissonnai si violemment qu'il releva la tête pour m'observer. Mes yeux étaient fixés sur sa bouche. L'envie de l'embrasser me dévorait. Dès lors, je ne contrôlai plus rien. Je plongeai sur ses lèvres et les fis s'entrouvrir. Il répondit ardemment à mon étreinte, plus rien d'autre ne comptait. Mes mains fouillèrent ses cheveux pour coller son visage encore plus près du mien. Il émit un grondement sourd et recula brusquement la tête pour reprendre son souffle, haletant.

— C'est toi qui veux me tuer, c'est ça ? prétendit-il, les yeux pétillants de malice.

— Désolée...

— Ne le sois pas. Ce serait une mort merveilleuse. Étouffé par le baiser d'un ange.

— Un ange ?

— Tu es mon ange gardien. Tu es restée près de moi pour me veiller, chaque jour et chaque nuit. Oui, tu es mon ange bienveillant.

Je clignai des paupières, désorientée.

— Mais... tu étais inconscient, comment peux-tu le savoir ? C'est Bonnie qui... ?

— Non. Je te sentais. Je percevais ton odeur. Fleurie, sucrée, douce... Tu rougis, remarqua-t-il en souriant.

Je battis l'air d'un geste évasif.

— Est-ce que tu as faim ? me dérobai-je avec une ruse d'Apache.

Une lueur d'espièglerie tapissa ses yeux verts tandis qu'il glissait sur moi un regard lascif.

— Ça dépend... Il y a quoi au menu ?

Le feu me monta jusqu'aux oreilles.

— C'est toi qui as commencé ! se défendit-il en levant les mains devant lui.

Je sautai sur mes pieds et fis mine d'évacuer une poussière imaginaire de ma poitrine.

— En tout cas, maintenant que tu peux te mettre debout tout seul, tu ferais bien de prendre une bonne douche froide, suggérai-je mi-figue mi-raisin, avant de quitter la pièce, titubante.

Et moi aussi ! J'en avais besoin.

Je l'entendis rire lorsque je refermai la porte.

Et je jurerais qu'il riait encore quand je descendis l'escalier pour me rendre dans la cuisine.

C'est Bonnie qui me ramena chez mes parents. À peine fut-on arrivées devant le manoir que ma mère en sortit en courant. Elle me détailla de la tête aux pieds et, me toucha le visage et les bras comme pour s'assurer que j'allais physiquement bien.

— Tu as maigri, conclut-elle.

Je haussai les épaules sans lui répondre.

— Madame Jorion, enchantée de vous rencontrer, la salua Bonnie en lui tendant la main. Je suis Bonnie Sutherland, la tante de Leith.

— Ravie de faire votre connaissance, répliqua poliment ma mère. Va-t-il mieux ?

— Oui, je vous remercie, il est tiré d'affaire.

— Quelle histoire ! Vous devez être réellement soulagée.

— C'est le moins qu'on puisse dire.

Elles discutèrent de la pluie et du beau temps pendant quelques minutes, puis Bonnie s'excusa de devoir repartir. Elle se tourna vers moi pour m'étreindre et me regarda fixement.

— Si tu as besoin de quoi que ce soit, appelle.

J'acquiesçai et posai les yeux sur ma mère qui nous observait étrangement.

— Où sont tes affaires ? me fit-elle remarquer lorsque Bonnie fut partie et en notant que je n'avais ramené aucun sac avec moi.

— Je les ai laissées chez les Sutherland.

— Parce que tu penses y retourner ?

— Peut-être, mais pas ce soir, la rassurai-je.

Elle fronça les sourcils d'un air autoritaire.

— J'espère bien ! Allez, viens. Ton père et ta grand-mère sont impatients de te voir.

Je lui souris, un peu crispée. Je ne savais pas ce qu'Elaine me voulait et mon père allait me poser un milliard de questions. Et s'il y avait bien un truc que je n'avais pas envie de faire, c'était de ressasser les derniers événements, même à travers un énorme mensonge.

Hélas, l'après-midi fut aussi longue que je l'avais imaginé. Je dus m'expliquer dans les moindres détails, préciser à quel moment Leith avait quitté l'hôpital, dans quelle chambre j'avais dormi exactement... Ça me mit en rogne, mais je répondis à son interrogatoire sans broncher, essayant de paraître la plus naturelle du monde, trouvant le juste milieu entre l'inquiétude et le soulagement que j'avais vécu. En revanche, Elaine resta muette comme une carpe.

— OK, Hannah, fit mon père, un peu plus tard après le souper. Il est urgent que nous discutions de ton inscription à l'université. Je me doute qu'avec ces derniers événements tu n'as pas vraiment eu le temps d'y réfléchir, quoique ça fasse un moment qu'on en parle, maintenant. J'aimerais que tu te poses sérieusement la question et que tu nous dises ce que tu veux faire exactement.

— J'imagine que je ne suis pas obligée de répondre ce soir ? répliquai-je effrontément.

— Non, bien sûr, me concéda-t-il avec patience. Mais il faudra que tu le fasses très rapidement, d'accord ? Disons, d'ici la fin de la semaine.

Je hochai la tête.

— Ta mère t'a repris rendez-vous pour tes deux derniers cours de conduite. Si tout va bien, tu pourras passer ton permis d'ici dix jours.

J'acquiesçai, la tenaille au ventre.

Je savais bien que je devrais mettre le nez dehors tôt ou tard. Mais l'idée de me rendre en ville seule me faisait froid dans le dos. Mon père ne comprit pas mon manque d'enthousiasme.

— Qu'est-ce qu'il y a, Hannah ? Tu ne sembles pas très heureuse. Je croyais que tu voulais obtenir ton permis au plus vite.

— Je le suis papa. Je… je suis juste un peu fatiguée après deux semaines difficiles, et je pensais pouvoir dormir un peu demain, mentis-je.

Il me gratifia d'un clin d'œil.

— Plus vite ce sera fait et plus vite tu seras libre et autonome, princesse !

— Oui, sans doute.

Nous discutâmes encore quelques minutes, puis je décidai de monter me coucher.

J'empruntai les escaliers en traînant les pieds, lasse et écrasée par la mélancolie. Pour la première fois depuis bientôt quinze jours, j'allais dormir sans la présence de Leith à proximité.

J'avais à peine d'enfiler mon pyjama lorsque j'entendis un faible grattement à la porte. Je m'y rendis et ouvris le battant.

Elaine se tenait dans l'encadrement, en pantoufles et chemise de nuit.

— Elaine ?

— J'espérais que tu ne sois pas encore couchée.

Je la pris doucement par le bras pour la guider à l'intérieur.

— Entre, grand-mère. Tu es venue jusqu'ici toute seule ?

Même si la chambre d'Elaine était à l'autre bout du couloir et qu'elle n'avait qu'à compter les portes pour trouver la mienne, j'étais toujours étonnée qu'elle arrive à se déplacer sans l'aide de personne.

— Je suis née dans cette maison, ma petite-fille, s'amusa-t-elle.

Je l'invitai à s'asseoir sur le lit, et m'installai à côté d'elle.

— Tu as été très silencieuse, aujourd'hui, lui fis-je remarquer. Pourtant, tu m'as demandé de rentrer. Tu voulais me parler.

— En effet.

Elle lissa le tissu de sa chemise de nuit sur ses cuisses et croisa les mains sur son giron avant de me transpercer de son regard clair.

— Qu'est-il vraiment arrivé le soir de l'accident ?

— Grand-mère ! protestai-je. J'ai passé la moitié de l'après-midi à répondre aux questions incessantes de papa sur le sujet.

Elle sourit en secouant la tête.

— Il fallait vraiment être idiot pour avoir cru le quart de ce que tu as raconté. Quoique... j'avoue t'avoir trouvée presque convaincante.

Je blêmis. Et rien que pour ça, j'étais heureuse qu'elle ne puisse pas voir.

— Je ne saisis pas ce que tu veux dire, prétendis-je d'un ton assuré.

Elle souffla du nez et sourit de plus belle.

— Leith Sutherland aurait eu un traumatisme crânien en se cognant la tête sur le pare-brise ?

— Oui, c'est tout à fait ça.

Elle se tut quelques secondes, les lèvres pincées, puis elle reprit.

— C'est un mensonge.

— Mais enfin, grand-mère, qu'est-ce qui te fait croire ça ?

Cette fois, Elaine gloussa.

— Hannah, Hannah... Je pourrais te remettre la palme de la meilleure actrice !

Elle tâta le lit sur sa droite et trouva ma main qu'elle saisit pour la serrer entre les siennes.

— Tu ne sais pas ce que je sais, ma petite-fille.

— Parle, l'intimai-je doucement, tandis que mes joues commençaient à bouillonner.

— Hum... voyons voir, marmonna-t-elle. Je ne l'ai jamais vu, bien évidemment, et pourtant, je parie que je suis capable de décrire Leith sans trop m'égarer. Si j'affirmais qu'il a des yeux magnifiques, brillant de manière exceptionnelle, que la température de son corps est telle qu'on pourrait le croire fiévreux en permanence, qu'il est extrêmement séducteur, quasiment hypnotique dirons-nous, d'une très grande beauté, que sa force est prodigieuse, qu'il n'est jamais malade et que ses blessures se soignent à une vitesse effarante, serais-je dans l'erreur ?

Je restai bouche bée.

— Leith est comme son grand-père, Hannah, et c'est la raison pour laquelle un traumatisme crânien n'aurait pu le blesser au point de le plonger dans le coma.

Je pris le temps de digérer ce qu'elle venait de m'annoncer avant de l'interroger à mon tour.

— Tu l'as toujours su... Pou... pourquoi ne m'en as-tu rien dit ?

— Tu veux rire, ma petite-fille ? Et comment aurais-je dû te présenter les choses ? À la minute où tu as mentionné le nom de Leith Sutherland j'ai pris conscience que tu y serais attachée bien plus que tu ne le croyais à ce moment-là. Et encore fallait-il que je sois sûre qu'il le soit aussi, pour te parler de sa condition de loup-garou.

L'entendre prononcer les mots « loup-garou » et « Leith » dans une même phrase me fit frémir. Ma grand-mère était au courant, nom de Dieu !

— Tu admettras que je n'allais pas mettre le feu aux poudres si votre histoire n'avait dû durer que le temps d'un été, poursuivit-elle, amusée. Mais je suppose que la situation est sensiblement différente, maintenant. C'est pourquoi je veux que tu saches que je suis au courant. Pour Dallas, j'ai dû garder ce terrible secret jusqu'à aujourd'hui. J'ai parfois cru devenir folle, car j'ai vu des choses qui dépassent l'entendement et que je n'avais personne à qui les confier.

— OK, grand-mère. OK, dis-je en me frottant les yeux, ayant du mal à réaliser que j'étais en train d'avoir cette conversation avec elle, comment l'as-tu appris pour Dallas Sutherland ? Il t'en a parlé lui-même ?

Elle secoua la tête.

— Dallas était un jeune homme énigmatique, mystérieux. Je me souviens d'une fois où nous nous promenions tous les deux au bord d'une petite rivière, j'avais une très belle robe, hors de prix, et je voulais absolument aller sur la rive d'en face. Il n'y avait aucun pont, aucune pierre qui nous aurait permis de traverser sans que je me mouille, et je refusais catégoriquement qu'il me porte. Dallas m'a alors demandé de l'attendre, il est revenu quelques minutes plus tard, avec un énorme tronc d'arbre sec qu'il a jeté en travers de l'eau comme s'il s'était agi d'une simple planche de bois. J'étais subjuguée, je n'avais jamais rencontré quelqu'un ayant autant de force. Il ne s'en est pas expliqué ce jour-là, il s'était contenté de rire devant ma consternation.

Je souris en imaginant la scène.

— Il possédait également cette incroyable faculté de calmer les animaux les plus teigneux. À l'époque, une meute de chiens sauvages errait dans les campagnes de Wick et s'en prenait aux moutons. Ils pouvaient être aussi agressifs avec les hommes qu'avec les bêtes. Un jour, tandis que j'attendais Dallas en bas du phare, l'un d'eux s'est approché de moi, bavant et montrant les crocs, prêt à me mordre. Dallas n'a eu à faire qu'un pas pour que le berger se tapisse devant lui, parfaitement soumis. Mais tu vois, toutes ces bizarreries ne m'avaient pas vraiment mis la puce à l'oreille, et puis de toute façon, jamais je n'aurais pensé à une histoire de loup-garou. Je trouvais, certes, que Dallas était exceptionnel, mais j'étais loin d'imaginer la réalité. Ses différences ne le rendaient que plus merveilleux à mes yeux. Et puis, est arrivé ce jour si particulier. Nous étions dans les sous-bois du manoir cette fois-ci, j'avais filé en douce pendant que mes parents étaient occupés à la serre. Il pleuvait ce matin-là, Dallas et moi nous étions protégés sous un grand chêne quand la pluie s'est mise à tomber violemment. J'avais froid, je m'étais serrée contre lui. Il était anormalement chaud, fiévreux presque. C'est ce que je lui avais fait remarquer, qu'il était sûrement malade et qu'il fallait qu'il aille voir un médecin. Jamais je n'oublierai ce moment. Alors qu'il me regardait, une lumière absolument magnifique et inattendue a jailli de ses yeux, nous entourant d'un halo étincelant. On aurait dit qu'un éclair avait frappé l'arbre sous lequel nous nous trouvions. Je suis restée complètement immobile, tétanisée. Aucun mot n'est sorti de ma bouche. Je ne pouvais expliquer ce qui venait de se passer. Dallas m'a tout confessé. Il m'a parlé des Lupi, de l'existence des loups-garous, du devoir qu'ils avaient de demeurer cachés des hommes. Il m'a aussi avoué qu'il m'aimait, qu'il ne pouvait plus vivre sans moi et que c'était la raison pour laquelle la lumière avait jailli de ses yeux. C'est à ce moment-là que je me suis sentie effrayée, j'ai couru en direction du manoir, mais il m'a rattrapée en rien de temps. Je lui ai hurlé que je ne voulais plus jamais le revoir, qu'il était un monstre. Des mots extrêmement durs ont été dits ce jour-là. Des mots que je regrette.

— C'est la dernière fois que tu l'as vu ? Avant votre rencontre sur la jetée des années plus tard ?

Elle secoua la tête.

— Non. J'ai passé plusieurs jours sans sortir de chez moi, sans manger, à ruminer. J'aimais Dallas Sutherland, mais j'avais peur. J'ai été élevée dans une famille chrétienne conservatrice et je baignais dans un univers qui m'enseignait la crainte de Dieu, mais aussi du Démon. L'existence d'une telle créature ne pouvait être associée à Dieu, elle ne pouvait représenter le bien. Toutefois, j'étais déchirée entre ma foi du Divin et mon amour pour Dallas, et personne autour de moi ne pouvait m'aider. Alors, après avoir ruminé pendant de longues journées, je me suis résolue à le retrouver, j'avais décidé de lui offrir mon cœur, car moi non plus je ne pouvais plus me passer de lui. Je l'ai rejoint au phare de Noss Head. Je lui ai dit que je me fichais de ce qu'il était, que j'étais prête à m'enfuir avec lui s'il le fallait. C'est ce jour-là que nous avons connu notre seul et unique baiser, c'est aussi la dernière fois que je l'ai vu avant qu'il ne disparaisse, pendant plusieurs années.

Un masque d'une poignante mélancolie tomba sur son visage. J'en eus des frissons dans le dos. Elle était bouleversante d'émotion.

— C'est une histoire si triste...

— Oui, d'autant plus triste que je n'ai jamais su pourquoi il s'était enfui alors que j'avais décidé de rester avec lui envers et contre tout. Et puis j'ai rencontré ton grand-père, il n'était pas aussi mystérieux que Dallas, mais c'était un homme exceptionnel. Je l'ai vraiment aimé, me dit-elle comme pour se convaincre elle-même.

— Cette découverte a dû bouleverser ta vie, soupirai-je.

— Bien plus que tu ne te l'imagines. Je ne l'ai jamais oublié et j'ai rayé toutes images pieuses de ma mémoire. Je n'ai plus jamais cru en Dieu.

— Pourquoi ?

— Parce que je refusais de croire qu'un être aussi bon que Dallas puisse être un démon. Et croire en Dieu revenait à dire que Dallas en était un.

— Hum...

— Maintenant, vas-tu me raconter ce qui s'est réellement produit avec Leith ? s'impatienta-t-elle.

Je réfléchis quelques instants, me demandant si elle était capable de tout entendre. Je décidai finalement qu'il était plus sage de ne lui raconter qu'une partie de la vérité. Je lui parlai de ma première rencontre avec Leith, du *mór-aotrom*, des aveux qu'il m'avait faits sur les îles Orcades, mais j'omis volontairement l'acharnement du Galbro à mon égard, ne mentionnant même pas son existence.

Je savais que je pouvais faire confiance à Elaine, mais je n'étais pas prête à tout lui confesser. Ceci n'aurait fait que l'inquiéter, et je préférais me taire, pour qu'elle ne soit jamais tentée de tout révéler pour me protéger. Je lui expliquai plutôt que Leith avait été agressé brutalement par l'un de ses semblables après une violente altercation dont je n'avais pas compris toute la teneur.

Je commençais à exceller dans l'art du mensonge, c'était affligeant.

Je pensais qu'elle chercherait à en savoir plus sur le motif de leur dispute, mais elle ne retint que l'histoire du *mór-aotrom*. Ses yeux avaient beau être vides de vie, leur expression était telle que j'en eus le cœur brisé. Elle avait mal.

— Une âme sœur..., répéta-t-elle doucement. C'est ce que ça signifiait ?

J'acquiesçai.

— Oh...

Son visage ridé et fin était revêtu d'une infinie tristesse, je m'en voulus presque de lui en avoir parlé. Peut-être aurait-il mieux valu qu'elle ne sache pas ?

— Lorsque je suis revenue au manoir après avoir vu Dallas pour la dernière fois, j'ai trouvé une enveloppe sur le rebord de ma fenêtre. Elle ne s'était pas envolée parce qu'elle contenait un objet suffisamment lourd pour la retenir. Un médaillon.

J'écarquillai les yeux.

— L'amulette que tu m'as offerte ?

Elle acquiesça.

— Celle-ci même. Dallas l'avait déposée avant que je ne rentre chez moi. Il avait aussi laissé un mot. « *Les âmes sœurs se protègent pour l'éternité.* » Je n'en ai pas vraiment compris le sens spirituel, mais j'ai gardé cette amulette comme un gage du garçon que j'aimais. Pour moi, elle marquait une promesse, une alliance, sauf qu'à ce moment-là, je n'avais pas conscience que nous ne finirions jamais nos jours ensemble.

— Pourquoi me l'as-tu offerte ?

— Parce qu'elle avait appartenu au grand-père de Leith. Hannah, au plus profond de moi, je savais que tu vivrais une relation exceptionnelle avec lui, et j'aurais voulu que cette amulette ne revienne à personne d'autre que toi, conclut-elle en souriant doucement.

— Oh, grand-mère, soufflai-je, émue, la serrant contre moi. La vie est parfois si injuste.

— C'est ainsi, mon enfant... Mais ne t'imagine pas que je n'ai pas connu le bonheur ensuite. Ton grand-père était un homme gentil et tendre, il m'a rendue heureuse.

Finalement, elle poussa un grand soupir.

— Bon, il doit être très tard, à présent. Je tombe de sommeil, je vais aller me coucher.

Elle se leva, je l'imitai.

— Je te raccompagne.

Avant de nous quitter devant sa porte de chambre, Elaine posa une main sur mon épaule.

— J'aimerais que tu ne parles pas à Leith de notre conversation. Je ne suis pas sûre que Dallas ait mentionné mon existence à quelqu'un.

Je l'embrassai tendrement sur la joue.

— Je ne dirais rien.

Chapitre 25

Ma mère utilise l'Oracle de Belline.

De : Moi
À : Sissi

Leith est maintenant complètement rétabli. Il a enfin pu mettre le nez dehors. Cette semaine fut particulièrement rude pour lui. Tu n'imagines pas le caractère de cochon qu'il peut avoir. Il avait envie de sortir, mais Bonnie le lui interdisait. J'avais beau tenter de le calmer, lui expliquant qu'il fallait qu'il reste prudent pour éviter une rechute, il braillait comme un putois. Je l'entends encore me dire : « Une rechute de quoi ? Quelle est la différence entre aller et venir dans une baraque de 400 m² et sortir ? Je dois parcourir des dizaines de kilomètres par jour à force de tourner en rond ! »

Quelle exagération… Enfin, ça y est, son calvaire est terminé. Aujourd'hui, il fait sa première sortie depuis trois semaines. On va à Thurso. Et devine quoi ? Je lui sers de chauffeur ! Eh oui ! Ça, c'est la deuxième bonne nouvelle, j'ai eu mon permis ce matin ! Bientôt, je pourrais te rendre visite à Paris !

Ah, et à propos de Paris... Mes parents et Elaine prennent l'avion cet après-midi. Ils comptent rester deux semaines dans la capitale pour déménager quelques affaires. Mon père reviendra avec le monospace qui ne peut pas stationner sur le parking de l'aéroport *ad vitam aeternam*.

Bon, je vais écourter mon mail. On s'est arrêtés pour faire le plein et on repart.

Ton amie déjantée,

Hannah.

P.-S. : Si tu décidais de te planquer dans les valises de mes parents, à leur retour, ce serait quand même sympa !

P.P.-S. : Leith a osé dire que je conduisais aussi vite qu'une octogénaire !

— Non, mais je rêve ! s'exclama Leith en grimpant dans la Mini. Je te laisse dix minutes et je te retrouve scotchée à ton portable. Tu es vraiment une fille !

— Et toi, tu es vraiment un mec. Avec un caractère de chien ! ripostai-je

Il en resta pantois.

— Ah, ben ça, c'est malin..., dit-il en m'attirant à lui pour mordiller mon cou. Ça faisait bien longtemps qu'on ne m'avait pas traité de clébard.

— Il y en a qui font ça ?

— Ils sont rares, chuchota-t-il tout contre mon oreille en dardant de la langue sur mon lobe, ce qui m'électrisa.

De grands coups de klaxon retentirent derrière nous.

— Allons-y, soupira Leith.

Il se redressa, démarra le moteur et quitta la station.

Thurso était d'une taille équivalente à Wick, avec plus ou moins le même nombre d'habitants. Le coin était très agréable, j'y venais souvent avec mes parents.

Leith nous emmena au nord de la ville, jusque vers une plage de sable fin très peu fréquentée, y compris en cette période de l'année. Nous nous garâmes et descendîmes tranquillement la petite colline rocheuse qui menait au bord de l'eau. L'herbe la couvrant était exceptionnellement verte, bien plus qu'autour des abords de *Sinclair Castle*, et une multitude de fleurs sauvages mauves et blanches la parsemait.

Il faisait beau, ce jour-là. Le ciel, presque sans nuages, était le théâtre de quelques mouettes et autres oiseaux marins semblant s'affronter dans un jeu visant à savoir qui criait le plus fort.

Tandis que nous avancions main dans la main sur la plage déserte, où seuls quelques surfeurs s'ébrouaient au loin dans les vagues, le vent souffla si violemment que ma queue-de-cheval me fouetta le visage. Leith se mit derrière moi et m'encercla de ses bras pour me protéger des bourrasques.

— On se cherche un petit coin tranquille ? chuchota-t-il à mon oreille.

Je levai les yeux en souriant. Il me prit la main et me guida vers l'est. Nous quittâmes le rivage et marchâmes une dizaine de minutes jusqu'à un escarpement. En contrebas, se trouvait une crique préservée du reste de la plage par de hautes parois rocheuses formées de plaques de pierres empilées les unes sur les autres. L'endroit était parfait. Leith m'aida à descendre la pente. Nous aboutîmes sur une grève couleur acier que l'écume des vagues venait doucement lécher. Aussitôt, Leith se baissa pour ramasser un galet.

— Encore un rituel ? le taquinai-je.

Il me considéra avec un sourire espiègle.

— Tu sais faire des ricochets ?

Je secouai la tête.

— J'ai essayé plusieurs fois, lorsque nous allions au bord des lacs en Suisse avec mes parents, mais les cailloux que je lançais faisaient systématiquement... plouf.

— Bon. Regarde, dit-il en me tendant une petite pierre plate. Tu la prends comme ça, entre ton pouce et ton index, sans trop serrer. Tu places ta main de profil, tu recules un peu ton bras pour donner de l'élan, et tu la lances bien à plat, d'un coup sec.

Le galet fit sept rebonds réguliers avant de s'enfoncer dans l'eau.

— Je n'ai jamais vu autant de ricochets d'un coup ! m'exclamai-je.

Il arqua un sourcil.

— Ah oui ? Sept, c'est juste ridicule !

— Frimeur !

— Non, je ne plaisante pas, fit-il mine d'être choqué que je remette en cause ses capacités. Regarde.

Il ramassa un autre caillou et sans concentration aucune, il le lança. Celui-ci rebondit si longtemps que je m'arrêtai de compter au bout de douze ressauts.

— Allez, à toi de jouer ! avança-t-il.

Je haussai les épaules, sachant d'avance que je ne ferais que me ridiculiser.

Arborant une moue perplexe, je détaillai la pierre entre mes doigts. Puis, inconsciemment, je coinçai le bout de ma langue entre mes lèvres, plissai les yeux, reculai le bras pour prendre de l'élan, et jetai le galet d'un coup sec. Hélas, je m'étais débrouillée comme un manche. Leith se plia en deux dans une exclamation de douleur.

— Tu veux ma mort ! Ce ne sont pas mes bijoux de famille qu'il faut viser, mais la mer !

— Je suis désolée...

Il éclata de rire.

— Viens, m'intima-t-il en me tendant la main.

Nous avançâmes en amont de la baie et finîmes par nous asseoir sur le sol caillouteux. Nous étions seuls et cachés du reste de la plage. Il fallait se pencher sur les rebords supérieurs de la falaise pour nous voir, nous étions comme dans un écrin.

Je repliai mes jambes contre ma poitrine et les encerclai de mes bras, levant le visage au ciel pour respirer profondément. L'air était naturellement chargé de sel et subtilement parfumé de l'odeur des algues marines. Le vent s'engouffra et me donna la chair de poule. Leith retira sa veste pour la poser sur mes épaules et me caressa tendrement la joue. Lorsque je me tournai vers lui pour le remercier, je remarquai qu'il ne portait plus de pansement. La plaie sur son cou avait fait place à une profonde cicatrice violacée, fripée comme du papier froissé. Je ne pouvais en détacher le regard. J'avançai doucement la main et la touchai du bout des doigts. Un nœud se forma dans mon estomac, alors je me penchai pour y poser les lèvres. Leith frissonna.

Malgré moi, au souvenir de l'agression du Galbro et de ce que nous avions vécu pendant deux semaines, mes yeux s'embuèrent de larmes qui finirent par jaillir sans que je puisse les contrôler.

— Ne pleure pas, chuchota Leith en me serrant contre lui. C'est terminé.

Il me fit basculer en arrière et m'étendit sur le sol. Il s'inclina et sécha mes joues de ses baisers jusqu'à ce que, hypnotisée par sa douceur, je ne pense plus à rien. Le visage juste au-dessus du mien, il me contempla, le regard transperçant. Puis, comme dans un rêve, je vis ses lèvres formuler, sans qu'aucun son n'en sorte, ces mots qui, pendant longtemps, ne m'avaient été murmurés que dans mes songes d'adolescente.

I love you.

Leith sourit, posa sa tête contre ma poitrine, et prit une profonde inspiration.

Le temps n'avait plus d'emprise sur nous. Nous aurions pu rester ainsi pendant des heures, des jours peut-être, nous nourrissant simplement de la présence de l'autre. Je fermai les paupières et, enveloppée par la chaleur de son corps, je finis par m'assoupir.

Leith me réveilla d'une caresse légère sur la joue, un long moment plus tard. J'ouvris les yeux sur son magnifique regard vert et soupirai de bien-être.

— Il est l'heure de partir, belle au bois dormant.

Je me redressai et observai le ciel. Le soleil était déjà bas et descendait derrière nous lentement, assombrissant le jour d'un voile presque rouge.

— Je vais te ramener, dit Leith en m'aidant à me relever.

Je levai vers lui des yeux rieurs.

— *Me* ramener ?

Il ouvrit la bouche pour me réitérer cette affirmation et réalisa que nous étions venus avec ma voiture. Celui qui ramènerait l'autre, c'était moi.

— D'accord, d'accord. Cette fois, je m'incline.

Je haussai un sourcil.

— Mais tu n'as pas le choix ! *J'ai* les clés, lui rappelai-je en tapotant la poche droite de mon jean.

Il plissa les yeux tandis que ses iris se chargeaient en or.

— Serais-tu en train de suggérer que je ne saurais pas te les reprendre ?

Je le détaillai un instant de la tête aux pieds. Le jeu en valait la chandelle.

— Essaie toujours…, le provoquai-je en reculant de quelques pas.

Puis j'avançai tranquillement vers la paroi dans le but de l'escalader. Auparavant, je jetai un œil derrière moi et vis que Leith était resté immobile. Il m'observait tel un prédateur épiant sa proie avant la mise à mort. Mon cœur s'affola lorsque je compris ce qu'il avait l'intention de faire. Je m'agrippai sans tarder à la roche, regardai encore en direction de Leith, et poussai un cri perçant quand il fit un bond immense pour me coller au flanc de la colline, bloquant mes bras dans mon dos. La respiration chaotique, je sentis sa main se frayer un passage dans la poche de mon pantalon. Il y plongea les doigts et en retira le trousseau de clés, l'expression conquérante.

Sans me lâcher les poignets, il posa subitement ses lèvres sur les miennes et me donna un baiser à couper le souffle. Puis, il me libéra aussi brusquement qu'il m'avait attrapée. Sans même prendre d'élan, il sauta et se retrouva deux mètres plus haut sur une roche.

— On traîne ? se moqua-t-il, narquois.

Les jambes flageolantes, j'essayais de m'agripper, mais j'étais trop fébrile pour y parvenir.

— Donne-moi les mains, me suggéra-t-il, je vais t'aider.

Je m'exécutai et, comme si j'avais été aussi légère qu'une plume, il me souleva pour me déposer en face de lui. Là, il me prit dans ses bras et grimpa jusqu'en haut, sans effort et sans que jamais son souffle ne s'accentue.

Pendant tout le trajet du retour, je souris béatement. Pas de Galbro, pas de parents rabat-joie, pas de questionnement ni de crainte, juste lui, moi et l'insouciance. Tôt ou tard, nous devrions reparler de ce maudit lycan, nous ne pouvions pas faire comme s'il s'agissait d'un mauvais souvenir. Mais pas aujourd'hui, pas ce soir.

Leith se gara devant chez lui et se tourna vers moi pour m'observer.

— Ta famille est absente pour quinze jours, je serais plus tranquille si tu restais à la maison.

Je lui offris un magnifique sourire.

— D'accord.

— Dès ce soir ?

Je secouai la tête.

— Mathy m'attend. Elle ne part en vacances que demain.

— OK, grommela-t-il.

— Je viens dès que je suis seule, lui assurai-je.

Il claqua la langue contre son palais.

— Sûrement pas. C'est moi qui fais le taxi. Parce qu'à l'allure à laquelle tu roules, il te faudra trois jours pour arriver ici.

Je fronçai les sourcils.

— Tu ne vas pas recommencer ! Je conduis très bien.

Il me gratifia d'un clin d'œil mutin.

— Mais oui, *honey*, un vrai pilote de course...

Il m'offrit son irrésistible sourire en coin et s'inclina pour m'embrasser avant de sortir du véhicule. Il me fit un signe de la main et me regarda m'éloigner jusqu'à ce que la Mini disparaisse à l'angle de la rue.

Dix minutes plus tard, je m'arrêtai au bord de la route, mon téléphone sonnait. C'était Gwen.

— Ça y est, tu as eu ton permis ? me demandat-elle quand elle apprit que j'étais au volant de ma voiture.

— Oui ! Me voilà libre comme l'air !

— Je n'ai pas vu Leith depuis plusieurs jours, comment va-t-il ?

— Bien, j'étais avec lui tout l'après-midi, on est allés à Thurso, sur la plage.

— Génial, et là, tu fais quoi ?

— Je m'apprête à rentrer chez moi.

— OK...

Ce « OK » sonnait soudain si platement qu'il m'interpella.

— Il y a un problème, Gwen ?

Elle mit quelques secondes avant de me répondre.

— Hannah, ne me prends pas pour une dingue, d'accord ?

Je fronçai les sourcils.

— Dis toujours.

— Ma mère vient de me tirer les cartes...

— Ta mère sait faire ça ? pouffai-je, à moitié surprise.

— Oui, elle est médium, lit les runes, utilise les pendules, bref... elle ne m'a pas annoncé de bonnes choses.

Au ton de sa voix, j'arrêtai de rire. Car à l'évidence, Gwen apportait autant de crédit aux arts divinatoires qu'aux loups-garous auxquels je croyais, désormais.

— Que t'a-t-elle dit ?

— Elle se sert de l'Oracle de Belline. J'ai tiré la tour qui s'effondre, la femme, et le serpent autour de l'épée.

Je n'avais aucune idée de ce qu'était l'oracle machin-chose ni de ce que représentaient la tour et le serpent.

— C'est un très mauvais présage, Hannah, continuat-elle. Ma mère a prédit que l'un de mes proches, une femme, courait un grand danger.

— Oh, je vois. Et tu as immédiatement songé à moi, bien sûr ? lançai-je cyniquement.

— Oui. Hannah, je suis très sérieuse, je ne vais pas me justifier de croire en ces choses-là. Je le sens très mal.

Elle commençait à me faire peur.

— Tu penses au Galbro ?

— À qui d'autre, sinon ?

Je fermai les yeux et me pinçai l'arête du nez.

— Gwen, tu ne m'aides pas là. Je me bats contre ma paranoïa chaque jour.

— Mais il ne s'agit plus de paranoïa, ma grande, rétorqua-t-elle avec colère. Mais de ce que toi et Leith avez vraiment vécu !

— Je sais exactement ce que nous avons vécu, Gwen ! C'est juste que... que tu téléphones pour me dire que sous prétexte que ta mère t'a tiré les cartes et qu'elle t'a prédit un incident, tu es convaincue que c'est à moi qu'il arrivera encore une tuile. Mets-toi à ma place, j'en ai ma claque de toutes ces bizarreries !

— Le Galbro n'est pas une bizarrerie, Hannah, c'est une réalité. Et tu ne vas pas me faire croire que tu n'imagines pas une seule seconde qu'il pourrait de nouveau s'en prendre à toi ? Rassure-moi, s'il te plaît, ce n'est pas ce que tu penses ?

— Non, Gwen, j'ai peur tous les jours, mais j'ai besoin de souffler, de vivre un peu normalement. Écoute, je me suis arrêtée au bord de la route. Je dois repartir. On se voit bientôt, d'accord ?

— OK, dit-elle en poussant un soupir résigné. Mais fais attention à toi.

— Promis.

Je raccrochai et me laissai aller sur mon siège. J'avais presque passé une journée complète sans penser à toutes ces histoires, j'étais détendue, sereine – ce qui ne m'était pas arrivé depuis longtemps – et de nouveau, je me sentais traquée, épiée et en danger. Je soupirai et mis la main sur la clé de contact. Je m'apprêtais à redémarrer lorsque j'entendis qu'on criait mon prénom. Je tournai la tête et vis Phillip en train de me faire de grands signes, de l'autre côté de la rue. Je baissai ma vitre.

— Hé, Hannah ! s'écria-t-il.

— Phillip !

— Il me semblait bien t'avoir reconnue. Qu'est-ce que tu fais dans le coin ?

— J'étais en train de répondre au téléphone, m'expliquai-je en lui montrant mon portable. Et toi ?

— J'habite juste ici, m'informa-t-il en levant le menton vers l'immeuble calcaire gris devant lequel j'étais garée. Ça fait un moment que je ne t'ai pas vue. Qu'est-ce que tu deviens ?

Je suis la proie d'un traqueur obsessionnel, mon petit ami a failli mourir, et sa meilleure amie vient de m'annoncer que je risquais d'avoir encore plus de problèmes. À part ça, rien de spécial.

— Pas grand-chose, répondis-je platement. J'ai eu mon permis.

294

— Félicitations !

Je lui souris.

— Et toi ? Quoi de neuf ?

Il haussa les épaules.

— Rien d'extraordinaire pour moi aussi, mais…

Son visage s'illumina.

— J'ai fait de nouvelles photos de rorquals !

— Vrai ?

— Cent pour cent ! Je te les montre ?

Je regardai la montre digitale sur le tableau de bord, il était à peine dix-huit heures.

— D'accord, mais je fais juste un saut, on m'attend.

— Géant !

Je descendis aussitôt de voiture et le suivis jusque devant l'allée de son immeuble.

— 2B3A, récita-t-il en tapant son code. J'ai toujours un mal de chien à m'en souvenir.

Il habitait au quatrième étage. L'ascenseur était occupé, nous décidâmes de prendre les escaliers. Je les montai en soufflant comme une fumeuse de longue date. Je n'avais vraiment pas l'habitude de ce genre d'exercice et ma condition physique était pitoyable quand il s'agissait de faire du sport. J'arrivai haletante devant sa porte.

— Bienvenu chez moi ! m'accueillit-il en ouvrant.

Je retins un sifflement admiratif lorsque je pénétrai dans la pièce principale. Autant le bâtiment était ancien, autant l'intérieur de chez Phillip était moderne et épuré. Le mobilier, design, semblait d'excellente qualité, j'en restai bouche bée. Comment faisait-il pour se permettre un tel luxe ? Son salaire ne devait pas dépasser les mille livres par mois !

— Waouh ! m'exclamai-je en m'émerveillant de la clarté de l'espace.

Il haussa nonchalamment des épaules.

— Il n'y a rien à moi ici. C'est un meublé. Mais j'ai craqué lors de la visite, c'est surtout la luminosité qui m'a plu. Pour être honnête, ça me coûte un bras. Je ne pense pas pouvoir y rester longtemps.

— Dommage, c'est vraiment chouette.

La moitié de la pièce avait été aménagée sous les pentes, et le toit, ouvert d'immenses baies vitrées, offrait une vue imprenable sur la mer.

— Impressionnée ? s'amusa-t-il.

— C'est le mot. C'est grand pour toi seul, non ?

— Pas tant que ça, il n'y a qu'une chambre. J'espère que tu as faim ! lança-t-il joyeusement.

J'écarquillai les yeux.

— Faim ? Écoute, je n'avais pas prévu de...

— Allez ! Maintenant que tu es là, il faut que tu goûtes à mes pâtes !

Il paraissait tellement content d'avoir de la compagnie, que je n'osai pas dire non.

— Bon, OK. Donne-moi une minute, j'appelle chez moi pour prévenir.

Pendant que je téléphonais à Mathy, Philip s'affairait dans la cuisine. Ensuite, je m'attardais sur les photos de cétacés exposés sur le mur du salon. Elles étaient magnifiques.

— Elles sont toutes de toi ? demandai-je.

— Oui, répondit-il entre deux coups de couteau sur les oignons.

— Tu es sacrément talentueux.

Ce n'était pas de simples clichés. On devinait des jeux de lumière extraordinaires, des prises de vues inattendues, des gros plans audacieux.

— Tu es très doué Phillip, comment as-tu fait pour les approcher d'aussi près ?

— C'est mon petit secret, dit-il avec un clin d'œil. Je suis content qu'elles te plaisent.

Je terminai d'observer chaque cadre, m'installai sur le canapé et me plongeai dans le book qu'il avait ouvert sur la table basse.

— C'est prêt, annonça-t-il bien quinze minutes plus tard en posant un gigantesque plat de pâtes au pesto devant moi. J'ai triché, j'avais fait de la sauce hier.

— Ça sent bon, constatai-je en me penchant pour sentir l'odeur alléchante qui s'en dégageait.

J'avais faim !

— Bon appétit, me souhaita-t-il après m'avoir servie.

Nous commençâmes à manger, sa cuisine était délicieuse, il n'avait pas menti.

— Combien de temps as-tu décidé de rester à Wick ? demandai-je.

Il posa sa fourchette et s'essuya la bouche avant de me répondre.

Philip plissa les yeux et me regarda étrangement. Si bien qu'un malaise insidieux s'installa entre nous.

— Tu es très jolie, Hannah.

Je me gardai de dire quoi que ce soit.

— Je t'embarrasse ?

— Un peu, admis-je honnêtement.

— Pourquoi ?

Je me mordis les lèvres et fronçai le nez.

Il soupira profondément, déçu.

— Ça te pose un problème que tu me plaises ?

— Oui.

— Pourquoi ? insista-t-il sans me quitter des yeux. Je ne suis pas à ton goût ?

Je secouai la tête.

— Ça n'a rien à voir, c'est que…

— Tu as un petit ami…, termina-t-il à ma place.

— Oui.

Il sourit, se servit un verre d'eau et le but lentement.

— Je comprends. Parle-moi de lui.

J'arquai les sourcils.

— Que veux-tu que je te dise ?

Oui, que pouvais-je lui dire de Leith ? Qu'il était un homme merveilleux, beau, doux, intelligent, courageux, que je craquais complètement pour lui, qu'aucun autre ne lui arrivait à la cheville et que personne n'aurait pu me faire changer d'avis ?

— Que lui trouves-tu d'aussi spécial ?

Mis à part le fait qu'il soit un loup-garou ? Tout. Tout était particulier en lui, son sourire, sa voix, ses yeux, sa manière de parler, de me dévisager, de me toucher, de m'embrasser, de se comporter...

— Il est... différent.

— Différent ?

— Je ne connais personne comme lui.

Philip haussa les épaules.

— C'est parce que tu regardes mal autour de toi. Il y a sans doute des tas de garçons aussi incomparables que lui.

Je fronçai les sourcils, incertaine de comprendre.

— Tu insinues que je devrais faire d'autres expériences ?

Un petit sourire fleurit au coin de ses lèvres.

— Peut-être bien que oui.

— Je vois...

Il croisa les bras sur sa poitrine.

— Tu es de celles qui croient au grand amour ?

— C'est récent, mais oui.

Et Leith l'était. Il était arrivé sans crier gare, avait bouleversé ma vie, m'avait fait chavirer sans que je puisse contrôler quoi que ce soit.

— D'accord. Tu y crois. Mais comment peux-tu être certaine que ce soit lui, le grand amour ?

— Je ne pense pas avoir besoin d'essayer tous les garçons de la planète pour être catégorique, tu sais.

L'image l'amusa.

— Non, peut-être pas, mais au moins un ou deux.

— Comme toi, par exemple ?

J'aurais juré voir passer des éclairs dans ses yeux.

— Tu ne serais pas déçue.

J'étais abasourdie.

— Eh bien, tu ne te mouches pas du coude.

Il sourit encore, sûr de lui.

— Il paraît que je suis irrésistible.

Je clignai des paupières, incapable de définir s'il plaisantait ou pas, mais à vue de nez, il semblait plutôt sérieux.

— Et j'imagine que c'est la raison pour laquelle ta précédente petite amie t'a plaqué. Parce que tu es « irrésistible », ne pus-je m'empêcher de répliquer.

Les traits du visage de Philip s'affaissèrent instantanément, si bien que je regrettai presque aussitôt ma remarque.

— Désolée, je n'aurais pas dû dire ça...

Tendu à l'extrême, il se leva brusquement pour ramasser nos assiettes vides avant de quasiment les jeter dans l'évier. Je le rejoignis en marchant sur des œufs.

— Je te demande pardon, Phillip, c'était un coup bas de ma part.

Je vis les muscles de son cou se crisper.

— Laisse tomber.

Je posai la main sur son bras, confuse. Il était chaud. Brûlant.

Prise de court, je retirai mes doigts comme au ralenti.

Mais mon cœur battait à tout rompre.

Il était brûlant...

— Tu devrais peut-être rentrer chez toi, me suggéra-t-il sèchement. Je ne suis plus de très bonne humeur.

— Oui, tu as raison... murmurai-je. Merci pour le repas.

Je reculai de plusieurs pas, me détournai pour récupérer mes affaires et partis sans demander mon reste. J'ignorai l'ascenseur, et descendis les escaliers comme si j'avais le diable aux trousses, mais lorsque j'atteignis le dernier palier, le diable surgit derrière moi.

Chapitre 26

Oh... il ne t'a pas expliqué les règles ?

— Tu veux savoir quel est le problème, Hannah ?
siffla Phillip entre ses dents en me barrant le chemin,
les yeux plongés dans les miens.

Je ne fis pas un geste. Ne prononçai pas un mot.
Mais mon sang battait violemment mes tempes,
bouillonnait dans mes veines.

— Le problème c'est que je te veux pour moi tout
seul, que tu m'obsèdes, que je ne supporte pas que
tu sois éprise d'un autre. Ça me rend fou !

Il fit plusieurs pas en avant, m'obligeant à descendre le dernier escalier à reculons. Je manquai
trébucher sur la première marche et me retins
de justesse à la rampe, les yeux arrimés à ceux de
Philip. Ils n'étaient plus verts, mais marron foncé,
presque noirs, aussi fixes que celui d'un animal. D'un
loup.

— Je suis prêt à tout, Hannah, je ne vais pas laisser
tomber, m'avertit-il d'un ton menaçant. Je me battrai
encore pour t'avoir, parce que c'est toi qui m'as
appelé, c'est toi qui m'as attiré.

Je secouai la tête de droite à gauche. Il gronda.

— Tu me repousses ? Pour qui te prends-tu ?

Je jetai un regard derrière moi, les jambes flageolantes. Il ne restait plus que quelques marches à descendre pour atteindre la porte d'entrée. Toutefois, je
n'espérais pas réussir à la rejoindre avant qu'il ne

m'en empêche. Même si je parvenais à sortir, il me rattraperait en une fraction de seconde. J'étais piégée.

— Regarde-moi, hurla-t-il. Regarde ce que tu me fais !

À la place, je fermai les yeux et me détournai. Et lorsque je les rouvris, Philip m'observait avec hargne, menaçant et furieux.

« Tu es beaucoup plus vulnérable que tu ne le penses. Ne le sous-estime pas. », m'avait dit Leith pour m'avertir de quelle manière le Galbro était capable de me manipuler, et il avait malheureusement raison. J'étais vulnérable, crédule et stupide ! Je vivais un cauchemar, j'allais me réveiller !

La porte d'entrée grinça et cinq personnes pénétrèrent dans le hall pour se diriger vers l'escalier. Je pensais me mettre à courir vers la sortie, mais Phillip, rapide comme l'éclair, descendit les quelques marches qui nous séparaient, et me projeta contre le mur avant de se coller à moi. Il plaqua ses doigts sur ma bouche pour m'empêcher de crier, et s'inclina pour simuler un baiser.

— Vous ne pouvez pas aller vous bécoter ailleurs ? lança une voix masculine, furibonde avant de disparaître plus haut dans les étages.

Je sentais le souffle de Phillip dans mon cou. Il me reniflait. J'essayai de me dégager, de repousser sa main, mais n'y parvins pas. Puis la lumière de la cage d'escalier s'éteignit et un sanglot s'étouffa dans ma gorge.

— N'aie pas peur, chuchota-t-il à mon oreille. Je n'ai pas l'intention de te faire du mal, reste tranquille.

Nauséeuse, je ne bougeai plus d'un millimètre.

— Je vais te relâcher, dit-il. Mais si tu essaies de t'enfuir, je te rattraperai.

Toujours bâillonnée par sa main, je hochai la tête. Il desserra aussitôt son étreinte et s'écarta doucement.

— Je... je ne te vois pas, murmurai-je d'une voix chevrotante. Tu veux... bien rallumer ?

D'abord il ne fit pas un geste, il m'observait. Puis il recula de quelques pas et appuya sur l'interrupteur. Quand il s'approcha de moi, je sursautai.

— N'aie pas peur, Hannah, chuchota-t-il en s'arrêtant net. Je ne veux pas que tu aies peur de moi.

Déconcertée, je vis que ses yeux avaient retrouvé leur couleur habituelle. Mais je ne recouvrai pas mon calme. Son revirement m'effrayait. Philip était imprévisible et instable, j'en avais conscience.

Je retins ma respiration quelques secondes et tâchai de réfléchir. Par quoi devais-je commencer pour me sortir de cette situation infernale ? Si je ne pouvais pas fuir, peut-être parviendrai-je à lui parler, à le raisonner ? Le dégoût et la crainte pesaient plus que les quelques grammes de courage qu'il me restait, mais il fallait que j'essaie, que je tente le tout pour le tout. C'est pourquoi je songeai à l'homme qui avait pris ma défense, avec qui j'avais passé un merveilleux après-midi, le même qui était capable de tant de sympathie et de gentillesse. Car, si le Galbro me répugnait et me terrorisait, ce n'était pas le cas de Phillip, alors qu'il s'agissait d'une seule et même personne. Je fermai les paupières un instant, essayai de me concentrer pour trouver les mots justes, et posai mon regard sur lui.

— Je suis sincèrement désolée, Phillip.

Il pencha la tête de côté, surpris d'entendre des excuses de ma part. Encouragée par son silence, je continuai.

— Je n'avais pas l'intention de te faire souffrir.

Ses pupilles se resserrèrent tandis qu'il me dévisageait.

— Je... je voulais être ton amie.

Il poussa un profond soupir. La lumière s'éteignit, il la ralluma aussitôt et appuya si fort sur l'interrupteur qu'il le bloqua. Il revint vers moi et m'attira sur les dernières marches afin de nous asseoir. Enfin, il pressa ses tempes de ses doigts.

— J'ai cru devenir fou la première fois que je t'ai sentie, Hannah. Je marchais sereinement le long de la falaise de *Skara Brae*, je ne pensais à rien, j'écoutais le bruit des vagues et les cris des oiseaux. Je n'avais pas connu un si grand calme depuis longtemps. Lorsque ton odeur m'est parvenue, elle était tellement imperceptible que j'étais persuadé l'avoir imaginée. Mais régulièrement, des bourrasques me la renvoyaient en plein nez, me convainquant que je n'avais pas rêvé. Chaque fois, j'en respirais profondément les effluves. Et dès qu'elles disparaissaient, mon désir s'enflammait, elles m'enivraient comme aucune autre avant. Je les ai cherchées, et pour affiner mes sens, j'ai eu recours à la mutation partielle. J'étais déterminé à savoir d'où elles venaient. Puis je t'ai vue allongée entre les parois rocheuses, on aurait dit que tu t'offrais à moi, tel un bijou dans son écrin. Tu avais les yeux fermés. Je t'ai trouvée belle, mais rien ne pouvait être comparé à l'odeur envoûtante que tu dégageais. Évidemment, il m'a semblé que c'était pour moi que tu transpirais ce parfum, que tu m'appelais.

Il passa les doigts sur son visage pour se frotter nerveusement.

— Je suis incontrôlable sous ma forme animale, Hannah. Je n'avais qu'un but : t'emmener, te prendre. Quand ton petit ami est arrivé, je me suis battu comme un diable pour avoir le droit de te posséder. Comprends-moi, dit-il en se saisissant d'une de mes mains, il n'y a plus de raisonnement qui tienne lorsque je suis un loup, seul l'instinct compte. Ce jour-là j'ai perdu et j'ai fui. Mais en reprenant une apparence humaine, j'ai réalisé qu'il s'était passé quelque chose d'anormal. Je ne garde aucun souvenir de ce que je fais dans ma peau de bête, mais cette fois, je me rappelai tout. Toi, ton odeur, l'affrontement avec le Lupus. Ça ne m'était jamais arrivé… jamais. C'est pourquoi je t'ai pistée. Ton parfum était encore tellement imprégné en moi qu'il m'a mené jusque dans une ferme où vit un couple de Lupis, mais tu n'y étais pas. Je te cherchais toujours, lorsque j'ai remarqué que, moi aussi, j'étais traqué. Ton petit ami voulait me retrouver. J'en ai profité, et je l'ai filé sans qu'il s'en aperçoive. Il m'a conduit à toi malgré lui. Ici, à Wick. Mais quelque chose avait changé, tu sentais différemment. Ton odeur était plus supportable. Je ne l'explique pas. Il n'empêche que je te désirais toujours autant. Mais le Lupus guettait le moindre de tes faits et gestes. Je suis resté discret, attendant le bon moment. Alors quand je t'ai vue entrer chez Finighan, je n'en revenais pas. Tu venais à moi, de toi-même. Tu semblais toute disposée à entamer quelque chose avec moi, les signaux que tu m'envoyais ne trompaient pas.

Les iris de Phillip devinrent opalescents, comme recouverts d'un voile. Je retirai prudemment ma main de la sienne et l'écoutai sans broncher. Je l'avais carrément dragué, ce soir-là. Je ne pouvais m'en prendre qu'à moi-même.

— J'ai continué à te suivre discrètement, poursuivit-il, attendant que le Lupus s'éloigne de toi une bonne fois pour toutes. Mais tu as tout fichu en l'air ! grondat-il, soudain. Tu t'es jetée dans ses bras. Les siens ! Alors que j'ai tout fait pour être plaisant avec toi. J'ai agi comme un vrai gentleman et regarde : tu l'as choisi, lui !

Le cœur battant sourdement, je m'acculai contre le mur.

— Il t'a embrassé, siffla-t-il, haletant. Je vous ai vus dans cette voiture. Je vous ai vus et j'ai cru devenir dingue. Je voulais défoncer sa bagnole en pleine rue, au milieu de tous ces gens, pour vous sortir de là.

Phillip respirait de plus en plus fort, renâclant avec rage. Puis il émit un grognement venant du fin fond de sa poitrine, sourd et caverneux. Mes poils se hérissèrent davantage. Fuir ou rester immobile, je ne savais que choisir. J'étais terrorisée.

— Comment as-tu osé me faire ça, Hannah ? Nous nous sommes vus, nous avons passé un après-midi entier ensemble, et le soir, tu te jetais de nouveau dans ses bras. Tu t'es moquée de moi ! hurla-t-il en se levant.

— Non... non, Phillip, tentai-je de l'apaiser.

Ses pupilles se dilatèrent davantage. Il ferma les yeux avec force, comme s'il voulait se contrôler. Puis il s'accroupit et se prit la tête entre les mains.

— Je deviens fou à chaque fois que je le vois en ta compagnie. Un Lupus ! Cette race d'arrogants, imbus d'eux-mêmes et qui se croient supérieurs à tous ceux de notre espèce. Je les méprise ! cracha-t-il.

Il leva le menton, le regard haineux, les narines frémissantes et les mâchoires crispées. Subitement, il s'agenouilla devant moi.

— Que m'as-tu fait, Hannah ? Que m'as-tu fait ? Tu provoques en moi des choses que je ne savais pas possibles. Tu as disparu pendant deux semaines. Où étais-tu ? Avec qui ? Lui ? J'ai parcouru la ville pendant des jours, je suis retourné sur les Orcades où je suis resté jusqu'à ce matin, et tu étais là. Là ! hurla-t-il. Juste sous mon nez !

J'eus un mouvement de recul quand il agita les bras, et instinctivement, je levai le coude pour me protéger le visage.

— Hannah ! s'exclama-t-il en voyant mon expression horrifiée. Je ne te ferai pas de mal. Je ne te ferai aucun mal. Mais je t'en prie, donne-moi une chance de te prouver que tu pourrais être heureuse avec moi.

Puis il prit mes joues entre ses paumes et plongea ses yeux dans les miens. Je fermai les paupières, et l'instant d'après, sa bouche frôla la mienne. Une vague nausée s'empara de moi.

— Non ! criai-je en détournant violemment la tête. Non...

— Laisse-moi te faire changer d'avis, me supplia-t-il. Ne m'oblige pas à...

Il se tut et son regard s'enflamma davantage.

— Je ne peux pas… j'en suis incapable, gémis-je.

Il se redressa et me fixa intensément.

— Tu te trompes.

Les lèvres tremblotantes, je pris une profonde inspiration et me levai d'un bond. Il m'imita, me dominant de toute sa hauteur.

— Non, Phillip, je ne fais pas d'erreur.

Une étincelle passa dans son regard et tout s'emballa.

— Tu m'aimeras, Hannah, je te jure que tu m'aimeras.

— Tu ne peux pas me forcer.

Il haussa un sourcil.

— Crois-tu ? J'ai les moyens de t'en persuader, tu sais.

Il plongea ses yeux dans les miens et instantanément, je sentis mes genoux fléchir, prête à tomber devant lui.

— Regarde, minauda-t-il, c'est si facile.

Il secoua la tête, comme chagriné.

— Tu ne me vois pas encore, mais quand je me serai occupé de lui…

Mon sang se figea.

— T'en prendre à Leith ne changera rien. Rien !

Je refusais d'abdiquer, même pour faire semblant. Ses narines frémirent.

— On a suffisamment joué ! Tu ne veux rien comprendre, tu te braques, tu me rejettes. Alors écoute ça : j'ai dit que je ne te ferai pas de mal, mais si la fin justifie les moyens, je reviendrai sur ma décision. Si je ne peux pas t'avoir, il ne t'aura pas non plus !

— Tu me tuerais aussi ?

Dieu que j'aurais aimé avoir autant de force que lui pour arracher son sourire, lui lacérer le visage et le couper en petits morceaux. Je ne me souvenais pas avoir autant détesté quelqu'un de toute ma vie.

Il se frotta le menton.

— Hum... je n'aurais peut-être pas à m'acquitter de cette tâche moi-même, mon ange.

— Qu... quoi ?

Il se composa une mine étonnée.

— Oh... il ne t'a pas expliqué les règles ? Comme c'est ennuyeux. Si tu avais su de quoi il retournait, je suis certain que tu aurais été plus réticente à être avec lui. Tu aurais réfléchi et tu ne serais pas dans le pétrin.

— Mais de quoi parles-tu ? aboyai-je.

Il m'offrit un sourire radieux.

— D'un détail que tu ne pourras pas ignorer long-temps si tu veux garder la vie sauve. Mais je suis bon joueur, je lui permets de t'expliquer lui-même de quoi il s'agit. Va retrouver ton maudit Lupus et raconte-lui tout ce qui s'est passé, ce soir. S'il t'aime aussi sincèrement que tu le crois, il répondra à toutes tes questions. Et puis, si l'envie lui prenait de venir me rejoindre ici, je me ferais un plaisir de terminer ce que j'avais commencé sur la jetée.

De l'index, il me releva le menton pour que je le regarde droit dans les yeux.

— Quant à toi, mon chou, tu disposes de deux choix : le suivre et mourir ou... le quitter et vivre.

Il se mit à rire aux éclats.

— Pourquoi fais-tu ça ? murmurai-je, abasourdie.

Il plissa le front et sourit.

— Pourquoi ? Mais parce que je suis né pour gagner, mon ange. Ma dernière petite amie en date le savait très bien. Elle aurait volontiers accepté de te l'expliquer, mais... quel dommage, j'ai bien peur qu'elle soit désormais dans l'incapacité de le faire.

Il l'avait tuée ? J'en étais sûre.

— Je vais t'avouer ce qui est le plus cruel. Quelle que soit la décision que tu prendras, tu seras éternelle-ment insatisfaite. Mais ne t'inquiète pas, mon ange. Si tu fais le bon choix, je te promets de décupler ton plaisir pour que tu y penses moins.

Il s'écarta et regagna le premier palier tranquillement.

— Souviens-toi..., dit-il sans se retourner. Le suivre et mourir ou... le quitter et vivre.

Puis il disparut.

Je restai immobile de longues minutes, les muscles aussi raides que des morceaux de bois. Lorsque quelqu'un pénétra dans le hall, je me ressaisis et sortis de l'immeuble. Je rejoignis ma voiture sous la pluie qui commençait à tomber doucement. Je démarrai et conduisis comme une automate jusque chez Leith. Feux éteints, garée devant le portail de l'immense maison en briques rouges, je pris mon téléphone et composai son numéro.

Il répondit au bout de trois sonneries.

— Hannah ?

— Je suis devant chez toi.

— J'arrive.

Puis il raccrocha.

Chapitre 27

Tu as fait le bon choix.
Tu ne le regretteras pas.

L'immense portail s'ouvrit et Leith apparut, les cheveux en bataille, torse nu, vêtu d'un simple jean qu'il n'avait pas pris le temps de fermer complètement. Il était à peine vingt heures, mais je venais visiblement de le réveiller.

— Dépêche-toi d'entrer, tu vas être trempée, m'intima-t-il.

Je tremblais comme une feuille mais pas à cause de la pluie.

— Tu es frigorifiée, nota-t-il en me serrant dans ses bras. Nous sommes seuls. Installe-toi devant la cheminée.

Il monta l'escalier à une vitesse spectaculaire et revint en un rien de temps avec un plaid. Je me tenais toujours en bas des marches. Il m'enveloppa dans la couverture et me conduisit dans le salon où il me fit m'asseoir sur le canapé. Là, il se baissa devant l'âtre et raviva les braises encore rouges d'où jaillirent de hautes flammes en quelques secondes.

— Que se passe-t-il ? s'enquit-il en prenant place à côté de moi.

— Le Ga-Galbro, bégayai-je.

Son visage s'affaissa et ses pupilles s'élargirent d'un seul coup.

— Quoi, le Galbro ? Tu l'as vu ?

Je pris une profonde inspiration pour retenir les spasmes d'angoisse que je sentais monter en moi.

— C'est Phillip...

— Qui est Phillip ?

Je me dégageai de la couverture pour me jeter brusquement dans ses bras. Les larmes que j'avais retenues jusque-là roulaient sur mes joues sans s'arrêter. Leith se contenta de serrer ma tête au creux de son cou et de caresser doucement mes cheveux pour m'apaiser. Quand enfin ma respiration redevint plus régulière, il me repoussa délicatement et embrassa mon front.

— Parle-moi, murmura-t-il.

Je lui racontai tout.

Il écouta attentivement sans proférer un son ni bouger. Tout son métabolisme semblait s'être mis au ralenti, mais tout le vert de ses iris avait totalement disparu sous le noir de ses pupilles. Alors que je venais de terminer mon récit, Leith crispa si violemment ses doigts sur le dossier du canapé que les coutures du cuir blanc se défirent. Il ferma les yeux, respira profondément et lâcha enfin le pauvre coussin. Déformé par la rage et la culpabilité mêlées, son visage me parut bien différent de celui que je connaissais. Leith ne m'était jamais apparu plus effrayant.

— De quelles règles parlait-il ? voulus-je savoir.

— C'est ma faute, répliqua-t-il sans répondre. Je n'ai pas été assez prudent. J'aurais dû...

— Ça n'aurait rien changé Leith, murmurai-je. Tu n'y es pour rien, tu ne m'as pas demandé de me jeter dans les mailles de son filet.

— Je vais régler ça, siffla-t-il, les dents serrées. Il ne t'arrivera rien.

Je posai une main sur son avant-bras.

— Écoute, je m'inquiète bien moins pour ma vie que de ce qu'il pourrait te faire, susurrai-je. Il est vicieux et fourbe. Depuis le début il contrôle tout et ne laisse rien au hasard. Il est démoniaque, Leith !

Leith coinça mes joues entre ses paumes.

— Je vais le tuer.

Il me sembla que son visage était sur le point de prendre feu tant la haine le défigurait.

— Je le tuerai avant même qu'il ne te touche une nouvelle fois. Je le tuerai, je le viderai de son sang et le harponnerai par les tripes pour qu'il soit bouffé par les requins.

— Leith ! m'exclamai-je, effrayée.

— Je ne permettrai pas qu'il t'arrive quoi que ce soit, tu comprends ? Je me damnerai pour te protéger, je donnerai ma vie pour toi. Tu es mon souffle, mon oxygène, mon énergie. Tu fais courir le feu dans mes veines. Je t'aime, Hannah.

— Je t'aime aussi tellement, avouai-je d'une voix étouffée.

« Le suivre et mourir ou... le quitter et vivre ».

Je n'avais jamais été plus certaine de mes sentiments. Risquer ma propre vie pour rester près de Leith me semblait être le prix raisonnable à payer, vu la situation. Parce que jamais, avec tout ce que j'avais déjà vécu avec lui, je n'aurais la force de m'éloigner pour un autre. Mourir n'était pas ce qui m'effrayait le plus. Ce qui me terrorisait à m'en rendre nauséeuse et irrationnelle était l'éventualité de perdre Leith à jamais, que ce soit lui qui meure. Hélas, l'objectif de départ de Phillip avait doublé. Je n'étais plus la seule à occuper ses pensées, désormais. Il voulait aussi la peau de Leith et je sentais qu'il se donnerait corps et âme à cette tâche.

Leith se leva brusquement, marchant comme un fou dans la pièce, renâclant comme une bête en cage.

— Je vais devenir dingue ! gronda-t-il en se dirigeant à grands pas vers l'entrée.

Mon cœur s'emballa.

— Leith, que fais-tu ?

— Reste là, m'ordonna-t-il avant de sortir de la maison comme une furie.

— Leith, non ! hurlai-je en essayant de le suivre. N'y va pas seul !

Mais il ne m'écoutait pas. Il avait déjà sauté par-dessus le portail. Il disparut en quelques secondes sous la pluie battante. Il n'aurait aucun mal à trouver Phillip. Je lui avais donné suffisamment d'informations.

Je ne perdis pas une minute et retournai à l'intérieur pour récupérer mes clés de voiture. Je griffonnai l'adresse de Phillip et le digicode sur un bout de papier près du téléphone dans le cas où les Sutherland reviendraient, j'indiquai que Leith était en danger, et courus jusqu'à la Mini. Je n'avais pas la moindre idée de comment lui venir en aide, et certainement que je prendrais des risques en voulant le rejoindre à tout prix, mais il fallait que j'y aille.

J'arrivai au pied de l'immeuble de Phillip à peine dix minutes plus tard. Le cœur battant, je vis que le ventail en bois de l'allée n'avait pas été refermé. Leith était sûrement déjà là. Je me précipitai dans la cage d'escalier, montai les marches deux à deux jusqu'au quatrième étage et me retrouvai devant la porte ouverte de l'appartement de Phillip. Surprise de ne pas y détecter un seul bruit, je restai un instant immobile, puis j'avançai prudemment. Tout était éteint. Seule la lumière des lampadaires extérieurs traversait la grande baie vitrée et renvoyait une lueur insignifiante. Où étaient-ils ?

— Tu as finalement décidé de revenir ?

Une sueur glaciale me parcourut la colonne vertébrale quand la silhouette de Phillip se dessina devant les fenêtres.

— Ce n'est pas toi que j'attendais, mais je me réjouis de te voir.

Je fis volte-face pour sortir, mais Phillip fut bien plus rapide que moi. Il se matérialisa devant moi avant même que je mette un pied dehors.

— Voyons, voyons... ne pars pas si vite, tu viens juste d'arriver, dit-il en claquant la porte.

Il tourna le verrou et pivota lentement.

Je le distinguais à peine, mais je savais qu'il ne me quittait pas des yeux. Il m'observait.

— Tu as fait le bon choix, me félicita-t-il. Tu ne le regretteras pas.

Il fit deux pas en avant, je reculai. Il s'immobilisa, et recommença son manège une ou deux fois tandis que mon cœur menaçait de lâcher tant il battait fort. Puis subitement, mes jambes fléchirent et je me retrouvai à terre, agenouillée devant lui.

— Le cerveau humain est bien trop facile à contrôler, ricana-t-il. Ce n'est pas drôle. J'aime autant que tu me montres ce que tu as dans le ventre, et vérifier que le jeu en valait vraiment la chandelle.

Il abandonna la pression qu'il exerçait sur mon esprit et je me relevai aussitôt. Je jetai un œil autour de moi. Pas d'issue. Pas la moindre possibilité de m'échapper. J'étais prise au piège.

— Préfères-tu que j'allume les lampes, mon ange ?

Il joignit le geste à la parole et appuya sur l'interrupteur. Je retins un cri d'horreur en découvrant son visage tapissé de poils, ses oreilles longues et pointues, les joues tombantes, ses quatre crocs et son regard plus noir que la nuit. Il était plus effrayant que dans mon souvenir, plus encore que sur la jetée, parce que cette fois, je savais de quoi il était capable. Terrifiée, je réalisai qu'il n'avait pas achevé sa transformation lorsque ses bras s'étirèrent et que des griffes apparurent au bout de ses interminables doigts maigres. Je ne perdais pas connaissance. C'était comme si mon corps refusait d'échapper à cette horrible vision. Pourquoi ? Pourquoi ne pouvais-je pas sombrer comme n'importe quel autre Humain ? Dieu que je l'aurais pourtant souhaité. Je fermai les yeux et respirai par à-coups.

— Tu te demandes pourquoi tu ne t'évanouis pas, n'est-ce pas ? ricana Phillip d'une voix rendue méconnaissable par ses crocs.

Il se plaça à quelques centimètres de mon visage et souffla son haleine chaude sur ma joue.

— J'en ai le pouvoir, ce qui n'est pas le cas de ton ridicule petit ami. Oh, oh, pardon..., se reprit-il en riant comme à une blague que lui seul comprenait. Il n'est plus rien. Tu es à moi, maintenant, puisque tu es là et que tu es venue de ton plein gré.

Il était fou. Comment pouvait-il imaginer un instant que j'avais choisi d'être avec lui plutôt qu'avec Leith ?

— Éclaire ma lanterne, Hannah, dis-moi ce qui t'a fait changer d'avis ?

Comme je ne répondais rien, il plissa les yeux comme pour méditer sa propre question, puis son visage s'illumina.

— Oh... je comprends... Tu pensais le trouver ici ? Tu croyais qu'il se déplacerait pour m'affronter après lui avoir tout raconté ? Tu n'es donc pas venue pour moi, mais pour le protéger. Comme c'est romantique. Comme la vie est injuste, et comme tu dois être déçue qu'il ait été trop lâche pour tenter de te garder. Mais maintenant que tu es là, rugit-il, tu vas rester !

Je gémis et essayai de le repousser. Il me bloqua les épaules et claqua férocement les mâchoires devant mon visage. Puis, lentement, il me renifla les joues, la bouche, le nez. Je me détournai en fermant les yeux, incapable de retenir un frisson de révulsion.

— Tu sauras t'habituer, Hannah, chuchota-t-il à mon oreille avant d'en lécher le lobe.

Désespérée, je lui envoyai mon genou dans le bas-ventre. Tandis qu'il se pliait en deux, je m'élançai sur la porte pour tenter de lui échapper. J'avais à peine réussi à ouvrir le verrou lorsqu'il se propulsa sur moi. Il m'attrapa par les cheveux et me traîna jusqu'au milieu de la pièce. Je hurlai de douleur.

— Imbécile ! gronda-t-il. À quoi pensais-tu ? Je vais t'apprendre à me sous-estimer ! J'ai été trop gentil avec toi !

Il me remit brusquement debout et m'entraîna violemment sur le canapé. Il me coupa le souffle lorsqu'il s'écrasa sur moi. D'une grande main velue, il me bâillonna et fit basculer ma tête en arrière. Je me débattis de toutes mes forces, mais c'était inutile. J'avais la force d'un moineau. Des larmes de rages roulaient sur mes joues tandis que ses doigts me touchaient partout. Il poussait des grognements gutturaux et cherchait à s'immiscer entre mes cuisses. J'étais persuadée qu'il arriverait à ses fins quand un bruit sourd nous surprit. Une explosion. Phillip releva la tête, la porte venait de voler en éclats.

Mon cœur accéléra sa course quand je vis la silhouette de Leith se dessiner dans l'embrasure. Phillip me tira violemment par le bras et un craquement terrible retentit, suivi d'un cri effroyable. Le mien. Il m'avait cassé le poignet. La douleur était si vive, si forte, que je manquai de perdre connaissance tandis que Phillip me traînait avec lui. Il passa subitement à travers la baie vitrée, et nous propulsa dans les airs. Le souffle coupé, je fus incapable de hurler. Je fermai instinctivement les paupières alors que la pluie glaciale battait mon visage. Phillip me tenait fermement par la taille. Les membres pendants dans le vide, j'étais ballottée comme une poupée de chiffon, et tout filait à la vitesse de l'éclair. En ouvrant furtivement les yeux après une secousse plus violente que les précédentes, je compris que nous étions sur les toits. Phillip sautait de pente en pente avec une agilité exceptionnelle, m'agrippant telle une proie tout juste chassée qu'il ne fallait surtout pas perdre. Le dernier rebond me fit hurler de terreur, persuadée que nous allions nous écraser en bas de l'immeuble, mais Phillip atterrit sur la terrasse d'un autre bâtiment. Les deux pieds bien à plat, les genoux fléchis, il poussa un grognement abominable avant de me jeter violemment à plusieurs mètres de lui. Je retombai, contre le béton, la tête reposant dans une flaque d'eau. J'étais incapable de bouger. Il me sembla que tous mes os étaient brisés, que j'étais complètement désarticulée. J'avais mal partout.

Un nouveau rugissement guttural retentit, puis un deuxième, différent, moins haché, plus terrifiant encore. Alors que je pensais ne plus avoir suffisamment de force, je réussis à ouvrir les yeux et à soulever péniblement la nuque. Je les distinguais à peine dans la nuit et sous la pluie battante, mais je savais que ce qui allait suivre serait d'une violence inouïe. Leith et Phillip se tenaient debout, face à face, prêts à s'affronter. Pour moi.

Dans un dernier effort, je parvins à me redresser et à m'adosser contre le mur derrière moi.

Je ne les quittais pas du regard et retins ma respiration. Quelque chose était en train de se passer. La pression dans mes poumons. Le bourdonnement dans mes oreilles. Les picotements dans mes yeux. Tout mon corps était secoué de tremblements. Je ne voyais plus rien, n'entendais plus rien. Je m'enlisais dans des abîmes sombres et sans fin.

Avant de m'effondrer sur le sol froid et humide, dans un état de semi-conscience, j'eus le temps de comprendre ce qui m'arrivait et pourquoi.

Leith se métamorphosait.

Maintenant.

Chapitre 28

C'est mon âme sœur.

Je rouvris lentement les yeux.

Le visage face au ciel, je réalisai qu'il ne pleuvait plus. Ce fut d'ailleurs la seule chose dont je me souvenais, qu'à un moment donné, la pluie tombait. Il n'y avait pas un bruit, pas même un souffle de vent, et j'avais mal au crâne.

Mes paupières étaient lourdes. Je les refermai. Puis quelque chose de froid et humide toucha le bout de mon nez, mon menton et ma joue. Je levai les cils et poussai un cri de terreur en voyant l'énorme truffe noire d'un animal se tenant à quelques centimètres de mon visage. Il me fallut quelques secondes pour que tout ce qui venait d'arriver me revienne en mémoire, et pour réaliser que je n'avais rien à craindre du gigantesque loup blanc qui se frottait à moi. Mon corps réagit aussitôt. Je me redressai en m'appuyant sur mon poignet brisé, m'arrachant un hurlement de douleur.

Leith m'observait de ses yeux jaunes et brillants que la veilleuse murale derrière nous rendait plus éclatants encore. Il m'effleurait d'un regard si doux que j'en ressentis une bouffée d'émotion fabuleuse. Je tendis ma main valide vers lui et lui caressai la tête, découvrant ainsi son poil soyeux.

Quel étrange sentiment de se dire que j'étais en train de toucher le garçon que j'aimais. Son animalité piquait mon cœur autant que son humanité. Ça ne faisait aucune différence. Le loup et l'homme n'étaient qu'une seule et même personne. J'étais troublée, ébahie, subjuguée par sa beauté et sa force. Loin des clichés populaires sur les loups-garous, Leith, le Lupus, était magnifique.

Il me paraissait plus grand que lorsque je l'avais aperçu la première fois à *Sinclair Castle*, sa musculature était impressionnante.

Il s'approcha un peu plus et posa la tête sur mon épaule. Je humai son odeur, plus marquée, plus musquée que d'habitude. En ouvrant les bras pour le serrer contre moi, je sentis une substance humide et poisseuse sous mes doigts. Je me reculai lentement et réalisai que son échine était recouverte de sang, maculant son incroyable fourrure blanche. Toutefois, il ne semblait pas blessé, en tout cas il n'en montrait aucun signe.

Les battements de mon cœur s'affolèrent lorsque le visage de Phillip me revint à l'esprit. Où était-il ?

Je fouillai des yeux les alentours et ne le vis pas. Alors je me levai prudemment, avançai instinctivement près du rebord de l'immeuble et regardai en bas. Il était là, allongé sur le sol, inanimé. Mort. Autour de lui, je distinguai trois silhouettes. Puis des sirènes retentirent. Des voitures de police arrivaient vers nous, provoquant la retraite des trois personnes qui s'enfuirent dans la même direction, à une allure inhumaine. Leith s'approcha et me poussa de la tête, me faisant signe de le suivre. Par où devions-nous aller ? Il y avait bien un petit baraquement au centre de la terrasse, mais si nous descendions par là, les forces de l'ordre nous cueilleraient en bas.

— Par où partir ? hoquetai-je.

Leith ne pouvait pas me répondre, mais il comprenait tout ce que je disais. Il avança plus à l'ouest, à l'opposé de la façade principale au pied de laquelle les voitures de police étaient à présent garées. Il se coucha sur le sol, dans la position d'un sphinx, et fixa un point loin devant lui. Je ne saisissais pas ce qu'il voulait faire, ou plutôt si, mais je refusais de l'admettre. L'immeuble le plus proche, le même que celui sur lequel nous étions, était situé de l'autre côté de la rue, à une bonne dizaine de mètres d'écart. Il était impossible que nous sautions sans nous fracasser six étages plus bas. Pourtant, c'était exactement ce qu'il comptait faire.

— Non..., objectai-je.

Leith se leva et passa la tête entre mes jambes. Je gémis et m'agrippai fermement à ses poils. Je croisai mes pieds sous son ventre et enroulai mes bras autour de son cou. Mon poignet me faisait horriblement souffrir, toutefois, ce n'était pas ce qui m'incommodait le plus. C'était la peur qui me tenaillait. La peur de mourir. Je fermai les yeux et serrai les dents.

Leith recula jusqu'à l'autre bout de l'immeuble pour prendre son élan. Quand il engagea sa première foulée, il m'arracha un cri de frayeur. Je l'étreignis davantage et priai pour que Dieu, s'il existait, nous laisse la vie sauve. Juste avant le grand saut, je bandai les muscles et me mordis les lèvres pour ne pas hurler. Leith atterrit souplement sur la seconde terrasse tandis que je me rattrapai de justesse à son cou pour ne pas tomber. Il courut jusqu'à un îlot central et me fit descendre de son dos. Flageolante, j'essayai d'actionner la poignée, sans succès...

— C'est fermé !

Leith m'écarta, et sans même prendre trop d'élan, il se jeta sur le battant métallique qui s'effondra comme s'il s'était agi d'une fine planche de bois. Nous nous lançâmes dans l'escalier, et à peine dehors, un 4 × 4 débarqua, tous feux éteints. Une portière s'ouvrit.

— Monte ! cria la voix de Bonnie.

Déboussolée, je consultai Leith d'un regard.

— Vite, Hannah ! Grimpe, dépêche-toi, Leith nous suivra !

Ce dernier me poussa à l'intérieur avec force. Jeremiah démarra aussitôt. Le visage collé contre le pare-brise arrière, je ne lâchai pas Leith des yeux, il courait derrière nous à une allure presque égale à la nôtre. Nous roulions pourtant déjà à plus de cinquante kilomètres à l'heure. La voiture tourna brusquement dans une rue perpendiculaire, je ne le vis plus.

— Il ne suit pas, hurlai-je. Il ne suit pas ! Stop ! Stop ! Arrêtez !

— Calme-toi, Hannah, me rassura Bonnie. Il nous retrouvera à la maison. Il ne va rien lui arriver.

Je haletai, incertaine de pouvoir lui faire confiance, mais une dizaine de minutes plus tard, tandis que le 4 × 4 s'engouffrait dans la cour des Sutherland, j'aperçus une ombre passer furtivement devant le capot. Ma portière s'ouvrit et Leith, déjà vêtu d'un jean, m'en fit sortir pour me serrer si fort contre lui que j'en fus privée d'air.

— Appelle un médecin ! cria-t-il à son père.

Il me souleva dans ses bras et me porta jusqu'à la maison où il m'allongea délicatement sur le canapé avant de me recouvrir d'un plaid. Silencieusement, il caressa mes cheveux et embrassa mes joues, mon front, mes lèvres. Les yeux hagards, je détaillai son magnifique visage. Pas une égratignure, pas une blessure. Je voulais comprendre.

— Que s'est-il passé ? murmurai-je.

— Il est mort.

Je me remémorai la dernière heure et fus prise de tremblements.

— Je pensais que tu y étais allé, Leith, je l'ai vraiment cru !

— Je sais, Hannah, je sais. Je te demande pardon, c'est ma faute, je n'aurais jamais dû partir comme ça. Mon père, Al et Bonnie sont rentrés en même temps que moi. Quand Bonnie a trouvé le mot que tu avais laissé alors que tu avais disparu, j'ai failli devenir fou... Bon Dieu, jura-t-il en me serrant contre lui. J'aurais pu te perdre !

— Mais où es-tu allé ? demandai-je, tremblotante. Pourquoi es-tu parti ?

— Tu ne pourras jamais vraiment imaginer ce que j'ai ressenti, Hannah, toute cette haine qui m'habitait. Je devais sortir, me vider la tête. J'ai lutté pour ne pas le retrouver sur-le-champ. Il fallait d'abord trouver le moyen de te mettre en sécurité.

— Il... il m'attendait, bredouillai-je, encore sous le choc. Il m'attendait.

— Mon amour..., chuchota-t-il en ramenant mon front contre sa poitrine. C'est fini. Tout est terminé.

— Son corps sur le trottoir et... tout ce sang sur toi.

— Chut..., m'interrompit-il en appliquant un doigt sur mes lèvres. Tout va bien. Ne pense plus à rien, essaie de te reposer maintenant.

Il se pencha sur moi, je sentis son souffle chaud sur ma joue.

— Regarde-moi, *honey*, m'ordonna-t-il en plongeant ses yeux dans les miens.

— Mais...

— Chut... ne bouge pas. Regarde-moi, murmura-t-il, à quelques centimètres de ma bouche.

Je m'exécutai. Rien ne pouvait être plus merveilleux que de le contempler. L'adrénaline qui m'avait tenue jusque-là sembla diminuer en intensité. Mon rythme cardiaque redevenait normal, mes muscles meurtris se relâchèrent, ils étaient tellement flasques que je ne pouvais plus les contracter. Je ne sentais même plus mon poignet cassé. Je me concentrai sur les mains chaudes de Leith qui caressaient tendrement mon visage. Mes paupières se fermèrent. J'étais proche de l'endormissement. J'étais bien. Si bien... Puis une douce chaleur se posa sur mes lèvres. Longtemps.

— Je t'aime..., entendis-je comme dans un rêve, avant de sombrer dans un sommeil profond.

La chambre à coucher dans laquelle je me réveillai ne m'était pas familière. Le plafond était blanc, entouré de moulures anciennes, et l'air empestait l'éther. D'abord persuadée d'être dans un hôpital, je tournai la tête et remarquai les lourds rideaux ouverts sur les fenêtres à croisillons. Je me trouvais chez les Sutherland. Lorsque j'essayai de me redresser en m'appuyant sur mes bras mon poignet blessé me lança aussitôt. Je gémis de douleur et me laissai retomber sur l'oreiller en levant le bras gauche. On m'avait placé une résine. Quand avais-je été soignée, exactement ? Je ne me souvenais de rien.

— Hannah, tu es réveillée !

Je tournai la tête sur la porte ouverte, Bonnie s'y tenait. Elle approcha, m'aida à m'asseoir et cala deux gros coussins derrière mon dos.

— Depuis quand suis-je là ? demandai-je, groggy.

— Tard dans la nuit... Tu as dormi plus de douze heures.

Je fronçai les sourcils.

— Qui s'est occupé de mon bras ?

— Nous avons dû te transporter à l'hôpital où tu as été plâtrée. Tu ne t'es pas réveillée. Tu as également plusieurs petites coupures sur le corps, mais sans gravité.

Ce qu'elle me disait était insensé. Les manipulations médicales ne m'avaient pas sortie du sommeil ?

Bonnie se mit à rire devant ma mine éberluée.

— Les médecins ont bien failli te garder pour te faire subir plus d'examens. Eux non plus ne comprenaient pas que tu puisses rester assoupie. Nous les avons convaincus que ton état de fatigue était tel qu'une explosion nucléaire n'aurait pas suffi à te réveiller. Ils t'ont quand même fait une prise de sang pour tout contrôler et ont accepté de te laisser repartir avec nous.

— Hum..., marmonnai-je. Dites-moi plutôt que vous les avez obligés avec un tour de passe-passe.

Elle sourit.

— Leith est en partie responsable de ton sommeil. Il ne lui a pas fallu faire beaucoup d'efforts pour t'ordonner de ne pas ouvrir l'œil avant plusieurs heures. Tu étais si fatiguée...

Je me grattai la tête.

— Je m'en doutais...

Bonnie tira correctement les draps sur mes jambes, me servit un verre d'eau que je bus d'une traite, et me caressa affectueusement le front.

— Tu nous as fait une de ces peurs, Hannah...

J'allais lui répondre que j'étais désolée lorsque le père de Leith pénétra dans la pièce.

— Bonjour, Hannah. Comment vous sentez-vous ? s'enquit-il.

Je battis des paupières, abasourdie. Jeremiah Sutherland venait-il de m'adresser la parole ?

— Bien, hésitai-je. Enfin, je suppose...

— Un médecin vous rendra visite dans la journée. Nous n'avons pas cru nécessaire de prévenir vos parents, dit-il avec douceur, en désignant mon téléphone portable, sur la table de nuit.

Lequel était en parfait état. Un miraculé.

— Je vous remercie. Où est Leith ?

— Il dort, répondit-il. Voulez-vous que j'aille le réveiller ?

— Non, non. Je vais essayer de me rendormir, moi aussi, je suis épuisée.

Bonnie tira les rideaux de la chambre et me tendit un second verre d'eau, accompagné d'un anti-inflammatoire cette fois.

— Pour calmer la douleur, expliqua-t-elle doucement.

Sans discuter, je pris le médicament et me rallongeai.

— Repose-toi, chuchota Bonnie en me bordant.

Jeremiah me salua d'un signe de tête et quitta la pièce avec sa belle-sœur. Quelques minutes plus tard, je dormais profondément.

Une odeur exquise me sortit de mon sommeil. Un parfum d'épices, de miel et... de viande. J'avais dormi comme un loir, à peine réveillée par la visite du médecin, un peu plus tôt dans l'après-midi.

Il devait être tard, les rideaux étaient tirés, ils ne filtraient aucune lumière.

Comme j'avais envie d'aller aux toilettes, je me levai, et en soulevant les draps, je remarquai que je portais mon pyjama rayé bleu et blanc, celui que j'avais laissé lors de mon premier séjour ici. Contente d'être dans une tenue correcte, je me dirigeai dans la salle de bains attenante, me vidai la vessie, et finis par me débarbouiller la figure avant de mettre de l'ordre dans mes cheveux.

Leith apparut au bout du couloir au moment où je m'apprêtais à rejoindre les Sutherland dans la cuisine. Je courus vers lui et me jetai dans ses bras pour le serrer contre moi. Lequel me rendit amoureusement mon étreinte et me caressa tendrement la nuque.

— Quelle heure est-il ? demandai-je.

— Vingt et une heures. Tu as dormi toute la journée. Mais ne t'inquiète pas, moi aussi.

— J'ai faim, annonçai-je.

Leith sourit... Je fondis et me frottai davantage à lui.

— Allez viens, s'amusa-t-il en glissant son bras autour de mes épaules. Bonnie a cuisiné pour nous.

Lorsque nous eûmes dîné, je décidai de prendre une douche avant de me coucher. Je me lavai maladroitement en prenant soin de ne pas mouiller mon plâtre, m'abstins de me shampouiner les cheveux qui en avaient pourtant besoin afin d'éviter les dégâts, et repassai mon pyjama. J'étais sur le point de refermer la porte de ma chambre pour aller dire bonsoir à tout le monde quand les voix de Jeremiah, Alastair et Leith me parvinrent. Ils se disputaient. Poussée par la curiosité, au lieu de m'éloigner, je m'immobilisai et écoutai.

— Tu as été stupide ! siffla Jeremiah d'un ton cassant.

— Tu sais mieux que personne qu'il y a des choses contre lesquelles on ne peut pas lutter, intervint vivement Alastair. Ils s'aiment, nom de Dieu !

— Je l'ai élevé dans l'idée qu'il ne fasse pas la même erreur que moi, et il s'est fait piéger comme... comme l'imbécile qu'il est !

— Personne ne m'a piégé, gronda Leith. L'Esprit a choisi Hannah.

Mon sang se glaça lorsque je compris que j'étais au centre de la conversation.

— C'est mon alter ego, ajouta-t-il.

— Éloigne-toi d'elle.

— Non !

— Tu penses en être incapable, mais d'autres l'ont fait.

— D'autres, mais pas toi ! riposta Leith. Tu n'as pas quitté maman.

— Et je le regrette. Je donnerais jusqu'à mon âme pour ne jamais avoir fait un si mauvais choix. J'aurais dû écouter ton grand-père.

— Maman n'était pas un mauvais choix, murmura Leith.

— C'était la femme de ma vie, s'étrangla Jeremiah. Regarde-moi, je suis un homme brisé, vide à l'intérieur. Si tu n'avais pas été là, je serais parti après elle.

— Papa...

— Abandonne-la, mon fils.

Je retins ma respiration.

— Jamais, répondit Leith.

Il y eut un court silence, puis la voix de Jeremiah cingla l'air comme un coup de fouet.

— Alors elle mourra.

Chapitre 29

La Communauté du Sutherland et la Communauté du Monde Libre.

Je fermai les paupières en me sentant vaciller. Je me retins de justesse à la poignée de la porte de ma chambre qui claqua violemment contre le mur. Leith, Alastair et Jeremiah apparurent presque aussitôt dans le couloir, je levai la tête pour affronter leur regard.

— J'ai tout entendu.

Le visage de Leith s'affaissa. Je pris mon courage à deux mains et leur fis face.

— Pourquoi devrais-je mourir ?

— Hannah, intervint Jeremiah d'une voix douce. Vous venez de passer un moment très difficile. Vous... nous sommes encore tous sous le choc et...

— Ne vous avisez pas de me faire croire que j'ai mal compris. Répondez-moi. Pourquoi devrais-je mourir ? Quel rapport y a-t-il entre votre femme et moi ?

Leith s'approcha.

— Tu es épuisée. Nous pourrions peut-être en reparler une aut...

Je sentais une vague de colère monter en moi. Je levai ma main valide pour lui intimer de se taire.

— Je suis lasse de tous ces mystères. Jusqu'à présent, je n'ai pas posé beaucoup de questions, alors que j'en aurais pourtant eu le droit, ainsi que celui d'exiger des réponses de chacun d'entre vous. Votre monde s'est révélé à moi brutalement. J'ai eu le choc de ma vie. Les loups-garous n'existaient que dans les contes pour enfants. J'ai été patiente, je ne vous ai pas jugés, je suis restée discrète, maintenant il est temps de parler. Je veux des explications. Pourquoi devrais-je mourir et quel rapport y a-t-il entre votre femme et moi, Jeremiah ? répétai-je une troisième fois en détachant chacun de mes mots.

Les beaux yeux verts de Jeremiah Sutherland luisaient, mais son regard demeurait sombre et fixe. Il semblait réfléchir à la manière dont il allait clarifier la situation. Puis Bonnie apparut derrière son mari.

— Viens, m'enjoignit-elle en me tendant la main. Nous allons tout t'expliquer.

J'ignorai le visage inquiet de Leith et gagnai le salon avec Bonnie.

Lorsque nous fûmes tous installés, Jeremiah prit une profonde inspiration comme si ce qu'il s'apprêtait à m'annoncer était difficile, et commença son récit.

— Les Hommidés, les Galbros, les Hispos et les Crinos ont toujours été des espèces alliées et fidèles. Ils se comprennent et se battent ensemble pour les mêmes ambitions. Entre autres, la sublimation de la race garolle et l'anéantissement de tout composant qui viendrait la rendre impure. Il y a onze ans maintenant, la mère de Leith, mon épouse, a été tuée sauvagement par un Crinos. La seule faute qu'elle avait commise était d'être humaine.

J'en restai bouche bée. Jusqu'à ce soir, je tenais pour acquis que la mère de Leith était un garou.

— Elle a été massacrée sous les yeux de son fils pour l'idéal d'un pouvoir totalitaire, reprit Jeremiah en serrant les dents. Elle est morte parce que j'ai violé la loi fondamentale de ce pouvoir. J'ai épousé une Humaine et je lui ai donné un fils. Un enfant métis.

— Mais... mais, bégayai-je, bien plus calme à présent, je croyais que les loups-garous aimaient les

Hommes. Qu'ils avaient cessé d'en contrôler l'expansion parce qu'ils étaient devenus trop liés.

— C'était le cas, Hannah, avant que de nouvelles règles ne soient instaurées. Laisse-moi commencer depuis le début, s'il te plaît, je vais tout t'expliquer. Connais-tu l'origine du premier lycan ?

— Tyros ?

— Lui-même, opina-t-il. Que sais-tu de lui ?

Je soupirai et fronçai les sourcils pour réfléchir.

— Il a été puni par les dieux pour sa cruauté envers les Hommes, condamné à errer sous la forme d'un loup-garou pendant trois cents ans. Puis un jour, il s'est accouplé à une louve commune, laquelle a mis au monde les cinq races de lycans existant aujourd'hui. Il a ensuite décidé qu'il fallait maîtriser les naissances parmi les miens, parce que les Hommes prenaient trop de place, s'entre-tuaient et menaçaient de détruire l'habitat de la communauté garolle. Je sais aussi que les vôtres se sont attachés aux humains au point de ne plus vouloir les tuer. Ils s'étaient liés, avaient eu des enfants ensemble, le contrôle des populations humaines devenait impossible à réaliser. Tyros est mort et le monde est resté ainsi. Les garous vivent désormais en harmonie avec les Hommes.

— C'est ça, me confirma Jeremiah. Mais la mort de Tyros n'a fait que freiner les plans qu'il avait soigneusement pensés. Lorsqu'il a mis en place le contrôle de l'expansion humaine, il a fait promettre à ses cinq fils de respecter trois règles et de punir selon leur gré ceux qui les transgresseraient. La première était de ne pas changer un Homme en lycan. Ne pas le mordre dans ce but, précisa-t-il. La deuxième était de protéger la communauté garolle de toute intrusion. L'Homme ne devait jamais voir un loup-garou se transformer, ni même avoir connaissance de son existence. La troisième règle releva vite de l'impossible. Tyros demanda qu'aucun garou ne féconde d'être humain, ou ne soit fécondé par lui, afin que nous ne donnions naissance qu'à des êtres purs, issus d'ascendance garolle. Ces lois étaient en quelque sorte un code de conduite qui visait à faire perdurer notre espèce, à ce qu'elle ne soit pas noyée et perdue à jamais.

— Pourquoi aurait-elle été perdue à jamais ?

— D'abord, parce qu'un enfant né d'un couple mixte n'est pas nécessairement garou. Il peut être humain et ne jamais transmettre les gènes des lycans à ses propres enfants. Dans le deuxième cas, lorsqu'un être humain est mordu, il devient un loup-garou à son tour, et de la même race que son créateur. Sauf qu'ensuite, sa stabilité mentale est incertaine. Tyros considérait que ces nouveaux garous étaient un danger pour la communauté, parce qu'ils n'essayaient pas de se cacher des Hommes. La frénésie colérique dont ils faisaient preuve les conduisait à se transformer à n'importe quel moment, risquant de dévoiler notre condition à l'Humanité tout entière. C'est la raison pour laquelle Tyros a instauré la première règle. Ne pas créer de garou.

Je fronçai les sourcils.

— Je comprends sa motivation, mais je croyais que l'Homme perdait connaissance avant même que la mutation commence.

Jeremiah hocha la tête.

— C'est exact. Il s'évanouit parce que le loup-garou parvient à en contrôler les terminaisons nerveuses. C'est en quelque sorte un héritage génétique transmis de génération en génération pour nous protéger. En général, le loup-garou créé ne possède pas cette capacité. Toutefois, ce détail n'est pas le propre de ce type de lycans. Il existe quelques rares spécimens de notre espèce, des garous de naissance, qui détiennent le pouvoir de se transformer devant un Humain sans que celui-ci perde connaissance. C'est pourquoi Tyros a mis en place la deuxième règle.

J'acquiesçai et songeai à Phillip. Il m'avait dit en être capable. Puis, mon regard croisa celui de Leith qui avait été surpris que je ne m'évanouisse pas lorsqu'il avait affronté Phillip. D'un battement de cils, il me fit signe qu'il avait compris.

— La troisième règle concerne un point que je viens d'évoquer avec toi, continua Jeremiah. L'accouplement entre un Humain et un loup-garou. Cela ne posait pas de problème majeur à Tyros, il acceptait l'acte sexuel, seulement, il savait que si un enfant naissait de cette union, il pourrait ne pas être garou. Et ça, ça le gênait profondément. Car à un moment de son règne, avant même qu'il n'établisse les trois règles, il a constaté que les rares cas de métissage donnaient presque toujours des rejetons humains. C'est donc parce qu'il voulait éviter la disparition de notre race qu'il a imposé cette troisième loi. Il la considérait comme la plus importante des trois. Mais leur application s'est avérée très difficile à respecter. Particulièrement la troisième. Les loups-garous s'étaient bien trop attachés aux Humains qu'ils fréquentaient au quotidien.

— Dans ce cas, pourquoi votre épouse a-t-elle été tuée au motif qu'elle était humaine et qu'elle vous a donné un enfant ?

À l'évocation de sa défunte femme, le visage de Jeremiah se referma.

— Bien des années après la mort de Tyros, alors que la communauté était éparpillée aux quatre coins de l'Europe, bien avant que les Amériques ne soient découvertes, un Crinos nommé Aonghas, autoritaire et obsédé par la pureté de l'espèce, a voulu réinstaurer pleinement les règles ancestrales. Les aïeux d'Aonghas appartenaient à la famille du premier Crinos, c'est pourquoi il s'est senti investi de la tâche que Tyros avait commencée. Pour ça, il lui fallait d'abord réunir trois représentants de chaque race qu'il a fait venir dans le Sutherland, au cœur de la société garolle.

— Pourquoi le Sutherland ?

— Mais parce que c'est là que sont nés les cinq premiers loups-garous des cinq races, Hannah.

J'en restai bouche bée et par la même occasion, je me demandai s'il y avait un lien avec le nom de famille de Leith, Alastair et Jeremiah.

— Cette communauté, existe-t-elle encore ?

Il hocha la tête.

— Oui. La gouvernance vit en toute discrétion dans les Entrailles de la Terre, dans le comté du Sutherland. La plupart de ses membres sont composés de Crinos, d'Hispos, de Galbros et d'Hommidés. Je continue si tu veux bien. Comme l'avait prédit Tyros, Aonghas avait constaté que le nombre de naissances garolles était en déclin et que la race menaçait de s'éteindre. Après plusieurs jours et plusieurs nuits de discussion, les représentants des cinq races sont tombés d'accord et ont décidé que les règles devaient être de nouveau respectées. Toute loi violée allait être suivie d'un châtiment exemplaire. Par exemple, chaque homme ou femme transformés serait immédiatement mis à mort. Donner naissance à un métis était désormais considéré comme un crime, c'est pourquoi les Humains avec lesquels les garous s'étaient accouplés seraient exécutés. Quant aux enfants issus de ces unions, il était prévu qu'ils soient physiquement marqués. Ils devenaient des parias à jamais repoussés de tous. Ces lois ont été longtemps appliquées, et c'est la raison pour laquelle Leith porte sur lui les stigmates de la bêtise du totalitarisme. Comme si voir mourir sa mère ne lui avait pas suffi, siffla Jeremiah, acide. En revanche, les loups-garous capables de muter devant un être humain n'étaient plus considérés comme dangereux. Aonghas pensait que ceux qui étaient dotés de ce don constituaient un nombre trop restreint pour avoir à les redouter. Il a donc tout simplement aboli la règle numéro deux.

— Ces lois sont-elles toujours appliquées ? demandai-je d'une voix étouffée.

Jeremiah secoua la tête et reprit.

— Elles l'étaient plusieurs centaines d'années après la mort d'Aonghas, et chacun en craignait les châtiments. Chacun vivait dans la peur, mais malgré tout, des enfants métissés venaient encore au monde. C'est pourquoi au XVIe siècle, Angus, le nouveau chef de la communauté, a considéré qu'il fallait davantage durcir la troisième loi, afin que plus aucune naissance de ce type ne soit possible. Il a été défini que l'union physique entre un loup-garou et un Humain devait être tout simplement proscrite.

Mes poils se hérissèrent, car il ne m'échappa pas que même si ces règles semblaient abolies, à une époque, j'aurais fait partie de ces gens-là.

— Angus a causé la consternation à travers le monde, car la loi devait être observée par tous, sous peine de représailles, y compris par les couples mixtes qui existaient déjà et qui avaient pourtant décidé de ne pas avoir d'enfant afin de rester dans le respect des règles. Ils ont été massacrés un à un, et sans pitié par les guerriers d'Angus. Ceux qui ont survécu ont réussi à se cacher, mais ils vivaient dans la crainte perpétuelle d'être découverts. L'un de nos ancêtres, Fillan Sutherland, un Lupus sage et brillant qui n'aspirait qu'à la paix et à la liberté, s'est rebellé contre le pouvoir en place. Il a soulevé une armée et tenté de délivrer les garous du joug de la gouvernance. Cette guerre, que l'on appelle *Mór-Cogadh*, a fait énormément de morts au sein de la communauté garolle et partout à travers le monde. Fillan était devenu fort et avait fini par s'entourer de nombreux fidèles, de toutes races confondues. Angus et lui ont finalement signé un accord, un traité visant à restaurer la paix et à distinguer deux communautés : la Communauté du Sutherland – rassemblant ceux qui voulaient suivre Angus – et la Communauté du Monde Libre – réunissant les partisans de Fillan. Chacun acceptait de ne pas interférer dans les décisions de l'autre, ou sur son territoire. L'une des conditions d'Angus était que notre famille quitte pour toujours le Sutherland – ou tout du moins, la zone qu'il avait définie, à l'ouest du comté – et qu'elle n'y remette jamais les pieds. Quant à lui, il a consenti à ne plus faire appliquer les lois en dehors de son territoire, mais quiconque en traverserait les limites sans se plier aux règles serait immédiatement puni de mort. L'accord a été respecté pendant très longtemps. Mais il y a environ quarante ans, un nouveau chef, Duncan, a décidé d'abolir le traité établi par ses aïeux. Selon lui, la race garolle ne pouvait être divisée. Il a réuni ses guerriers et frappé de mort chaque maison qui s'était soustraite aux lois ancestrales. Personne ne s'y attendait, il s'était passé six siècles depuis *Mór-Cogadh*. La Communauté du Monde Libre s'était disloquée, éparpillée à travers le monde. Elle était vulnérable, impuissante et incapable de se protéger. Les familles ont essayé de se cacher, mais elles ont toutes été brisées. Y compris la mienne… La tuerie a duré plusieurs années, jusqu'à ce que Duncan meure assassiné par l'un des siens. Parce qu'au fond, personne ne souhaitait vraiment revivre plus longtemps la dictature qu'avaient déjà menée Angus et Aonghas.

— Le traité de paix est donc de nouveau en vigueur ? voulus-je m'assurer.

— Oui. Mais il pourrait être brisé par la folie d'un chef aussi obsédé que les précédents. Conscient de la faiblesse du pacte, personne n'ose revenir sur les règles ancestrales. Malgré nous, nous les respectons, parce que nous avons tous peur des conséquences. Mais vous deux…

— OK, l'interrompis-je. Êtes-vous en train de sous-entendre que j'encours un risque ?

— En théorie, non.

— Et en pratique ?

Leith s'approcha de moi et plissa les yeux avant d'intervenir.

— Lors de la scission de la communauté, la quasi-totalité des Galbros, des Hispos, des Crinos et des Hommidés s'est ralliée au mauvais côté, celle du Sutherland. Moins de dix pour cent d'entre eux ont choisi de ne pas respecter les règles. Ces fanatiques de la loi vivent en majorité dans le Sutherland. C'est pourquoi voir un Galbro dans les îles Orcades était inquiétant. Dès le départ, j'ai douté du motif de sa présence. Je ne pensais pas qu'il pouvait s'agir d'un simple voyageur. J'en ai déduit qu'il était là pour nous épier, mais que ton odeur l'avait surpris, le détournant de son premier objectif : nous dénoncer pour chercher querelle, car je suis un Sutherland, notre famille a été souvent visée.

— C'est donc de ces lois dont il parlait quand il me menaçait ?

Il hocha la tête, je fronçai les sourcils.

— Je ne pense pas que Phillip ait appartenu à la Communauté du Sutherland.

Leith plissa le front.

— Qu'est-ce qui te fait dire ça ?

— Parce que s'il en avait vraiment fait partie, il ne se serait pas imaginé avec moi, non ? Cette idée l'aurait répugné. Je crois qu'il m'a menacée par vengeance, par dépit. Phillip était passionné par les cétacés, il affirmait être venu pour ça. Je ne pense pas qu'il ait menti, au moins sur ce point.

— Tu as peut-être raison, mais il n'empêche que sa menace n'était pas sans importance, souligna Leith.

— Mais nous ne craignons plus rien maintenant qu'il est mort, n'est-ce pas ? argumentai-je avec anxiété.

— Je suppose que non.

— Tu supposes ? Et si tu te trompais ?

— Grâce au pacte, nous ne sommes pas assujettis aux règles ancestrales. Auquel cas quelqu'un aurait déjà passé notre porte.

Jeremiah soupira profondément.

— C'est là que nous nous opposons, intervint Jeremiah. Traité ou pas, je pense qu'il vaut mieux ne pas prendre de risque.

— Et tu penses mal ! vociféra soudain Alastair. Accepter de te soumettre dans l'expectative d'une punition est ridicule. Faire preuve de lâcheté ne te rendra pas plus libre.

— Je t'ai déjà dit de ne pas m'insul...

— Tu as besoin d'être secoué ! le provoqua son frère.

— Je sais parfaitement ce que je fais ! Je n'ai nullement...

— Ne recommencez pas vous deux ! s'interposa Bonnie. Jeremiah a le droit de penser ce qu'il veut. Ce qui est important, c'est de savoir si Hannah et Leith ont ton soutien, Jeremiah. Seras-tu derrière eux en cas de problème ?

Jeremiah la fusilla du regard.

— Je ne laisserai pas mon fils unique mourir, si c'est ce dont tu souhaites t'assurer !

— Alors c'est parfait, conclut-elle fermement. Rien d'autre ne compte.

Le mal de crâne qui m'assaillait m'obligea à fermer les paupières. Je fronçai les sourcils et me massai les tempes. Leith s'agenouilla devant moi.

— Est-ce que ça va ?

Je haussai les épaules.

— J'aurais dû te dire la vérité plus tôt, murmura-t-il. J'avais peur de te perdre, peur que tu t'enfuisses et que tu ne veuilles plus de moi. Je le regrette. Me pardonneras-tu ?

Comme je ne répondais pas, il enserra mon visage entre ses mains.

— Je jure de te protéger. Je le jure, Hannah. Me crois-tu ? As-tu confiance en moi ?

Je hochai la tête. Comment aurais-je pu ne pas le croire ? Personne ne s'était jamais autant battu pour moi. C'était avec Leith que je désirais être, règles ancestrales ou pas, mais j'étais si lasse. Je sentais la fatigue prendre les dernières forces qu'il me restait. J'avais engrangé trop d'informations, j'en avais trop entendu. Le feu dans la cheminée s'était éteint depuis longtemps, j'avais froid, et je voulais m'isoler avec Leith.

— Viens, chuchota-t-il. Je t'accompagne dans ta chambre.

Éreintée, je quittai le salon avec lui. Le plaid enroulé autour de mes épaules, je manquai trébucher dans le couloir. Leith me prit par la taille, glissa un bras sous mes genoux et me souleva de terre. Lorsqu'il s'apprêta à pénétrer dans la chambre où j'avais dormi, je me manifestai.

— Non...

Il s'arrêta brusquement, sans comprendre.

— Laisse-moi rester avec toi.

— Hannah, je ne crois pas que...

— S'il te plaît...

Je redoutais d'être seule. Je voulais pouvoir me serrer contre lui. J'avais tellement eu peur de le perdre. Je l'embrassai dans le cou et fis tomber ses ultimes réticences. En silence, il avança lentement vers l'escalier et monta les marches. Il poussa du pied la porte de sa chambre et me déposa doucement sur son lit. Là, il alluma la lampe de chevet et vint s'asseoir à côté de moi.

— Tu sembles tellement fatiguée, souffla-t-il en passant son doigt sous mes yeux.

Il me détailla longuement, une ligne barrant son front.

— J'ai été malhonnête avec toi. Je suis désolé.

— Je ne te reproche rien.

Pendant quelques interminables secondes, nous nous observâmes sans rien dire.

— Comment te sens-tu ? m'enquis-je finalement.

Il baissa la tête.

337

— J'ai tué un homme, Hannah, je...

Mon cœur se comprima.

Délicatement, j'effleurai sa joue et suivis la courbe de sa mâchoire du bout des doigts. Il frissonna. Je me redressai, posai mes lèvres au coin de sa bouche, passai la main derrière sa nuque et l'embrassai doucement. Il répondit à mon baiser et me serra contre lui à m'en étouffer. Lorsque je me détachai finalement de lui, je plongeai les yeux dans son regard tourmenté.

— Tu m'as sauvée... Ne l'oublie jamais. Tu m'as sauvée.

Il battit des paupières, troublé, et me reprit dans ses bras. Nous demeurâmes ainsi un long moment, jusqu'à ce que je sente ses muscles se relâcher. Je levai la tête pour le dévisager, songeai à son père à qui il ressemblait tellement, à ce qu'ils avaient vécu, à leur famille brisée, et me demandai si la mère de Leith m'aurait appréciée.

— Comment était ta mère ? murmurai-je.

— Très belle.

Il se leva et alla fouiller dans les tiroirs de son bureau. Il en ressortit un petit album qu'il ouvrit et pointa du doigt un cliché.

— C'est elle.

La photo était de mauvaise qualité, mais on devinait très nettement les magnifiques yeux noirs de Mme Sutherland. C'était une superbe femme, menue, à peu près ma taille, avec la peau laiteuse et de longs cheveux blonds.

— Comment s'appelait-elle ?

— Rose.

— Rose...

Je tournai quelques pages et vis des clichés de Rose enceinte, avec un gros ventre bien rond. Elle était encore plus pâle et semblait extrêmement fatiguée.

— Comment se passe la grossesse quand une Humaine attend un loup-garou ?

Leith m'observa un instant, surpris par ma question, puis il répondit.

— La gestation normale dure neuf mois. Elle peut être très difficile à vivre. Le bébé prend beaucoup, les carences chez la future mère sont nombreuses. Si elle n'y prend pas garde, elle peut s'affaiblir très vite, et l'issue s'avérer dangereuse pour elle comme pour l'enfant.

— Où as-tu été mis au monde ?

— Ici. Dans cette maison. Ma mère a été accouchée par Bonnie.

— Bonnie ?

Il hocha la tête.

— Ma tante est médecin. Le genre de toubib qu'on ne forme pas dans les universités.

— Médecine garolle ?

Leith acquiesça en souriant.

— D'autres questions sur l'enfantement ?

Je secouai le menton, gênée.

— Bonnie est une Hispo, dit-il soudain. Tu le savais ?

J'écarquillai tout grand les yeux, et lui fis signe que non.

Dans mon imaginaire, cette race de garous, même sous leur forme humaine, était loin d'avoir la douceur naturelle de Bonnie. J'étais estomaquée.

— Elle a quitté le Sutherland quand elle avait vingt-cinq ans. Elle fait partie d'une famille d'Hispos très respectée.

— Pourquoi en est-elle partie ?

— Elle a fui.

— Fui ?

Il hocha la tête.

— Bien qu'elle ait grandi sous les lois ancestrales, elle ne les a jamais acceptées. Lorsqu'elle a rencontré Al, à l'occasion d'un voyage, elle vivait encore là-bas. Sa famille a dû la faire passer pour morte pour lui permettre de s'enfuir.

— Elle ne pourra donc jamais y retourner ?

— Pas maintenant qu'elle est mariée à un Sutherland et qu'elle a bafoué les règles, non.

— C'est tellement triste.

— Oui, sans doute, mais elle a fait son choix.

Je fronçai les sourcils.

— Pourquoi cette communauté est-elle aussi dure ? Ne peuvent-ils simplement pas vivre librement ?

— L'étroitesse d'esprit, Hannah, soupira-t-il. La plupart de ses membres sont obtus et n'envisagent aucun changement.

Je l'observai un instant sans rien dire avant de reprendre la parole.

— Tu as dû tellement souffrir...

Il haussa un sourcil.

— Comment ça ?

— La mort de ta mère, le fait d'être considéré comme un paria...

— Son meurtre a effectivement été la chose la plus dure que j'ai eue à affronter étant enfant, mais pour le reste... J'ai toujours été très protégé par mon père, Bonnie et Al. Je n'avais pas conscience de ma différence. Nous côtoyons très peu de loups-garous et ceux que nous connaissons pensent comme nous.

J'avançai la main et touchai doucement sa cicatrice. Il frissonna en fermant les paupières.

— Et toi, Hannah, quelle enfance as-tu eu ?

— Celle que chaque enfant sur Terre devrait avoir. Des parents aimants, une vie confortable, des loisirs à volonté, de l'insouciance... Je n'ai jamais manqué de rien.

Il sourit, la malice dans les yeux.

— Qu'est-ce qui te fait sourire ?

— Tu ressembles à tout sauf à une enfant gâtée.

— Mais je n'ai pas prétendu l'être ! me piquai-je.

Il leva les deux mains devant lui.

— Oh oh... ! Je voulais simplement dire que tu prends chaque instant de la vie comme une chance.

Tu n'exiges rien, tu pardonnes, tu es pleine de compassion, d'amour...

— Tu ne me connais pas encore très bien, bougonnai-je. Je n'ai pas le caractère le plus facile du monde.

— Tu as celui qui me convient. Tu es courageuse, douce, déterminée, énuméra-t-il en posant ses doigts sur ma joue pour la caresser en va-et-vient de l'oreille au menton. Belle, envoûtante, désirable...

Tout mon corps fut secoué d'un frisson abyssal, pourtant, j'aurais pu fondre comme neige au soleil tellement je brûlais de l'intérieur.

— On aurait pu ne jamais se rencontrer, fis-je remarquer, pensive. Je ne voulais pas revenir ici cet été. C'est mon père qui a lourdement insisté.

— Alors je lui suis redevable à vie, chuchota Leith en embrassant mon lobe d'oreille.

Je frémis de plaisir et... bâillai. Je me serais giflée !

— Tu devrais dormir, m'intima Leith en m'étendant délicatement sur le lit. Tes yeux se ferment tout seuls.

Il me recouvrit des draps et éteignit la lampe de chevet.

— Et toi ? demandai-je en bâillant une nouvelle fois. Tu ne comptes pas dormir ?

— Pas encore. Mais je reste là, à côté de toi.

Il s'allongea et je me collais à lui en calant ma tête contre son épaule pour sentir son odeur. Tendu comme un arc, il ne bougea pas d'un centimètre. Alors je laissai tomber une pluie de baisers dans son cou, sur son menton, sur sa joue, évitant soigneusement ses lèvres. La main de Leith se crispa sur mon flanc.

— Hannah...

Le ton qu'il employa était celui de la mise en garde. Ignorant volontairement son avertissement je me serrai un peu plus contre lui. Il était si chaud. Dans un quasi-rugissement, il me retourna sur le dos et m'embrassa avec passion. Ses doigts couraient le long de ma taille, de mes hanches, de mes cuisses... Tout mon sang se bouillonnait. Je répondis à son baiser sans réserve, me moquant éperdument des limites que nous pourrions franchir, du moment que nous les franchissions ensemble. Mais Leith n'était pas de mon avis, hélas. Il se releva brusquement, comme brûlé, et ralluma la lampe de chevet.

— Que... que fais-tu ? bredouillai-je, déstabilisée.

Il s'assit et se passa une main dans les cheveux.

— Je te fuis, Hannah, tu es une sorcière !

— Hum..., grommelai-je. Tu m'as déjà dit ça.

— Et je le pense.

Son souffle était aussi heurté que le mien, et ses yeux étincelants. Il n'était pas difficile de voir à quel point il se battait pour ne pas craquer. C'était parfaitement ridicule. Il me voulait et je le voulais tout autant.

Il soupira avant de se pencher pour m'embrasser doucement sur les lèvres.

— Endors-toi, je reviens.

Et il sortit.

Tard dans la nuit, vaguement réveillée par une intense chaleur contre mon dos, j'essayai de bouger pour changer de position. Le poids qui me ceinturait la taille m'en empêcha. Ensommeillée et engourdie, il me fallut plusieurs secondes pour comprendre qu'il s'agissait de Leith. Rassérénée, je parvins à me retourner et me plaquai davantage contre lui, le visage enfoui dans la douceur de son cou. Il sentait bon. Instinctivement, je pliai le genou et l'immisçai entre ses cuisses. Il grogna. Je sentais son désir contre mon ventre. Alors je gémis à mon tour, m'immobilisai totalement, le cœur battant, et, grisée par son odeur, je me laissai prendre par le sommeil pour la seconde fois de la nuit. Ma première avec lui. La meilleure de toute ma vie.

Au petit matin, j'émergeai avec l'assurance d'avoir perçu un sifflement, léger, furtif et peu familier. Puis le silence retomba. Je sursautai et réalisai que ce ronronnement nasal était le mien.

Bien qu'encore à moitié endormie, une pensée s'imposa brutalement à mon esprit et me réveilla totalement : Leith ! S'il m'avait entendue ronfler, j'en mourrais !

Couchée sur le dos, les yeux grands ouverts, je restais rivée au plafond pendant quelques secondes. Puis, très doucement, je tournai la tête pour vérifier s'il était à côté de moi. *Oh, yes!* Ce n'était pas le cas. Je m'étirai et imitai l'étoile de mer en occupant presque tout l'espace du lit. Je laissai sortir mes pieds de sous les draps et agitai les orteils au contact de l'air ambiant. Je soulevai la nuque pour les regarder, et le vis.

Leith.

Devant moi. Inconfortablement installé sur un fauteuil, une couverture sur les jambes.

Il m'observait.

Pire.

Il souriait.

— Je n'ai jamais rien vu d'aussi drôle, finit-il par dire. On dirait que tu viens de rouler à toute blinde à moto et sans casque

— Oh..., soufflai-je, avec l'envie de disparaître.

J'essayai maladroitement d'aplatir mes cheveux et me mordis les lèvres.

— Tu es réveillé depuis combien de temps ?

— Suffisamment, répondit-il avec un clin d'œil.

Évidemment, je piquai un fard.

— Bien dormi ? s'enquit-il en venant s'asseoir à côté de moi.

— Oui. Quelle heure est-il ?

— Neuf heures et demie.

Je jetai un regard sur le fauteuil où Leith avait dormi et fis la grimace.

— Ça ne devait pas être super confortable. Pourquoi n'es-tu pas resté avec moi ?

Comme il ne répondait pas, je tournai la tête pour le dévisager. Ses yeux brillaient d'une lueur particulière. Puis un sourire en coin fleurit sur ses lèvres.

— C'était ça ou...

Je déglutis. Il éclata de rire.

— Je ne suis qu'un homme, Hannah, ajouta-t-il, amusé.

Mon pouls s'accéléra tandis qu'une nuée de papillons s'envolait dans mon ventre.

Alors il enserra mes joues entre ses mains et m'embrassa.

— Tu es tellement belle, murmura-t-il contre ma bouche.

Je secouai la tête, les yeux grands ouverts.

— Si, si, insista-t-il en approfondissant son baiser.

Tant et si bien, qu'il m'ôta toute envie de protester.

Et il en serait toujours ainsi, désormais.

Épilogue

Ma chère Sissi,

Tu as vu ? Je fais l'effort d'un vrai courrier, avec une jolie carte, une belle enveloppe, un timbre, et tout et tout...

Je t'écris depuis une ravissante petite ville sur la côte est écossaise : St Andrews.

Voilà, tu auras fait la déduction toute seule, pour ma première année, j'ai finalement décidé de m'inscrire là-bas. J'entame une licence d'histoire médiévale.

Si tu pouvais voir la fac, ici. Le centre ! C'est magnifique. Les rues pavées, les immeubles du XVᵉ siècle... Ça va être fabuleux d'y vivre. Wick me manquera à peine.

Tu viendras me rendre visite à St Andrews j'espère ?

Je t'embrasse fort,

Hannah.

Je fermai l'enveloppe et la glissai dans une boîte aux lettres.

— Tu crois que je me plairai ici ? demandai-je en levant la tête sur l'impressionnante bâtisse en pierres grises qui s'élevait devant nous.

— Définitivement ! m'assura Leith en enroulant ses bras autour de ma taille.

Ignorant totalement les passants, il m'attira contre lui et m'embrassa dans le cou. Son baiser fut aussi doux que des battements d'ailes de papillon.

— Je t'aime, susurrai-je.

— Je sais, dit-il simplement, les yeux plongés dans les miens et brillants d'une promesse d'éternité qui valait toutes les déclarations du monde.

Il me prit par les épaules et me guida en direction de la vieille ville. Leith s'arrêta brusquement devant l'entrée d'un tout petit parc verdoyant, emprisonna ma main dans la sienne et me conduisit à l'intérieur. Là, il trouva un banc abrité par un rosier grimpant et s'y assit en m'attirant sur ses genoux.

— Est-ce que tu es prête ? demanda-t-il ?

— Prête pour quoi ?

— Tous ces changements. Quitter tes parents, la fac, moi...

— Toi ?

Il sourit.

— Moi... Tu vas me voir chaque jour et tu n'auras aucune échappatoire.

— Je devrais pouvoir m'en accommoder sans problème, lui assurai-je en faisant buter mon front contre le sien.

— Tu ne regrettes rien ? Paris ?

— Non. Jamais.

Il me serra contre lui.

— Est-ce que l'avenir t'effraie ?

Je me redressai pour le regarder dans les yeux.

— Non plus. Pas tant que tu es avec moi.

— C'est justement parce que tu es avec moi que tu pourrais en avoir peur, argumenta-t-il très sérieusement.

Alors je secouai le menton, sûre de moi.

— Non, je n'ai pas peur.

Il pencha la tête et m'observa avec attention.

— St Andrews est une très ancienne université, fréquentée par toute une foule de gens différents.

Un petit sourire s'étira au coin de mes lèvres.

— Je suis parisienne, j'ai l'habitude de voir du monde.

— Que dirais-tu de rencontrer des personnes aussi étranges que moi ?

Je plissai le front.

— C'est-à-dire ? Des garous, comme toi ?

— Entre autres...

Eh bé...

— Attends, m'amusai-je. Laisse-moi deviner. Des sorcières, des vampires, des Banshees et tutti quanti ?

Leith arqua les sourcils.

— Ce n'est pas moi qui l'ai dit !

Je levai les yeux au ciel

— Pourquoi St Andrews, spécifiquement, accueillerait-elle en son sein tous les spécimens occultes connus ?

— Chaque ville médiévale a son lot de légendes, trésor, définit-il en haussant les épaules. À toi de faire le tri entre ce qui est vrai ou faux.

Je le considérai un instant avec attention.

— Serais-tu en train de me charrier ?

— Qui sait ? chuchota-t-il. Peut-être pas...

N'attendant aucune réponse de ma part, il me fit basculer sur le côté et m'embrassa.

Et puis quoi ? Je pouvais bien rencontrer toutes les créatures étranges de la Terre, mon loup-garou de petit ami était avec moi. Je ne risquais rien.

Rien du tout.

Enfin... je verrais bien.

Remerciements

Voilà, je pense, le travail le plus difficile à réaliser : les remerciements. Pas que j'en sois avare, loin de là, mais il n'est pas aisé de se contenter de quelques lignes. Ceux que je veux remercier sont très nombreux et chaque personne mériterait une page à elle seule. Toutefois, je vais être raisonnable et aller à l'essentiel...

Merci d'abord à ma fille, Lou, et à mon mari, Christophe. Lou n'a bien sûr pas l'âge de comprendre ce que je fabrique coincée dans mon bureau, et pourtant, dès le début de cette aventure, elle m'a laissée de grandes heures de concentration. Tu es un bébé merveilleux... Et mon mari est tout aussi incroyable. Il m'a apporté un soutien immense, inconditionnel et permanent, mettant entre parenthèses ses propres week-ends pour s'occuper de notre fille, de notre maison, des repas. Sans vous deux, je n'y serais pas arrivée.

Merci à vous, papa et maman, pour vos encouragements immédiats et pour votre imagination débordante dont j'ai hérité. À mon frère, Anthony, qui m'a directement inspiré le caractère du héros de cette histoire. À ma famille, en règle générale, qui n'a pas été en reste pour me transmettre sa fierté, et à Julie, admiratrice et appui indéniable, dès les toutes premières lignes.

Et en parlant d'appui... *Les étoiles de Noss Head* n'aurait pas vu le jour sans le soutien majeur et la bienveillance de ma chère amie Sylvie. Ce livre, c'est aussi le sien. Je n'oublie pas les longues heures qu'elle a passées à me relire, à me conseiller, à m'écouter sans jamais exprimer la moindre plainte. L'enthousiasme extraordinaire dont elle a fait preuve a été un moteur indiscutable à mon inspiration qu'elle a partagée du début à la fin. Sissi, merci.

Merci aussi à Jess, dont l'aide de dernière minute a été plus que précieuse.

Comme je n'ai jamais su travailler sans musique, je remercie mon groupe préféré du moment, Keane, qui, à travers mes vieux écouteurs, m'a suivie tout au long de cette aventure, me redonnant du souffle lorsque j'en manquais.

Enfin, merveilleuse Écosse, merci pour ta magie, ta force et ta beauté qui ont été la source de mon inspiration. J'adore Wick !

10902

Composition
NORD COMPO

Achevé d'imprimer en Slovaquie
par NOVOPRINT SLK
le 14 mars 2017.

Dépôt légal septembre 2014
EAN 9782290082140
L21EPJN000121A005

ÉDITIONS J'AI LU
87, quai Panhard-et-Levassor, 75013 Paris

Diffusion France et étranger : Flammarion